S0-AGT-832

主　编　陈　灼
副主编　王世生

编　者　（按姓氏笔画）
　　　　　王世生　左珊丹　沈志钧　汪宗虎
　　　　　陈　灼　舒春凌

英文翻译　曾宪宇
法文翻译　刘京玉

下册编者分工如下：
沈志钧　第十六课；
王世生　第十七课、第二十六课、第二十七课、第三十课；
左珊丹　第十八课、第二十一课；
陈　灼　第十九课、第二十五课、第二十八课、第二十九课；
舒春凌　第二十课；
汪宗虎　第二十三课；
王世生、陈灼　第二十二课、第二十四课。

北语对外汉语精版教材
BLCU'S BEST-SELLING CHINESE TEXTBOOKS FOR LEARNERS OVERSEAS

桥　　梁

——实用汉语中级教程

BRIDGE
— A Practical Intermediate Chinese Course

陈　灼　主编

下　册
Book Two

北京语言文化大学出版社

(京)新登字 157 号

图书在版编目(CIP)数据

桥梁:实用汉语中级教程(下)/陈灼主编.
—北京:北京语言文化大学出版社,2002.2 版 2002 重印
北语对外汉语精版教材
ISBN 7-5619-0542-4

Ⅰ.桥…

Ⅱ.陈…

Ⅲ.对外汉语教学-高等学校-教材

Ⅳ.H195.4

责任印制:汪学发
出版发行:北京语言文化大学出版社
社　　址:北京海淀区学院路 15 号　　邮政编码 100083
网　　址:http://www.blcup.com
　　　　　http://www.blcu.edu.cn/cbs/index.htm
印　　刷:北京师范大学印刷厂
经　　销:全国新华书店
版　　次:1997 年 1 月第 1 版
　　　　　2000 年 8 月第 2 版　2002 年 3 月第 12 次印刷
开　　本:787 毫米×1092 毫米　1/16　印张:24.5
字　　数:395 千字　印数:41000—47000
书　　号:ISBN 7-5619-0542-4/H·0038
定　　价:47.00 元
发行部电话:010—82303651　82303591
　　　　　传真:010—82303081
E-mail:fxb@blcu.edu.cn

目　录

第 十 六 课

一 课文 地球的主人

地球上究竟有多少种动物,现在还无法[1]准确地统计出来。据世界上一些动物研究机构[2]和科学家估计,总数[3]大概在两百万到四千万之间,其中已经发现的只有几十万种。在人类诞生[4]之前和人类对自然影响还不显著的时代,一些动物由于不适应自然环境的变化而逐渐消失了,恐龙[5]就是最有名的例子之一;同时,新的动物也在不断产生着,人类就是最多只有四百万年历史的年轻种类。至于我们现代人,历史就更短了。

自恐龙灭绝[6]以来,地球上的动物已经经历了五次大规模的灭绝,都是由自然的因素造成的。然而,动物目前正面临[7]着的第六次大规模灭绝,却是人类自己造成的。在地球的现代历史上,为什么还会产生这样的大悲剧呢?原因是多方面的,但主要原因之一,是人类的优越[8]感。尽管人类只有四百万年的历史,远远没有熊猫、老虎、蛇等大多数动物的资格老,然而现在,人类却总是毫不客气地把自己看做[9]是地球的主人。我们中的许多人,不知道或不愿承认这样一个事实:我们其实也是动物的一种。正是这种优越感,使人类对动物越来越缺少同情心。即使是对那些与人类遗传[10]关系极近的动物,比如猩猩[11]、猴子等,也很少有兄弟一样的感觉,更不可能像对待兄弟那样对待它们。如果说在野蛮[12]时代,人类为了生存而不得不捕杀[13]动物还是可以原谅的话,那么在高度文明的现代,仍旧[14]任意地捕杀动物,特别是野生[15]动物,就只能被看做是不可原谅的野蛮行为了。

人类真的是地球的惟一[16]主人吗?人类与动物之间的差别[17]真是像我们想像的那么大吗?不解决这个优越感的问题,保护野生动物的愿望是难以实现的。值得欣慰的是,在这方面科学家们已经开始思考[18]并进行工作了。比如,最近有些科学家就要求给猩猩"人权[19]"。他们指出,如果再不考虑长期受虐待[20]的猩猩的人权问题,那么,人类在将来就有可能受到它们的报复[21]。

科学家的主张,使人不由得想起那部有名的恐怖[22]寓言[23]电影——《猩猩的地球》:经过好几个世纪以后,三位宇航员[24]返回[25]地球。这时候,地球的新主人猩猩对他们进行捕杀,就像我们人类现在对猩猩及其他动物所做的一样。三位宇航员都被抓住了,一位被关进动物园展览,另一位被钉[26]死在自然博物馆[27]的墙上,第三位被送进实验室,猩猩用他做各种医学试验。最后,只有被当做"动物"的那位宇航员逃出了地球,才生存下来。

辛格是澳大利亚的一位动物研究专家,他写了一篇"关于猩猩的宣言[28]",要求给猩猩"生存的权力[29]","保护它们的自由","禁止折磨[30]它们"。一些著名的科学家都在这篇宣言上签了名[31]。辛格打算在合适的时候向联合国提出这个建议。他在解释提出该建议的原因时说,我们以往[32]过分[33]强调猩猩与人类的差异[34],并划了一条过分明显的界线[35],而忽视[36]了它与我们的相同和相似之处。长久[37]以来,人类从没有在道德观念上给猩猩一个跟人类平等的"生存权力"。这种状况"不会维持[38]太久了"。

人们都知道,五百万年前,我们和黑猩猩是一家人,祖先[39]是共同的。人和黑猩猩的遗传基因[40]只有1.6%的差别,但黑猩猩和大猩猩的遗传基因的差别却达2.1%。因此,许多科学家目前深信[41],今后,现代人肯定会被划入黑猩猩类。猩猩能够毫无困难地使用工具,还能学会用手势[42]与人交谈[43]。它们会骗人,会扔石头,会有计划地去捕杀别的动物,会对弱小的同类[44]进行恐怖统治,还会对其他同类进行战争。可以说,人类的那些基本的优点和缺点,它们都有。

由于它们和人有这些相似的地方,我们如果给它们人权,就必须面对[45]一些重大的选择:禁止为进行医学研究而用它们做动物试验;不能继续把它们关在动物园里。总之[46],这样一来,人类将和猩猩一起分享[47]地球主人的权力。

对这种主张,反对者现在远远超过支持者。反对者认为,如果给猩猩人权,那么猴子呢?如果给猴子人权,那么蛇呢?狼呢?难道最后连苍蝇也可以跟我们分享权力吗?但是支持者则坚持认为:所有的动物和人类一样,都是地球的主人。如果人类不想跟它们一起生活,那就只能跟它们一起灭绝。只有保护好人类的朋友——动物,人类才有可能长久地在地球上生存。

二 生 词

1. 无法　　　（副）　　wúfǎ　　　　unable; incapable　　　　　　　　　　丙
　　　　　　　　　　　　　　　　　ne pas être en mesure de

2. 机构　　　（名）　　jīgòu　　　　organization　　　　　　　　　　　　丙
　　　　　　　　　　　　　　　　　organisme

3. 总数　　　（名）　　zǒngshù　　　total; sum total　　　　　　　　　　丁
　　　　　　　　　　　　　　　　　somme totale

4. 诞生　　　（动）　　dànshēng　　be born; come into being; emerge　　丙
　　　　　　　　　　　　　　　　　naître; venir au monde

5. 恐龙　　　（名）　　kǒnglóng　　dinosaur
　　　　　　　　　　　　　　　　　dinosaures

6. 灭绝　　　（动）　　mièjué　　　become extinct
　　　　　　　　　　　　　　　　　exterminer

7. 面临　　　（动）　　miànlín　　be faced with; be confronted with; be　丙
　　　　　　　　　　　　　　　　　up against
　　　　　　　　　　　　　　　　　faire face à

8. 优越　　　（形）　　yōuyuè　　superior; advantageous　　　　　　　　丙
　　　　　　　　　　　　　　　　　supérieur-e; (sentiment de) supériorité

9. 看做　　　（动）　　kànzuò　　look upon as; regard as　　　　　　　　丁
　　　　　　　　　　　　　　　　　tenir pour

10. 遗传　　　（动）　　yíchuán　　inherit　　　　　　　　　　　　　　丁
　　　　　　　　　　　　　　　　　hériter

11. 猩猩　　　（名）　　xīngxing　　orangutan; gorilla; chimpanzee
　　　　　　　　　　　　　　　　　orang-outan; gorille; chimpanzé

12. 野蛮　　　（形）　　yěmán　　uncivilized; savage; barbarous; cruel;　丁
　　　　　　　　　　　　　　　　　brutal
　　　　　　　　　　　　　　　　　sauvage; barbare

13. 捕杀　　　（动）　　bǔshā　　catch and kill
　　　　　　　　　　　　　　　　　capturer et tuer

14. 仍旧　　　（副）　　réngjiù　　still; yet　　　　　　　　　　　　　丙
　　　　　　　　　　　　　　　　　comme auparavant

15. 野生　　　（形）　　yěshēng　　wild; uncaltivated; feral　　　　　　丁
　　　　　　　　　　　　　　　　　sauvage

16. 惟一　　　（形）　　wéiyī　　only; sole; unique　　　　　　　　　丁
　　　　　　　　　　　　　　　　　unique seul-e

17. 差别　　　（名）　　chābié　　difference; disparity　　　　　　　　丙
　　　　　　　　　　　　　　　　　différence

18. 思考　　　（动）　　sīkǎo　　think deeply; ponder over; reflect on　丙
　　　　　　　　　　　　　　　　　méditer sur; réfléchir à(sur)

3

19. 人权	（名）	rénquán	human rights; rights of man droits de l'homme	丁
20. 虐待	（动）	nüèdài	maltreat; ill-treat; tyrannize maltraiter	
21. 报复	（动）	bàofù	revenge; make reprisals; retaliate se venger; rendre la pareille	丙
22. 恐怖	（形）	kǒngbù	horrible; terrible épouvantable	丙
23. 寓言	（名）	yùyán	fable; allegory; parable fable; parabole	丙
24. 宇航员	（名）	yǔhángyuán	astronaut; cosmonaut cosmonaute; astronaute	
25. 返回	（动）	fǎnhuí	return; come or go back revenir(sur la terre)	丁
26. 钉	（动）	dìng	nail clouer	丙
27. 博物馆	（名）	bówùguǎn	museum musée	丙
28. 宣言	（名）	xuānyán	declaration; manifesto manifeste; déclaration	丙
29. 权力	（名）	quánlì	power; authority droit	丙
30. 折磨	（动）	zhémó	cause physical or mental suffering; torment; harassment tourmenter	丙
31. 签名		qiān míng	sign signer	丁
32. 以往	（名）	yǐwǎng	before; formerly; in the past auparavant; dans le passé	丁
33. 过分	（形）	guòfèn	excessive; undue; over excessif; très	丙
34. 差异	（名）	chāyì	difference différence	丁
35. 界线	（名）	jièxiàn	boundary line; dividing line limite	丙
36. 忽视	（动）	hūshì	ignore; overlook; neglect négliger	丙
37. 长久	（形）	chángjiǔ	permanent longtemps; long-ue	丙
38. 维持	（动）	wéichí	keep; maintain; preserve maintenir; garder	丙

39. 祖先	（名）	zǔxiān	ancestry; ancestors; forbears; forefathers ancêtres; aieux	丙
40. 基因	（名）	jīyīn	gene gène	
41. 深信	（动）	shēnxìn	firmly believe être convaincu que…; avoir la ferme conviction que	丁
42. 手势	（名）	shǒushì	gesture; sign; signal geste de la main	丙
43. 交谈	（动）	jiāotán	talk with each other; converse; chat; have a conversation converser; causer	丙
44. 同类	（名）	tónglèi	the same kind; similarity similarité	丁
45. 面对	（动）	miànduì	face; confront faire face à	丙
46. 总之	（连）	zǒngzhī	in a word; in short; in brief bref; en un mot	丙
47. 分享	（动）	fēnxiǎng	share (joy, rights, etc.); partake of partager	

专　名

1. 辛格	Xīngé	name of a person nom de personne
2. 澳大利亚	Àodàlìyà	Australia Australie
3. 联合国	Liánhéguó	the United Nations Organisation des Nations Unies

da pèi　po zhan

三　词语搭配与扩展

(一)面临

[~动] ~考验 | ~考试 | ~挑战 | ~倒闭 | ~死亡

[~宾] ~(变化的)形势 | ~……局面 | ~……危机 | ~(这场)灾难 | ~……困难

[~中] ~的困难 | ~的问题 | ~的形势 | ~的状况

(1)由于经营不善,这家公司面临着倒闭的危险。

(2)面临对手的挑战,他们重新制订了比赛方案。

(二)资格

[动~]有(没有)~|具备……~|保留~|取消~|审查……~|摆(老)~

[~动/形]~(被)取消了|~恢复了|~(很)重要

[定~]记者的~|比赛~|考试~|老~

　　(1)他自己做得就不好,有什么资格教训别人!

　　(2)因为打裁判,他被取消了比赛资格。

(三)差别

[动~]存在~|承认~|找出~|分析~

[~动/形]~扩大了|~缩小了|~(很)大|~(比较)小|~明显

[定~]城乡~|男女~|职业的~|年龄的~|本质的~|主要的~

　　(1)两个队在体质方面存在较大的差别。

　　(2)你根本看不出这里是农村,城乡差别好像已经消灭了。

(四)思考

[动~]进行~|加以~|提倡~|爱~|重视~|引起~

[~宾]~问题|~事情|~原因|~答案

[状~]慎重地~|冷静地~|迅速地~|正在~|不停地~|应该~

[~补]~起来|~了一个星期|~一番|~一下

　　(1)她的决定是经过慎重思考的。

　　(2)老王过去是一个善于思考的人,现在不知为什么,什么都懒得思考。

(五)报复

[动~]进行~|企图~|主张~|害怕~|禁止~|受到~

[~宾]~某人|~别人|~他们

[状~]拼命~|恶毒地~|不应该~

[~补]~不了|~一下|~一番|~了三次

[~中]~心理|~的对象|~的手段|~的原因|~的结果

　　(1)我们要做好充分准备,防止敌人的疯狂报复。

　　(2)喜欢报复别人的人,往往也会遭到别人的报复。

(六)恐怖

[动~]觉得~|感到~|宣传~|制造~(气氛)

[状~]特别~|异常~|相当~|有点儿~

[~中]~的气氛|~的心理|~的情节|~的样子

　　(1)这件事没那么严重,你别故意制造恐怖气氛。

　　(2)昨天我看了一部恐怖电影,觉得可怕极了。

(七)折磨

[动~]受~|摆脱~|忍受~|停止~|遭受~

[~宾]~病人|~自己|~对方|~动物

[定~]精神~|这种~|这么大的~

[状~]不断地~|野蛮地~|故意~|把……~(死了)|被……~(病了)

[~补]~老了|~瘦了|~病了|~得很厉害|~了三年

[~中]~的手段|~的后果

    (1)他们折磨犯人的手段非常残忍。

    (2)那件麻烦事儿把他都折磨瘦了。

(八)维持

[~宾]~……局面|~现状|~……关系|~秩序|~治安

[~补]~得(很)好|~得长久|~下去|~不了|~了三年

    (1)双方在谈判中已经取得共识,贸易关系将继续维持下去。

    (2)他们的职责就是维持治安与交通秩序。

四　语法例释

(一)至于我们现代人,历史就更短了

"至于",连词。连接并列的两个部分,即说完一部分之后,再引出另一话题,有时把意思推进了一步。例如:

    (1)咱们这次去上海要坐飞机,至于为什么,以后再告诉你。

    (2)这只是我的建议,至于是否采纳,要由领导决定。

    (3)太阳表面的温度是6千度,至于太阳中心的温度,大约有2千万度。

    (4)晚会肯定是要举行的,至于演什么节目,以后要专门开会研究。

    (5)这几年村里新盖了不少房子,至于各家新添的家用电器数量就更多了。

    (6)反正我已经通知他开会了,至于他参加不参加,我就不知道了。

(二)自恐龙灭绝以来……

"自……以来",介词结构。表示从过去某一时间开始,并且一直延续到现在说话的时候。中间可以是一个具体的时间,也可以是某一具体事具体情况,也可以两者并举。"自"口语中常用"自从",同时省略"以来"。例如:

    (1)自去年八月以来,南方的经济形势越来越好。

    (2)自1993年年底以来,他的身体一直时好时坏。

    (3)自1978年开始实行改革开放以来,我国人民的生活水平大大提高了。

    (4)自前年9月我到北京语言文化大学以来,就没回过国,所以我一直

很想念我的父母。

(5)自从我认识了她,就总想跟她接近,可一直找不到合适的机会。

(6)自从人类出现在地球上,动物的日子就越来越不好过了。

(三)如果再不考虑长期受虐待的猩猩的人权问题,那么,人类在将来就有可能受到它们的报复

"如果……那么……就……",假设复句。前一分句是假设的条件,后一分句是由此得出的结果。"那么"应放在后一分句前,起延缓语气和提请注意的作用,可以简略为"那"或省略不用。"就"应放在后一分句的主语后面。例如:

(1)如果你对这个决定有意见,那么,我就去找他们谈谈吧。

(2)如果明天天气好,你也有时间,那么咱们就去长城吧,怎么样?

(3)如果人类不想跟野生动物一起生活,那就只能跟它们一起灭绝。

(4)如果他们不赔偿我们的经济损失,(那么)我们就向法院起诉。

(5)如果小李请你去,(那)你就去吧。

(6)如果不认真预习、复习,(那么)你们的学习成绩就不可能提高。

(四)另一位被钉死在自然博物馆的墙上("被₄")

"被",介词。这类被字句,主语是受事,当主语是生命体而且与谓语动词在语义上既可构成施动关系,又可构成受动关系时,为了表明施受关系,必须用"被",口语中也可用"叫"、"让"、"给"。谓语动词要有结果补语,说明动作的结果。基本句型为:主语 + 被(让、叫、给) + 宾语 + 结果补语(宾语有时可省略)。例如:

(1)小王被(老师)批评哭了。

(2)这是怎么回事啊,我都被(你们)说糊涂了。

(3)老人被他撞倒了,摔断了腿。

(4)我家的猫不知道叫谁打死了。

(5)路边的树都让台风吹倒了。

(五)总之,这样一来,人类将和猩猩一起分享地球主人的权力

"总之",连词。总括起来说。对上文列举的并列成分加以总括。"总之"也可以说"总而言之"。例如:

(1)小说、诗歌、散文、绘画、音乐、建筑,总之,所有的文学艺术形式在这里都有知音。

(2)对于新事物,有的人赞成,有的人反对,有的人怀疑,总之,每个人都有一定的看法。

(3)你应该按时起床,按时吃饭,按时吃药,还要有一定的户外活动,总之,首先你生活要有规律。

(4)到了中国以后,他读了鲁迅的《阿Q正传》、巴金的《家》、茅盾的《子夜》、老舍的《骆驼祥子》等,总之,他读了一些中国著名作家的作品。

(5)(某校长在新生入学欢迎会上讲话的结束语)……总之,我对你们的希望是:学习、拼搏、创新、进取。

(6)刮风、下雨、下雪、大雾弥漫,总而言之,只要气候条件不佳,交通事故的发生率就会上升。

(六)总之,这样一来,人类将和猩猩一起分享地球主人的权力

"这样一来",代词短语。经常连接两个句子或两个段落,起连词的作用。说明由于前边的情况,而产生了后面的结果。也说"这么一来"、"这一来"、"这一下"、"这下"等。例如:

(1)她累病了,这样一来,孩子也没人照顾了。

(2)孩子们在院子里踢球,把张大爷家的玻璃打碎了,没道歉就都跑了。这下,可把张大爷气坏了。

(3)报上登了她的优秀事迹。这一来,她出名了。

(4)他经常缺课,已经超过了规定的学时。这样一来,他被取消了考试资格。

(5)老师表扬了他,这下,他更努力了。

(6)最后一门考试也结束了,这下,我可要轻松轻松了。

(七)只有保护好人类的朋友——动物,人类才有可能长久地在地球上生存

"只有……才……",条件复句。"只有"在这里是连词,引出的条件是一种强制性的惟一必要的条件,"才"引出的是根据该条件所得出的结果。例如:

(1)我们只有认识世界,才能更好地改造世界。

(2)这件事只有小王来了才可能搞清楚,因为当时只有他在场。

(3)只有付出辛勤劳动,才能享受胜利的喜悦。

(4)只有每门课程达到85分的人,才有资格报名。

(5)只有对生活充满信心的人才能这样笑。

(6)只有打败了敌人,我们才能得到和平。

注意:"只有"也可能是副词"只"加动词"有",表示数量少,范围小,等等。例如:

(7)人类只有四百万年的历史。

(8)只有被当做"动物"的那位宇航员逃出了地球。

五　副　课　文

（一）阅读课文　　人虎官司

中国的有关法律规定,人如果伤害了野生保护动物,就要受到处罚。然而,人如果受到被保护的野生动物的伤害,结果会怎么样呢?

最近,在黑龙江省的一个林场发生了这样一件事:星期天,林场的一位工人到离家15里外的山上去游玩。在回家的路上,突然遇到了一只东北虎。尽管他是一个又高又大的小伙子,但怎么能打得过老虎呢? 只是几秒钟,他就被老虎按倒在地上。可能是老虎不太饿,所以并没有吃他,但他的一只胳膊和一条腿却被咬断了,流血不止,脸上和身上也被抓伤了。后来,他被人送进了医院,先后做了三次手术,花了三万多元。

这个工人的命虽然保住了,可是,他还得继续做手术,不然,就要成为残疾人了。麻烦的是,他已经没有钱了。他如果是在工作的时候受伤的,就可以得到林场在经济上的帮助。如果是被人打伤的,也可以得到打人者的赔偿。现在,他是被老虎咬了,谁来赔偿? 而且,他需要的钱太多了。即使亲戚、朋友、同事或好心人愿意帮忙,也无法完全解决问题。怎么办呢? 真的无可奈何了吗?

幸亏这位工人有点儿法律意识,他请了一位律师,准备跟老虎打官司。律师认为,东北虎是国家一类保护动物,应受到法律的保护;但这位工人是国家公民,同样应受到法律的保护。地方政府和野生动物管理机构应当采取措施,防止、控制野生动物对人造成危害,保障公民的生命安全。因此,对老虎伤人这件事,地方政府及野生动物管理机构当然有法律责任,应该赔偿这位工人的损失。

野生动物管理机构则认为,《野生动物保护法》严格禁止捕杀国家保护的野生动物,但对被这些动物伤害的人是否受到法律保护,《野生动物保护法》中没有明文规定。因此,对老虎伤人这件事,我们不能负责。

这场"人虎官司"刚刚开始,引起了人们的极大兴趣。人的同情者很多,虎的支持者也不少。谁输谁赢,还要过一段时间才能知道。

（二）会话课文　　动物明星

最近,南方的某个城市出了一件新鲜事:动物园里的大熊猫和老虎多次被请到一个大型商场做广告宣传。动物明星引起了大家浓厚的兴趣,到处都在谈论这件事。为此,记者采访了各有关方面的负责人。

记者:您好,总经理,我想问一下你们是怎么想出让动物当明星这种办法来的?

10

经理：我们是一家新开业的商场，许多人还不知道我们，更不了解我们的特点。为了迅速提高知名度，我们左思右想，才想出这么个办法。

记者：您觉得效果怎么样？

经理：效果很不错。请动物当明星是件新鲜事，市民都很想看看，观众多极了，可以说是人山人海。看完以后，大家自然会到商场里逛逛，买点东西。

记者：这倒是，看来，经济效益一定不错吧？

经理：自从商场请了熊猫和老虎当广告明星，营业额一天比一天高，从开始的每天15万元增加到现在的每天100多万元。

记者：不过，我觉得这不是个长远的办法。您总不能让熊猫和老虎永远呆在商场里吧。

经理：那当然。目前只是短期促销。我们的长远目的是提高知名度。只要市民知道了我们商场，了解了我们商场，他们就会常来的。

记者：您认为这个目的达到了吗？

经理：您说呢？您都到我们这儿来了，不是很说明问题吗？电台、电视台，还有许多报纸都报导了这件事。新闻嘛，这么一来，我们商场的知名度就迅速提高了。现在，这个城市不知道我们商场的人大概不多了。

＊　　　＊　　　＊　　　＊

记者：园长，您好。把动物出租给商场搞促销活动，你们动物园是全国第一家，你们是怎么考虑的？

园长：我们首先考虑的是社会效益。理由很简单，动物园里的动物就是让大家观赏的，动物走出去也可以让大家观赏。另外，动物园应当宣传普及野生动物保护方面的知识。动物来到了商场，大家更感兴趣，所以宣传的效果更好，普及的面也更大。

记者：那么你们没有盈利目的吗？

园长：有，当然有。动物园本来不该有盈利目的，现在的这种情况，也是让困难给逼出来的。

记者：你们都有什么困难呢？

园长：主要是经济困难。动物馆舍破了得修吧？科研工作得搞吧？工人工资得发吧？动物病了得治吧？这些都需要钱。还有，动物也得吃饭哪，老虎一天得吃十几斤肉，而且要吃瘦肉，肥的一吃就拉肚子。大熊猫每天要吃苹果、鸡蛋，要喝牛奶……

记者：是啊，这一切都要有经济基础才行啊。看来，动物当明星也是无可奈何的了？

(三)听力课文　　武松打虎

中国人大概没有不知道武松是谁的。他是古代小说《水浒传》中的一位英雄。"武松打虎"是这部小说中最有名的故事之一。

有一年秋天,武松到山东去找哥哥,走了半天,又渴又饿,中午才遇到一家小酒店。他一口气就喝了十五碗酒,还吃了四五斤牛肉。交了钱以后,他站起来就想走。店主拦住他说,最近,前边景阳冈上来了一只大老虎,一到晚上就出来伤人,已经有二三十个人被这只老虎吃了。现在天已经黑了,最好先住下来,等明天人多了,大家一齐走。武松认为店主在骗他,就头也不回地走了。

上了景阳冈,没走几步,武松便觉得酒劲儿上来了,全身酸软,醉得连路也走不了了,只好躺在石头上休息。

突然,他听到一声虎叫,接着一只大老虎从树林里跳出来。武松立刻从石头上跳起来,酒也吓醒了。这只老虎已经好几天没吃东西了,它见到高大的武松,大吼一声,不顾一切地扑了过去。武松会武术,反应很快,一闪身,就躲过去了。老虎第一下没扑到,又转身高高跳起,从武松头上压下来,武松又躲过去了。老虎又挥起铁棒一样的尾巴,想打倒武松,结果,又没打着。老虎三次进攻都失败了,力气却已用了一大半。武松见老虎趴在地上喘气,就冲过去骑在老虎身上,按住虎头,举起拳头,用尽全身力气,拼命地打,一连打了六七十拳,终于把老虎打死了。

第二天,周围的人都知道了武松打虎的事,纷纷赶来感谢武松,称赞他是了不起的打虎英雄。

生　　词

1. 吼	(动)	hǒu	roar; howl	丙
			rugir; hurler	
2. 不顾	(动)	búgù	disregard; ignore	丙
			sans tenir compte	
3. 棒	(名)	bàng	stick	丙
			bâton	
4. 趴	(动)	pā	lie prone	丙
			se coucher à plat ventre	
5. 拳头	(名)	quántou	fist	丙
			poing	

专　　名

| 1. 武松 | | Wǔ Sōng | name of a person |
| | | | nom de personne |

2.《水浒传》	《Shuǐhǔzhuàn》	the title of a book（Au bord de l'eall）
		nom d'un roman
3. 山东	Shāndōng	name of a province
		province du Shandong
4. 景阳冈	Jǐngyánggāng	place name
		nom de lieu

六　练　习

(一)熟读下列词组：

无法估计	恐怖电影	条件优越	野蛮行为
无法交谈	恐怖行为	环境优越	野蛮捕杀
遗传因素	和平宣言	面对现实	人类的朋友
遗传基因	战争宣言	面对父母	人类的祖先

(二)给下列名词前后各搭配上一个适当的成分：

1. _____界线　　2. _____机构　　3. _____寓言　　4. _____资格

　　界线_____　　　　机构_____　　　寓言____　　　　资格_____

5. _____差别　　6. _____权力　　7. _____祖先　　8. _____经历

　　差别_____　　　　权力_____　　　祖先_____　　　经历_____

(三)给下列动词搭配一个宾语和一个补语：

1. 折磨_____　　2. 维持_____　　3. 报复_____　　4. 思考_____

　　折磨_____　　　维持_____　　　报复_____　　　思考_____

5. 虐待_____　　6. 忽视_____　　7. 钉_____　　　8. 估计_____

　　虐待_____　　　忽视_____　　　钉_____　　　　估计_____

(四)用指定词语完成句子：

1. 我们公司的要求是,你必须参加汉语水平考试,_____

　　_____。　（资格）

2. 阿里如果想参加跳级考试,_____。　（资格）

3. 你给老板提了那么多意见,_____?　（报复）

4. 你不用担心,张强是个有修养的好领导,_____

　　_____。　（报复）

5. 今天来参观的人一定很多，_____。　　（维持）

6. 这些钱足够了，_____。　　（维持）

7. 深夜，没有月光，路上一个人也没有，_____
_____。　　（恐怖）

8. 小王的心理不很健康，这个电影_____
_____。　　（恐怖）

9. 安娜的钱花光了，_____。　　（不得不）

10. 这个证明必须有老王的签字，_____。　　（不得不）

11. 看到她的照片，_____。　　（不由得）

12. 看到他死不认错的样子，_____。　　（不由得）

13. _____，但是我们不会被困难吓倒。　　（面临）

14. 在烈火中，抢救国家财产的工人们_____
_____。　　（面临）

（五）模仿造句，注意带点词的用法：

1. 这是大家对你的劝告，至于是否接受，你自己考虑吧。
_____。

2. 第一个问题就谈到这儿，至于下一个问题，咱们明天再谈。
_____。

3. 自古以来，中国就是一个统一的多民族的国家。
_____。

4. 自改革开放以来，中国社会的各方面都发生了深刻的变化。
_____。

5. 如果你懒得写信，那咱们就打电话联系吧。
_____。

6. 如果你担心当时买不到票，那么，咱们现在就去买预售票吧。
_____。

7. 这么好的主意，只有安娜那么聪明的人才会想得出来。
_____。

8. 今天你只有把这些作业做完，才能看电视。
_____。

14

(六)根据课文内容,判断下列说法是否正确,并说明理由:

(√) 1. 现在谁也不知道地球上究竟有多少种动物。

(×) 2. 恐龙是当今世界上最有名的动物。

(√) 3. 动物的第六次灭绝仍然是因为它们对自然环境的适应能力不强,人类不应负什么责任。

(√) 4. 人类也是动物。

(×) 5. 保护野生动物会不可避免地使人类的生存环境恶化。

(√) 6. 人类和黑猩猩的差别不像想像的那么大。

(×) 7. 许多动物研究专家认为,应当把黑猩猩当人看待。

(×) 8. 黑猩猩总有一天会成为地球的新主人。

(√) 9. 黑猩猩与人类的差别之一是它们不会制造工具。

( ) 10. 只有人类才有资格当地球的主人。

(七)根据下列题目复述课文内容:

1. 野生动物灭绝的基本情况。

2. 野生动物正面临的第六次灭绝与前五次有什么不同?

3. 人类与动物的差别有多大?

4. 电影《猩猩的地球》的基本内容。

5. 动物研究专家辛格的基本主张。

6. 现代人和黑猩猩的关系。

7. 反对给猩猩"人权"的人的想法。

(八)阅读练习:

1. 根据阅读课文内容判断正误,并说明理由:

( )(1)中国还没有关于保护野生动物的法律。

( )(2)人虎官司的起因是一只老虎咬伤了一位工人。

( )(3)被咬伤的工人已经成了残疾人。

( )(4)工人不是在工作时受的伤,所以林场在经济上没有责任。

( )(5)野生动物管理部门认为"对老虎伤人,我们不能负责",是因为《野生动物保护法》中有明文规定。

( )(6)地方政府已经为老虎伤人赔偿了经济损失。

( )(7)在这场人虎官司中,工人明显占上风。

( )(8)这场人虎官司现在还没有结果。

2. 根据阅读课文内容回答:

(1)受伤工人打这场官司的动机是什么?

(2)野生动物管理机构对老虎伤人,是否负有法律责任,持什么态度? 你的看法呢?

(3)如果这件事发生在你们国家,官司的输赢会是怎样的?

(九)口语练习:

1. 分角色进行对话练习,注意语音语调。

2. 分角色完成下列对话:

(1)记者:您对让动物当明星搞促销有什么看法?

　　顾客:这种做法太可笑了,对动物也是一种折磨。

　　记者:……

　　顾客:……

(2)记者:您是动物保护机构负责人,现在有些商场从动物园借来动物搞促销,您支持这种做法吗?

　　负责人:当然不支持……

　　记者:……

　　负责人:……

(十)听力练习:

1. 听录音,然后复述《武松打虎》的故事。

2. 听录音判断正误,并说明理由:

(✗)(1)中国人都不知道武松是谁。

(✓)(2)武松是中国古代小说里的一个英雄人物。

(✓)(3)武松饭量、酒量、胆量都很大。

(✗)(4)店主对武松说山上那只老虎已经吃了十个人。

(✗)(5)武松是用铁棒把老虎打死的。

(✓)(6)武松是在喝醉酒的情况下打死老虎的。

(✓)(7)老虎向武松进攻了三次,都失败了。

(✗)(8)武松能打死老虎,是因为他喝了很多酒,吃了很多肉。

( )(9)武松为老百姓除了一大害,所以大家称他是英雄。

(十一)交际训练:

1. 结合课文和自己的看法,就下列问题进行辩论:

(1)地球的真正主人到底是谁?

　　正方:是所有的动物……

　　反方:是人类……

(2)野生动物的灭绝是否能避免?

　　　　正方:能够避免……

　　　　反方:不可避免……

注意:辩论前要写好发言提纲,观点要明确,要有论据;要注意使用学过的
　　　词语和句式。

2．讲故事。讲一件你与动物之间的趣事。

下列的词语可以帮助你表达:

　　　同情心、感觉、差别、无法、逐渐、其实、值得欣慰、虐待、报复、捕杀、折
磨、把……当做、被当做、手势、交谈、骗、分享、这样一来、伤害、受伤、浓厚、
兴趣、总之

3．语言游戏:

(1)报动物名。同学们坐成一圈,依次报,不能重复,停顿不能超三秒钟,超
　　过时间算输。惩罚方式,可以学动物叫、画一个动物、唱歌等等。

(2)汉语中有许多与动物有关的成语和俗语,下面的这几个你是否知道? 试
　　着讲一讲。

　　　　虎毒不吃子　　　　　夜猫子进宅,无事不来

　　　　瘦死的骆驼比马大　　兔死狐悲,物伤其类

　　　　画虎不成反类犬　　　狐假虎威

　　　　猫哭耗子假慈悲　　　盲人摸象

　　　　守株待兔　　　　　　鼠目寸光

(3)你还知道其他有关动物的汉语成语和俗语吗?请说给大家听听。

(4)你们国家有哪些和动物有关的成语和俗语?请翻译成汉语说给大家
　　听听。

4．看一看、说一说、写一写(见 18 页)。

决心   華君武作

第十七课

一 课文 我无怨无悔[1]

著名宇航员弗拉迪米尔·科马洛夫 1967 年 8 月 23 日,一个人驾驶[2]联盟[3]一号宇宙[4]飞船[5],经过一天一夜的太空[6]飞行[7]之后,圆满[8]完成了任务,胜利返航[9]。

此刻全国的电视观众都在收看宇宙飞船的返航实况[10]。科马洛夫的母亲、妻子、女儿和几千名各界[11]人士[12],也都在飞船着陆[13]基地[14]等待迎接这位航天勇士[15]。但是当宇宙飞船返回大气层[16]后,需要打开降落伞[17]以减慢飞行速度时,科马洛夫突然发现无论用什么办法也打不开降落伞了。

面对这一突然发生的恶性[18]事故[19],地面指挥中心的工作人员焦急万分,他们采取了一切可能的救助措施,帮助他排除[20]故障[21],但都无济于事[22]。

地面指挥中心马上向中央请示[23],中央决定向全国公民[24]公布实况。当时最著名的播音[25]员以沉重[26]的语调宣布:联盟一号宇宙飞船由于无法排除故障,不能减低[27]速度,两个小时后将在着陆基地附近坠毁[28]!

全国上下都被这个消息震惊[29]了,沉浸在巨大悲痛之中的亿万[30]颗心,无不关注[31]着科马洛夫,关注着他的亲人。指挥中心的工作人员更是珍惜这剩下的两个小时,他们把科马洛夫的亲人请到指挥台,让他们在最后的两小时里和屏幕上的科马洛夫在一起。指挥中心的首长[32]与科马洛夫通话:"科马洛夫同志,看见你的亲人了吗? 请和他们讲话。"科马洛夫看见了老母亲,看见了妻子、女儿,他显得很激动,但他还是控制住自己说:"首长,属于我的时间不多了,我想先把这次飞行探测[33]情况向您报告,这是比生命还重要的东西。"跟科马洛夫通话的首长激动得热泪盈眶[34],他说:"谢谢你,录音已经准备好了,请讲吧。"科马洛夫点点头,开始了急切[35]的讲述。因为他讲述的内容关系到国家机密[36],指挥中心暂时关掉了电视直播[37]的录音传递[38]。全国电视观众只能[39]通过屏幕观看他无声的形象。

时间一分一秒地过去了，科马洛夫的生命也在分分秒秒中消失。几亿人的心不由得加剧[40]了跳动[41]。而被全国关注的科马洛夫，却目光镇静，就像坐在办公室里正常工作一样，神情[42]是那样认真，态度是那样从容，整整讲述了70分钟。科马洛夫讲完了，打开声音开关[43]，国家领导人第一个接过话筒[44]。他很想讲得快点，好给科马洛夫的亲人多留些时间。可他嗓子里仿佛有一团[45]东西，怎么也讲不快。他说："尊敬的弗拉迪米尔·科马洛夫同志，我代表国家向你宣布——你是国家的英雄，人民的好儿子！人民永远怀念[46]你，广阔的太空永远记住你！你是人民的骄傲！科马洛夫同志，你还有什么要求，请告诉我，我一定会帮你解决的。"

科马洛夫眼含热泪："谢谢！谢谢国家授予[47]我这个光荣称号[48]！我是一名宇航员，为宇航事业献身[49]是神圣[50]的，我无怨无悔！"

首长把话筒默默地递给科马洛夫的老母亲。世上最残酷[51]的事情莫过于[52]满头白发的母亲亲眼[53]看着自己的儿子死去。此时科马洛夫母亲的心像刀扎似的疼痛："孩子，我的孩子，你……"她有太多的话要说，却不知先说什么好。科马洛夫脸上露[54]出了笑容[55]："妈妈，您的样子我在这里看得非常清楚，每一根白发都能看清，您能看清我吗？"

"能，能看得清，孩子，妈妈一切都很好，你放心吧！"此时泪水已经把她的双眼蒙[56]住了。老太太把话筒交给儿媳妇[57]——科马洛夫的妻子。科马洛夫给妻子送了一个调皮而又深情[58]的飞吻。妻子抱着话筒刚说出："亲爱的，我好想你！"就泪如雨下，再也说不出话来。

科马洛夫也很激动，他稳定了一下情绪，然后脱下宇航服，又拿出一支金笔对妻子说："亲爱的，这支金笔随我飞入太空，是我珍贵[59]的东西，我用宇航服把它包好，一会儿，飞船的大爆炸[60]不会对它造成损坏[61]的。请你把它转赠[62]给你未来的丈夫。我会在天堂[63]里祝你们幸福。"如泣如诉[64]的语调，饱含[65]了科马洛夫对妻子的爱，对生活的爱，屏幕前的人全落泪了。

科马洛夫的女儿接过话筒："爸爸！我的好爸爸！"孩子已泣不成声[66]。看到12岁的女儿，科马洛夫的眼睛里突然飘过一层阴云："女儿，你不要哭。""我不哭，爸爸。你是人民的英雄。我只想告诉你，英雄的女儿，是会像英雄那样生

20

活的!"

坚强的科马洛夫禁不住[67]落泪了:"好孩子,记住这一天,以后每年的这个日子,到坟[68]前献一朵花,和爸爸谈谈学习情况。好女儿,爸爸就要走了,告诉爸爸你长大了想干什么?"

"像爸爸一样,当宇航员!"

科马洛夫又一次落泪了:"你真好,可是我要告诉你,也告诉全国的小朋友,请你们学习时,认真对待每一个小数点[69],每一个标点符号[70]。联盟一号今天发生的一切,就是因为地面检查时,忽略了一个小数点,这场悲剧,也可以叫做对一个小数点的疏忽[71]。同学们记住它吧!"

科马洛夫讲到这里,看了看表,还有 7 分钟。他毅然[72]地和女儿挥挥手,面向全国的电视观众:"同胞[73]们,请允许我在这茫茫[74]太空中与你们告别……再见了!"

"等一等!"一位青年发疯[75]一般冲进指挥台,抢过了话筒:"科马洛夫同志,请让我与您说一分钟的话!科马洛夫,我是你情人[76]的丈夫。一个小时前,我还恨你,想等你回来与你决斗[77],我发誓[78]要杀死你。现在我明白了,她为什么会爱你,你是最崇高最伟大的男子汉[79]!就让她爱你吧!我也爱你!全国人民都爱你!全世界的人民都爱你!"

科马洛夫这时太激动了:"谢谢啦!全国全世界的同胞们,我也爱你们!正因为我们的生活充满了爱,上帝[80]才这样爱我,让我从千万里的高空飞向大地,在火与光的歌声里获得新生。同胞们,请与我一起高呼——人民万岁!科学万岁!"

科马洛夫向人们亲切地挥着手:"我已经看见大地了,大地太美了!如果上帝让我再一次来到这个世界上,我还要当宇航员,和女儿一起重上太空。因为太空很有意思,很美。真的,太空很美……"轰隆[81]——一声巨响[82]……全国一片寂静。人们纷纷走上街头[83],向着飞船坠毁的方向默默地哀悼[84],哀悼……

(选自《科技汇报》,作者:周顿。有删改。)

二 生 词

1. 悔   (动)   huǐ   regret   丁
se repentir de; regretter

2. 驾驶   (动)   jiàshǐ   drive   丙
conduire

3. 联盟   (名)   liánméng   alliance   丙
alliance

4. 宇宙   (名)   yǔzhòu   universe   丙
univers; espace(infini)

5. 飞船   (名)   fēichuán   airship   丁
vaisseau(spacial)

6. 太空   (名)   tàikōng   space
espace; cosmos

7. 飞行   (动)   fēixíng   fly   丙
voler

8. 圆满   (形)   yuánmǎn   satisfactory   丙
satisfaisant

9. 返航   fǎn háng   return to base
retourner à la base

10. 实况   (名)   shíkuàng   live telecast   丙
(émission) en direct

11. 各界   (代)   gèjiè   all circles   丁
tous les milieux

12. 人士   (名)   rénshì   personality   丙
personnalités

13. 着陆   zhuó lù   land
atterrir

14. 基地   (名)   jīdì   base   丙
base

15. 勇士   (名)   yǒngshì   warrior   丁
brave

16. 大气层   (名)   dàqìcéng   atmospheric layer
atmosphère

17. 降落伞   (名)   jiàngluòsǎn   parachute
parachute

18. 恶性   (形)   èxìng   pernicious; vicious   丁
pernicieux; vicieux-se

19. 事故   (名)   shìgù   accident   丙
accident

20. 排除	（动）	páichú	remove; get rid of dépanner; réparer	丁
21. 故障	（名）	gùzhàng	breakdown panne	丁
22. 无济于事		wú jì yú shì	of no avail; to no effect ne servir à rien	
23. 请示	（动）	qǐngshì	request（ask for）instructions demander des instructions	丙
24. 公民	（名）	gōngmín	citizen citoyen	丙
25. 播音	（动）	bōyīn	broadcast diffuser	丁
26. 沉重	（形）	chénzhòng	heavy; deeply grieved lourd; affligé	丙
27. 减低	（动）	jiǎndī	lower; slow down réduire（la vitesse）	丁
28. 坠毁	（动）	zhuìhuǐ	fall and break; crash s'écraser avec fracas	
29. 震惊	（动）	zhènjīng	shock boulverser	丁
30. 亿万	（数）	yìwàn	hundreds of millions des millions et des millions	丁
31. 关注	（动）	guānzhù	show solicitude for suivre de près	
32. 首长	（名）	shǒuzhǎng	leading cadre chef; dirigeant	
33. 探测	（动）	tàncè	survey explorer; sonder	丁
34. 热泪盈眶		rèlèi yíng kuàng	one's eyes brimming with tears les yeux noyés de chaudes larmes	
35. 急切	（形）	jíqiè	hurried; urgent avide; à la hâte	丁
36. 机密	（名、形）	jīmì	secret; confidential confidentiel; secret	丁
37. 直播	（动）	zhíbō	live radio or TV transmission émettre en direct	丁
38. 传递	（动）	chuándì	transmit transmettre	丁
39. 只能	（副）	zhǐnéng	only seulement	丁
40. 加剧	（动）	jiājù	speed up; aggravate	丁

				accélérer	
41. 跳动	(动)	tiàodòng	beat		丙
			(coeur) battre	
42. 神情	(名)	shénqíng	expression; look		丙
			air	
43. 开关	(名)	kāiguān	switch		丁
			interrupteur	
44. 话筒	(名)	huàtǒng	microphone	
			microphone	
45. 团	(量)	tuán	(a measure word for sth. in the shape of a ball)		丙
			spécifiatif: une pelote de...	
			une motte de...	
			une boulette de...	
46. 怀念	(动)	huáiniàn	think of		丙
			penser à; garder le souvenir de	
47. 授予	(动)	shòuyǔ	award; give the title of		丁
			décerner (à qn le titre de...)	
48. 称号	(名)	chēnghào	title		丁
			titre	
49. 献身		xiàn shēn	devote oneself to		丁
			sacrifier sa vie à	
50. 神圣	(形)	shénshèng	sacred; holy		丙
			sacré; saint	
51. 残酷	(形)	cánkù	cruel		丙
			cruel	
52. 莫过于	(动)	mòguòyú	nothing is more...than	
			ce qui est plus..., c'est	
53. 亲眼	(副)	qīnyǎn	with one's own eyes; personally		丙
			de ses propres yeux	
54. 露	(动)	lù	show		丙
			apparaitre; trahir	
55. 笑容	(名)	xiàoróng	smile		丙
			sourire	
56. 蒙	(动)	méng	cover		丙
			couvrir; être couvert de...	
57. 儿媳妇	(名)	érxífu	daughter-in-law	
			belle-fille	
58. 深情	(名)	shēnqíng	deep feeling; deep love		丁
			de profonds sentiments	
59. 珍贵	(形)	zhēnguì	valuable; precious		丙
			précieux	

60. 爆炸	(动)	bàozhà	explode exploser	丙
61. 损坏	(动)	sǔnhuài	damage abîmer	丙
62. 转赠	(动)	zhuǎnzèng	make a present of sth. given to one faire cadeau de	
63. 天堂	(名)	tiāntáng	paradise paradis	
64. 如泣如诉		rú qì rú sù	like speaking while weeping lugubre	
65. 饱含	(动)	bǎohán	fully contain être plein de	
66. 泣不成声		qì bù chéng shēng	choke with sobs avoir des sanglots dans la voix	
67. 禁不住		jīn bu zhù	can't help (doing sth.) ne pouvoir s'empêcher de	
68. 坟	(名)	fén	grave; tomb tombeau	丙
69. 小数点	(名)	xiǎoshùdiǎn	decimal point virgule de décimale	丁
70. 符号	(名)	fúhào	mark; symbol signe	丁
71. 疏忽	(动)	shūhu	neglect; make a mistake through an oversight négliger, (manque de soin)	丁
72. 毅然	(副)	yìrán	resolutely; determinedly décidément	丁
73. 同胞	(名)	tóngbāo	fellow countryman compatriotes	丁
74. 茫茫	(形)	mángmáng	boundless and indistinct; vast immense	丁
75. 发疯		fā fēng	go mad; be out of one's mind avoir un accès de folie	
76. 情人	(名)	qíngrén	lover; sweetheart maîtresse	
77. 决斗	(动)	juédòu	duel se battre en duel	
78. 发誓		fā shì	vow; swear jurer	丁
79. 男子汉	(名)	nánzǐhàn	man homme	

80. 上帝	（名）	shàngdì	God Dieu	丙
81. 轰隆	（象声）	hōnglōng	rumble; roll fracas boum !	
82. 巨响	（名）	jùxiǎng	tremendous noise un tonnerre de bruit	
83. 街头	（名）	jiētóu	street rue	丁
84. 哀悼	（动）	āidào	grieve over sb. 's death rendre un hommage attristé á la mémoire de qn	丁

专 名

| 弗拉迪米尔·科马洛夫 | Fúlādímǐ'ěr·Kēmǎluòfū | Vladimir Komarov
nom de l'astronaute |

三　词语搭配与扩展

(一)事故

[动~]造成~|发生~|遇到~|消灭~|引起~

[~动]~增加|~减少|~出现|~产生

[定~]医疗~|严重的~|交通~|人员伤亡~

　　(1)昨天早晨雾很大,这个地方发生了好几起撞车事故。

　　(2)这条路有了路灯以后,各种事故明显减少。

(二)请示

[~宾]~上级|~首长|~经理|~厂长

[状~]必须~|尽快~|多~|向……~|没~

[~中]~的内容|~的原因|~的目的|~结果

　　(1)这么重要的问题,你怎么不向领导请示就自己决定了呢?

　　(2)我们请示厂长了,厂长同意组织春游。

(三)公布

[~宾]~(放假)时间|~(教学)计划|~……法令|~数字

[状~]刚刚~|正式~|重新~|可以~|把……~出来

[~补]~得及时|~出来|~一下|~了一次

[~中]~的时间|~的原因|~的目的|~的材料

　　(1)期末考试前,办公室公布了取消考试资格的学生名单。

　　(2)最近的工作安排很快就要公布出来了。

（四）沉重

[主～]心情～|(思想)包袱～|负担～|脚步声～

[动～]感到～|觉得～|感觉～|显得～

[～补]～极了|～得不得了

[～中]～的脚步|～的语调|～的心情

　　(1)同志们怀着无比沉重的心情参加了许林的追悼会。

　　(2)听到方老师病重的消息,同学们的心情格外沉重。

（五）怀念

[～宾]～亲人|～故乡|～祖国|～(过去的)年代

[状～]深深地～|时刻～|对……(非常)～|有点儿～

[～补]～得很|～了很久|～起(妻子)来

　　(1)看见这些衣服,她不禁怀念起去世的丈夫来。

　　(2)在他的记忆中,故乡的一切都是那么美好,至今令他怀念。

（六）残酷

[动～]变得～|显得～|觉得～|感到～

[状～]特别～|相当～|更加～|一天比一天～

[～补]～极了|～得很

[～中]～的环境|～的现实|～的刑罚|～的敌人

　　(1)残酷的战争夺去了他两个儿子的生命。

　　(2)这部小说反映了封建社会残酷的社会现实。

（七）损坏

[动～]遭到～|遭受～|避免～|受到～

[～宾]～物品|～财产

[状～]严重地～|已经～|被……～|可能～

[～补]～得厉害|～得严重

　　(1)任何人都不能损坏公共财物。

　　(2)由于管理不善,这些进口设备被严重损坏了。

（八）哀悼

[动～]表示～|进行～|参加～|禁止～

[～动]～开始|～结束|～完毕

[～宾]～(去世的)朋友|～死者|～烈士|～(去世的)亲人

[状～]沉痛～|深切～|默默地～|秘密～|向……～

[～中]～的群众|～的文章|～活动|～的心情

　　(1)鲁迅逝世后,报上发表了大量哀悼的文章。

　　(2)为了表示对战友的深切哀悼,我们停止了一切娱乐活动。

四 语 法 例 释

(一)需要打开降落伞以减慢飞行速度时

"以",连词。表示目的,相当于"为了、为的是",连接两个分句,用在后一个动词性分句的开头。常用于书面语。例如:

(1)我们要加快经济的发展,以提高人民的生活水平。

(2)最近这个工厂又增添了新设备,以适应生产发展的需要。

(3)医生要提高医疗技术,以减轻病人的痛苦。

(4)必须调动一切积极因素,以利于实现四个现代化。

(5)学校决定再盖一座楼,以改善教师的住房条件。

(6)你们要尽快采取措施,以制止乱罚款的不正之风。

(二)这是比生命还重要的东西

用于有"比"的比较句里,"还"强调肯定的语气,动词或形容词作谓语。例如:

(1)没想到你比我还关心报上的新闻。

(2)徐志坚比你还喜欢促销工作。

(3)一到冬天,我老伴比我喘得还厉害。

(4)这座公寓比图书馆旁边的那座还漂亮。

(5)这个月我买的股票比上个月还多。

(6)张师傅说的普通话比小刘还标准。

(三)世上最残酷的事情莫过于满头白发的母亲亲眼看着……

"亲",意思同"亲自",常跟表示身体某一部分的"眼、耳、口、手"等结合,构成副词,作状语,强调行为动作是由某人直接发出的。例如:

(1)欢迎你到家乡去,亲眼看看那里的巨大变化。

(2)刚才我亲眼看见小王骑车进了这条胡同。

(3)我亲眼看见小陈把捡到的皮包交到了派出所。

(4)快把刘经理请来,让他亲耳听听大家的意见。

(5)他亲口答应今天上午来给我安装空调,怎么都到中午了还没来?

(6)这件毛衣是房东老大娘亲手给我织的,我一直舍不得穿。

(四)却不知先说什么好

"不知(道)……好"或"不知(道)……才好",表示对出现的某种客观情况不知如何应付而左右为难的心理状态。中间常为带疑问代词的动词性结构。例如:

(1)他烦躁地在屋里走来走去,不知怎样劝女儿才好。

(2)她惭愧地低下头,我一时不知道对她说什么好。

(3)我们骑车到了一个十字路口,不知道走哪条路好,就向一个老人询问。

(4)张师傅只有一张电影票,可是小崔、小黄都争着要,他不知道给谁好。

(5)爷爷得了胃癌,我不知道怎样对他说才好。

(6)接过她的珍贵礼物,我真不知怎么感谢她才好。

(五)再也说不出话来

这是由副词"再也"和"不"前后呼应构成的格式,是一种强调否定的说法。"再也"有"永远也"或"无论如何也"之意。与"不"配合,表示前面提到的某种行为无论如何也不能继续下去了。"不"常用在动补结构之中。例如:

(1)我吃得太多了,再也吃不下去了。

(2)听到这个消息后,大家再也讨论不下去了。

(3)奶奶流着泪,再也说不下去了。

(4)他几年前调到外地工作,从此,我再也看不见这个小伙子了。

(5)我本来不想买电脑,没想到买了以后,再也离不开它了。

(六)坚强的科马洛夫禁不住落泪了

"禁不住",意思是抑制不住、不由得,主语只限于指人。例如:

(1)过那座窄桥的时候,我的心禁不住怦怦地跳起来。

(2)观众刚一听到那个演员的名字,就禁不住鼓起掌来。

(3)听到好朋友去世的消息,他鼻子一酸,禁不住流下了眼泪。

(4)听了我的话,老高禁不住哈哈大笑起来。

(5)每当他回忆起过去那段经历,就禁不住激动起来。

(6)看到两辆车相撞的危险情景,她禁不住喊叫了一声。

"禁不住"还可带名词、动词和小句宾语,意思是承受不住。例如:

(7)这根绳子太细了,禁不住这么大重量。

(8)你怎么这么禁不住考验?

(9)这条河冻得不结实,禁不住人走。

(七)他毅然地和女儿挥挥手

"毅然",副词。强调态度坚决,行动果断,在句中作状语。例如:

(1)当他得知新中国成立的消息后,不顾一些人的劝阻,毅然返回祖国。

(2)小偷掏顾客的口袋时,老张毅然冲过去,抓住了小偷的胳膊。

(3)那天,我们没讲情面,毅然拒绝了她的无理要求。

(4)听到呼救声,他毅然跳进河里,把落水儿童救上了岸。

(5)听到家乡受灾的消息,她毅然把举办独唱音乐会的收入捐给了家乡的父老乡亲。

五 副课文

(一)阅读课文　　强　　者

朱慧原来是一家工厂的职工,她怎么也没想到,正当她要被选为副厂长时,工厂却因产品滞销,亏损严重,宣布倒闭。她一夜之间成了一个失业者,就像从天上掉到了地上,心情格外沉重,禁不住关起门来哭了一场。可是哭有什么用?不是讲市场经济不相信眼泪吗?

朱慧流泪,是为她奋斗了十年的工厂惋惜,也是为她今后的生活发愁。光靠丈夫的几百元工资和自己的一点儿失业救济金怎么能维持一家五口人的生活呢?孩子的奶奶长期有病,儿子希望进入一所重点中学,需要两万元……她不敢往下想了。丈夫虽然同情她,但说话的口气似乎也有了变化。一句话:失去了工作,就意味着失去了一切。俗话说,穷人心烦,病人心多。面对着残酷的现实,她能不流泪吗?

过去,早晨起来,她收拾一下,就赶快去上班,早出晚归。现在不忙了,不累了,可心里却像着了火,要多难受有多难受。一天到晚,站也不是,坐也不是,不知道干点什么好。走在大街上,见到那些说说笑笑的男男女女,觉得哪个人都比自己强,自己是那么可怜、渺小。

她再也不能呆下去了。她必须重新找到工作。她看了报上的招聘广告后,一连跑了几个单位,可因为她的三十八岁的年龄,又因为她是个女人,竟没有一个单位愿意接受她。

在走投无路的情况下,她干起了自己过去连想都没想过的个体职业——出售日用小商品。最初的两三天,她不敢见熟人,只把车停在不容易见到熟人的地方。后来,她虽然遇见了熟人,可他们并没有看不起她的意思,对她仍然像从前那样热情,她就不再回避熟人了。就这样,十几天下来,她发现收入并不比在工厂上班时少,更重要的是她从中悟出一个道理:工作没有高低贵贱之分。她的脸上开始有了笑容,家里的气氛也轻松愉快多了。

半年后,朱慧不但还清了欠人家的债,改善了家庭条件,还在银行存了一笔钱。最重要的是,她有了独立思考能力,有了很强的竞争意识,连说话、走路都比以前快了。去年,她又随朋友去了东北,跟老外做起了生意。生意越做越大,从日用小商品到各种服装,从化肥到高档家用电器,什么有发展就做什么。现在,她已经成了三个贸易公司的总经理,外出办事有自己的轿车,还经常飞来飞去。韩国、俄罗斯都有她的公司,她的下一个目标是西欧、北美。她的事业在迅速发展。

经过四年的风风雨雨,朱慧获得了成功,成了生活中的强者。她曾激动地对记者说:"没有工厂的倒闭和自己的失业,没有找工作的四处碰壁,没有在痛苦和眼泪中求生存,就没有我的今天。从某种意义上讲,这都应该感谢四年前的失业。人生的路有点像海上航行的船,总是在左右摇摆中前进,说不定什么时候会遇上风浪。不过,只要不怕它,就一定会战胜它,实现自己的理想。"

(作者:王灵书。有删改。)

(二)会话课文　　求　　职

A:刘老师,我的毕业论文写得怎么样?

B:还可以。听说你7月5号就要回国了,回国后你打算干什么?

A:我先在我父亲的公司帮忙,然后再找能用汉语的工作。老师,中国的大学毕业生怎么找工作呀?听说跟以前大不一样了。

B:是的。过去大学毕业生的工作完全由国家分配,用人单位没有选择的自由,学生更没有选择用人单位的自由。现在大学毕业生的就业主要实行"供需见面,双向选择"的办法。

A:"供需见面,双向选择"是什么意思?

B:就是学校或学生本人和用人单位直接见面,经过了解,用人单位可以接受这个学生,也可以不接受。同样,学生也有选择用人单位的权利。

A:这个变化可真不小啊!

B:是啊。毕业生拿着学校发给的就业协议书去有关部门组织的人才市场联系。如果用人单位同意接受这个学生,这个学生也愿意在这个单位工作,双方就可以签订协议。

A:您知道,什么样的工作最吸引大学生吗?

B:一般来说,很多学生把眼光集中在收入高、待遇好、工作稳定、有发展前途的单位,向往大城市、大机关、涉外单位。但每年也都有一批毕业生选择工作环境艰苦的单位或地区。这些人更看重富有挑战性的工作,认为这样的工作更能锻炼自己,发挥自己的聪明才智,更能干出一番事业来。

A:您能介绍一下这样的大学生吗?

B:我参观过一个乡镇企业,是个残疾人食品厂,这个厂的厂长就是前两年商学院毕业的大学生。来之前他就知道这个厂的职工大都是残疾人,生产也不景气。来到这个厂之后,他很快被提升为厂长。他大胆制定新的生产方案,结果,在较短的时间内,生产大大地发展了。他说他最喜欢的一句话就是"有志者,事竟成"。

A:我也喜欢这句名言。我很想知道,现在,在中国,大学毕业生找工作难不难?

B:应该说并不难,只要不挑剔,每个人都能找到工作。只是有些学生要求太高,脱离实际,一时遇到一些困难。另外,现在用人单位越来越重视高学历,学历越高越容易被用人单位接受。也有不少单位既重视学历,也重视能力。有的大公司招聘人才的基本要求是外语好,懂电脑,会开车。

A:看来,光靠文凭、学历找工作也是不行的。

B:是呀。有个叫郑玉的女大学生,从大学二年级开始就在外面自费学习法律,每周往返数十里,经过两年的刻苦学习,拿到了法律大专毕业证书。为了学到更多的知识和技能,在校期间,她还自学日语,并且在一家大公司打了一个月义务工。毕业后,她很容易地在一个大公司找到了满意的工作。

A:看来,大学生必须提高自身能力和素质。"车到山前必有路"的想法肯定是会遇到麻烦的。

B:人才市场,优胜劣汰,不仅人才,而且用人单位也同样面临着激烈的竞争。

A:是这样。

(三)听力课文　　打工,为了一个梦

　　两年前,我毅然告别了年老体弱的父母,背上简单的行李和心爱的笛子,乘上北去的火车,来到首都北京,加入了打工者的队伍。

　　刚来时,我被介绍到一家工厂工作。因为说不好普通话,怕别人笑话,到食堂买饭都不好意思开口,只好用手指着要买的饭菜,卖饭的师傅还以为我是个哑巴呢。最难的是工作,我只上过一年小学,学习技术相当吃力,再加上繁重的劳动,每天下班后都觉得非常疲劳。夜深人静时,我感到寂寞,怀念亲人,有时竟禁不住掉下泪来。

　　一年后,由于我的努力和师傅们的帮助,我不仅学会了普通话,还成了一个熟练的技术工人。看到自己生产出的合格产品,我有说不出的高兴。

　　后来,经朋友介绍,我又来到了一个酒吧洗盘子。我拼命干活,很少说话,不但动作快,而且小心谨慎,就怕损坏了杯子、盘子。

　　没过几天,我就被幸运地调到前台当了一名服务员。因为能在这个酒吧当上服务员是很不容易的,老板对服务员的工作要求很高,不准出错儿,每个服务

员都要经过严格培训。这里的女服务员也都是从外地来的,也许是因为这个缘故吧,她们对我这个老实能干的小兄弟格外照顾,这使我非常感动,从而更加珍惜这份来之不易的工作。

我不愿收客人的小费,总觉得那是不应该收的。有一次,有位华侨客人临走时给了一百元小费,我怎么也不收,弄得那位"上帝"很沮丧。我当时脸上热火火的,好像做了什么见不得人的事。客人走了之后,同事都开玩笑地骂我是"猪脑子"。

两年很快过去了。我已经存了一笔钱。再坚持半年时间,我就可以用这份辛苦钱,报考一所艺术学校,系统地学习音乐知识,实现我的理想。那时,家乡的小山上又会响起优美动人的笛声。

(作者:雪儿、革今。有删改。)

生　词

1. 笛子	(名)	dízi	bamboo flute flûte	丁
2. 哑巴	(名)	yǎba	a dumb person; mute muet	
3. 繁重	(形)	fánzhòng	heavy; strenuous lourd; pénible	丁
4. 谨慎	(形)	jǐnshèn	prudent; careful prudent-e	丙
5. 小费	(名)	xiǎofèi	tip pourboire	

六　练　习

(一)熟读下列成语并讲讲它的意思:

成千上万	实事求是	乐极生悲	名扬天下
无可奈何	弄虚作假	引人注目	不知所措
一去不复返	敲锣打鼓	了如指掌	无济于事
讨价还价	十全十美	手舞足蹈	热泪盈眶

(二)画线连词:

A. 发生　　数字　　　B. 损坏　　残酷
　　全国　　震惊　　　　格外　　死者

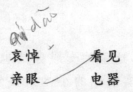

怀念 ——— 亲人　　　　　哀悼　　看见

公布　　　事故　　　　　亲眼　　电器

(三)给下列词语后边填上宾语,前边填上状语:

1.请示＿＿＿　　2.公布＿＿＿　　3.损坏＿＿＿　　4.哀悼＿＿＿

5.排除＿＿＿　　6.授予＿＿＿　　7.怀念＿＿＿　　8.驾驶＿＿＿

9.＿＿＿关注　10.＿＿＿沉重　11.＿＿＿残酷　12.＿＿＿圆满

13.＿＿＿震惊　14.＿＿＿珍贵　15.＿＿＿爆炸　16.＿＿＿神圣

(四)用指定词语完成句子:

1.妈妈从远处走过来,孩子见了 一天 都没见, 禁不住 生气 。(禁不住)

2.王强获得了全省步枪射击冠军,＿＿＿＿＿＿＿＿＿＿＿＿

＿＿＿＿＿＿＿＿＿＿＿＿。(禁不住)

3.昨天,咱们学校门口发生了一起交通事故,＿＿＿＿＿＿

＿＿＿＿＿＿＿＿＿＿＿＿。(亲眼)

4.小张＿＿＿＿＿＿＿＿＿＿＿＿。(亲眼)

5.当我弟弟知道他的一个朋友遇到了困难时,＿＿＿＿＿＿

＿＿＿＿＿＿＿＿＿＿＿＿。(毅然)

6.火车就要开过来了,一匹马站在铁道上不动,＿＿＿＿＿

＿＿＿＿＿＿＿＿＿＿＿＿。(毅然)

7.会议决定今年再盖一座楼,＿＿＿＿＿＿＿＿＿＿＿＿

＿＿＿＿＿＿＿＿＿＿＿＿。(以……)

8.学校规定,清洁工人每天早晚两次打扫院子,＿＿＿＿＿

＿＿＿＿＿＿＿＿＿＿＿＿。(以……)

9.这种蛇以前我们这儿有很多,＿＿＿＿＿＿＿＿＿＿＿

＿＿＿＿＿＿＿＿＿＿＿＿。(再也……不……)

10.他双目失明以后,＿＿＿＿＿＿＿＿＿＿＿＿＿＿＿

＿＿＿＿＿＿＿＿＿＿＿＿。(再也……不……)

11. 我比小李还 *相心 了,我怎么帮得了他?　(比……还……)

12.我是先学会游泳的,孙慧是后学会的,可是 他怎么比 我还快。到了?　(比……还……)

34

13. 在我生病的时候,他每天都来照顾我＿＿＿＿＿＿＿＿＿＿＿＿＿＿

＿＿＿＿＿＿＿＿＿＿＿＿＿＿＿＿。　　　(不知道……[才]好)

14. 我是第一次去泰国工作,不了解那里的气候,＿＿＿＿＿＿＿＿＿

＿＿＿＿＿＿＿＿＿＿＿＿＿＿＿。　　　(不知道……[才]好)

15. 你知道吗? 胡少波考上了中国科技大学,＿＿＿＿＿＿＿＿＿＿＿

＿＿＿＿＿＿＿＿＿＿＿＿＿＿＿＿＿＿＿。　　　(亲口)

16. 院子里的果树＿＿＿＿＿＿＿＿＿＿＿＿＿＿＿＿＿＿＿＿＿＿

＿＿＿＿＿＿＿＿＿＿＿＿＿＿＿＿＿＿。　　　(亲手)

17. 在座桥有很多事故＿＿＿＿＿＿＿＿＿＿＿＿＿＿＿＿＿＿＿,

你开车过那座桥时千万要小心。　　　(事故)

(五)选词填空:0S70

却、不料、立即、禁不住、亲眼、再也……不……、比……还……、机密、发疯、忍不住、不知道……才好

古时候送信都是骑马。有一次,一个地方官要向上级送一封信,便吩咐一个胖男人(　　)骑马送去。(　　)胖子上路之后(　　)没有骑到马上,而是跟在马后面(　　)似地跑,累得满头大汗。跑着跑着,他(　　)跑(　　)动了。这时,有个过路的人见了(　　)问道:"你为什么不骑在马上呢?"胖子回答说:"我送的是(　　)信件,主人让我今天晚上必须送到。路很远,我(　　)怎么办(　　),就想出了这个主意。我想:'马只有四条腿,如果我不骑马,我的两条腿加上马的四条腿,那就有六条腿了,六条腿不是比四条腿跑得快吗? 所以我就跟在马后边跑。'"过路的听了,(　　)笑了,心想:"这个人(　　)驴(　　)蠢,要不是我(　　)见到,我怎么会相信世界上有这种事呢?"

(六)根据课文内容回答下列问题:

1. 宇宙飞船在返航途中发生了什么故障?
2. 播音员向全国公民播出了什么样的决定?
3. 科马洛夫的亲人为什么来到指挥台?
4. 当科马洛夫可以讲话时他是怎样做的?
5. 国家领导人对科马洛夫说了什么?
6. 科马洛夫的母亲讲话时的心情怎么样?
7. 科马洛夫对妻子说了什么?
8. 科马洛夫对女儿说了什么?
9. 当科马洛夫挥手向全国人民告别时发生了什么事?

10. 科马洛夫向全国人民告别时的心情怎么样？他说"我无怨无悔"是什么意思？

（七）阅读练习：

1. 解释下列句子中加"点"词语的含义：

(1) 不是讲市场经济不相信眼泪吗？

(2) 丈夫虽然同情她，但说话的口气似乎也有了变化。

(3) 俗话说，穷人心烦，病人心多。

(4) 可心里却像着了火，要多难受有多难受。

(5) 一天到晚站也不是，坐也不是……

(6) 工作没有高低贵贱之分。

(7) 经过四年的风风雨雨……

(8) 没有找工作的四处碰壁……

(9) 说不定什么时候会遇上风浪。

2. 根据阅读课文内容回答：

(1) 朱慧失业时的心情怎样？为什么？

(2) 朱慧为什么干起了个体职业？

(3) 朱慧干个体职业的结果怎样？

(4) 她为什么说"应该感谢四年前的失业"？

（八）口语练习：

1. 分角色进行对话练习，注意语音语调。

2. 根据对话内容回答：

(1) 现在的中国大学毕业生怎样找工作？

(2) 一般的大学毕业生喜欢什么样的工作？

(3) 现在，一般的大学毕业生找工作难不难？

(4) 用人单位喜欢什么样的大学毕业生？

（九）听力练习：

1. 听录音判断正误：

( )(1)"我"到北京打工时带了很多行李。

( )(2)刚来时，"我"在食堂买饭，因为叫不出饭菜的名字，只好用手指。

( )(3)"我"在夜深人静时，有时想起亲人来，禁不住流下了眼泪。

( )(4)"我"在一个酒吧工作时对待工作很认真。

( )(5)因为"我"工作出色，所以得到不少小费。

36

(　　)(6)"上帝"指的是顾客。

(　　)(7)学习音乐知识,提高吹笛子的水平,是我将要实现的梦想。

2. 听录音,完成下列语段表达:

(1)刚到北京时,我到一家工厂工作,因为 _____
_____有时竟禁不住掉下泪来。

(2)一年后,我又到一家酒吧洗盘子,我 _____
_____。

(3)我不愿收顾客的小费,有一次 _____
_____,客人走了之后, _____
_____骂我是"猪脑子"。

(十)交际训练:

1. 根据提示选择下列词语说一段话或写一段话(至少用上 5 个,150 字左右)。

提示:(1)她考上了空中小姐

(2)他想当翻译

(3)他失业了

词语:事故、沉重、损坏、禁不住、以……、比……还……、毅然、不知道……
(才)好、这样一来、对……来说、笑容、发誓

2. 请把下面的对话进行下去:

A.(刚毕业的女大学生):先生,我是北方交通大学的学生,我想了解一下你们银行的情况。

B.(用人单位):好,请坐。你学的是什么专业?

A:会计学。

B:你计算机用得怎么样?

A:……

B:……

下列词语可以帮助你表达:

稳定、分配、选择、签订、协议书、待遇、工资、收入、挑剔、学历、电脑、倒闭、比……还……、资格、提供

3. 自由讨论:

(1)你过去听过关于宇航员科马洛夫的故事吗? 你从他身上看到了一种什么精神?

(2)人为什么工作? 为什么活着? 一个人在什么情况下才会说出"无怨无悔"这句话?

(3)在你们国家,大学毕业生怎样求职? 学历在求职过程中起什么作用?

(4)在你们国家,大学毕业生最喜欢什么工作?

(5)请介绍一下你们国家求职、就业的情况。

(6)在你们国家人们如何对待失业?

4.语言游戏:

(1)请每个学生在纸条上写一个自己喜欢的职业,统计一下哪种职业在全班同学中占的比重最大。然后请两三个学生说说为什么选择这种职业的人最多,比一比,看看谁说的最有道理。

下列职业供你参考:教师 律师 医生 售货员 个体经商 海关职员
银行职员……

(2)你学过"好事多磨"、"千里之行,始于足下"这两个成语吗?想一想,这两个成语适用于课文(包括副课文)中的哪个人物?

5.看一看,说一说,写一写。

新"围城"   张正旭

第十八课

一 课文 班 车[1]

乔光朴站起身去拿暖瓶[2]，想给自己倒杯水，顺便向窗外望了一眼，手立刻停住了。他的眼里射出严厉的光，透过玻璃窗看见厂区中央大道上又有人提前下班。他看看表，离下班时间还有二十分钟。他曾下决心整顿[3]过劳动纪律，上下班时间也曾派劳资科[4]的人在大门口检查过。每逢有人检查的时候，很少有迟到早退[5]的人，一不检查就准有早走的人，而且都是带孩子的女工。为什么这种现象就煞[6]不住呢？

乔光朴凝视[7]着中央大道。他粗重[8]的眉毛[9]拧[10]成了钳子[11]口，腮[12]边的肌肉[13]又鼓[14]起了一道道肉棱子[15]。他相信自己的工人，可是为什么三令五申[16]，用行政[17]命令制止[18]不住呢？这里必[19]有原因，而且是用行政办法查不出来的原因。他离开窗口，一眼看见床上的军大衣，忽然心里一动。这是儿子在部队上发的。他昨天晚上在厂里值班[20]，就把儿子的大衣穿来了。乔光朴穿好了绿大衣，戴上了不经常戴的皮帽子，又从抽屉[21]里翻出一个口罩[22]，也捂[23]到嘴上，最后还把看书报文件时才戴的眼镜也架[24]到鼻梁[25]上。他这样打扮好以后就走出了办公室。下楼梯出大门竟没有人认出他。

乔光朴来到大门口外的班车站，已经有九个人在排队了，七个是抱孩子的妇女，乔光朴就排在第九个人的后边。他看着前边抱孩子的女工，心里有点难受：这是何苦[26]呢？提心吊胆[27]地溜[28]出来，大冷的天，班车不到点不来，站在这风天里挨冻受累！

他刚想到这儿，第一辆班车就来了，提前了十几分钟。而且车一到就打开了车门，连火也不熄[29]。早退的人们高高兴兴地上车占了个好位子。乔光朴没有上车，做出一副等人的样子，在下面转悠[30]。下班时间还没到，车里只上了二十来个人，第一辆车就关门开走了。乔光朴明白了，你光叫工人不早退，可是汽车公司的班车早来早走,他们要赶钟点[31]拿奖金[32],并不管电机厂[33]。按规定,第一辆班车应该五点钟来,五点十五分发车[34]。现在是四点五十分来车,五十六分就开走了,离下班时间还差四分钟呢。电机厂坐落[35]在郊区,离市里很远,早溜出来一会儿,不仅保险[36]能坐上车,而且有座位,车上不挤。对有些人来说,这是个不小的诱惑[37]力。

汽车一辆接一辆地开来,有时两三辆一块开来,几个车门同时打开,班车站一片大乱,连队也无法排了,你喊我叫,你争我抢,哪儿开着车门就往哪儿拥[38]。孩子被挤得吱呀[39]乱哭,孩子妈妈们高声怒骂也无济于事! 前边的车空,后边的车挤,天越来越黑,车越来越少,人越来越多,为了挤车,工人们甚至吵起架[40]来。乔光朴简直怒不可遏[41],可是向谁发泄[42]? 这能怪工人吗?

他记着数,第十七辆车也就是最后一辆班车已经走了,可是大门口外还站着黑压压[43]一大片等车的人。本来十七辆车是根据上正常班的人数定下的,要是按规定上人,是一个也甩不下的。现在怎么办? 电机厂离有公共汽车的公路还有一里多地,而且这个钟点去挤公共汽车,那就没有把握[44]了,等一个小时是它,等两个小时也是它,如果以到家的时间相比,早退的人比不早退的人就不是提前十分钟二十分钟,而是一两个小时,甚至更多! 这怎么能杜绝[45]早退的现象?

乔光朴看看表,才五点三十五分。真是一场争分夺秒[46]的速决战[47]! 那些老实巴交[48]的工人,下班后洗个澡,或者有什么事情稍微拖一会儿,肯定是坐不上班车的。这不成了溜奸滑蹭[49]的沾光[50],奉公守法[51]的吃亏!

更要命[52]的是没有赶上班车的人,并不知道班车已经没有了,总以为后边还有车,还站在风天里傻等着。乔光朴正要告诉大家别等了,只见一辆中级轿车[53]、两辆吉普车[54]、一辆小轿车,从厂里开出来,一溜烟[55]开走了。这下可惹恼[56]了这群心急火燎[57]没有赶上班车的人,骂娘[58]骂奶奶的都有了。乔光朴索性[59]不吭声[60]了,听着吧。主任工程师以上的技术人员、副总[61]会计师[62]以上的高级[63]职员、副厂长和党委[64]常委[65]以上的领导干部,上下班都车接车送,这规矩[66]是根据他的建议定的。这时候他也在心里咒骂自己:怎么就没有想到孩子妈妈们,没有赶上班车的工人怎么办! ……

工人们也越骂话越难听了:

"嗨[67],人家当头头[68]的,每天不等车,不排队,不挨冻,不受气[69],屁股[70]

40

一冒烟的功夫就到家了,享多大福[71]!"

……

乔光朴还真没有当面[72]挨过这样的骂,像现在这样脸红发烧、愧悔交加[73]的时候也不多,他摘掉了眼镜和口罩,一面在道边上来回[74]走着,一面支[75]起耳朵听着群众的牢骚[76]话。

一个工人提醒大伙:"别光说气话[77]了,班车到底还有没有?我们别光在这儿傻等了!"

"对呀,八成[78]没有车了!"

有人想走了,乔光朴站出来拦住大家说:"同志们,别走呀!"

工人们听出了他的声音,心里一惊,谁会想到这个穿着绿大衣、站在人群[79]里等班车的大个子竟是乔厂长。骂过街[80]的人在黑影里吐吐舌头,赶忙[81]把脸背过去。

乔光朴提高声音说:"你们没有赶上班车,全是我的过失[82],大家骂得好,骂得痛快。不要紧,咱们厂不是有两辆供参观和开会用的大轿车吗?等一会人来的差不多了,我叫车队值班的司机送大家回去。趁等人这工夫,我有个想法说给你们大伙听听,咱们一块决定一下。"他的话似雷劈[83]火烧,又重又急:"第一,班车站不能出汽车公司管,要我们厂自己管起来。我明天叫保卫科[84]派个精明强干[85]的人,专管班车,每辆车上多少人,什么时候发车,听他指挥。第二,根据带小孩的女工的数目[86],分出三辆或两辆班车,专拉母子,和其他职工两处排队,两处上车,省得[87]挤得带孩子的妈妈上不了车。母子车人不到齐不能走,管班车的人每天要掌握带孩子妈妈的出勤[88]数。第三,明天我叫车队挑选[89]出两辆卡车,安装[90]上座位和帆布篷[91],作为收容[92]车,这两辆车不受汽车公司的限制,我们厂自己掌握,每天送那些没有赶上班车的人回家。刚才我站在这儿就想到了这三条,你们有什么意见再提。"

工人们万[93]没想到,他们骂了厂长,结果却是骂出了这样三条!大家一时都不知说什么好,人群里很静。连西北风的势头[94]似乎也小多了,刮到脸上也不那么疼了。

沉静[95]了一会,不知谁带头[96]大喊一声:"厂长,要是按这三条办,那就太好了!"

工人们嚷起来："对,太好了!"

乔厂长笑了："先别说好,咱们先实行[97]起来看看,有了问题,你们再骂娘。为了保证你们骂我的时候我能听得到,每周我至少要和大家一起坐一次班车。当厂长的不见得非得坐小车不可。不过要是我脱了大衣你们就不敢当着我的面骂街,那就不是好样的[98]!好了,车来了,快上车。"

乔光朴喊着大家快上车,可是没有一个争抢,自动让带孩子的妈妈先上。工人都上去以后,乔光朴又到大门口朝厂里喊了两声:"还有人没有?"

他最后一个上了车,站在售票员常站的位子上,对司机喊了一声:

"开车!"

(节选自蒋子龙的《班车》)

二　生　词

1. 班车	（名）	bānchē	regular bus（service） bus de service	
2. 暖瓶	（名）	nuǎnpíng	thermos flask；thermos bottle thermos	
3. 整顿	（动）	zhěngdùn	strengthen；rectify mettre en ordre	丙
4. 劳资科	（名）	láozīkē	labor and capital section service du travail et des salaires	
5. 早退	（动）	zǎotuì	leave earlier than one should partir avant l'heure	
6. 煞	（动）	shā	stop；bring to a close stopper；mettre fin	
7. 凝视	（动）	níngshì	gaze fixedly；stare regarder fixement	丁
8. 粗重	（形）	cūzhòng	thick and heavy épais	
9. 眉毛	（名）	méimao	eyebrows sourcil	丙
10. 拧	（动）	nǐng	twist tordre	丙
11. 钳子	（名）	qiánzi	pliers；pincers；forceps pince	丁

12. 腮	(名)	sāi	cheek joue	丁
13. 肌肉	(名)	jīròu	muscle muscle	
14. 鼓	(动)	gǔ	bulge; swell gonfler	丁
15. 棱子	(名)	léngzi	edge; ridge cannelure	丁
16. 三令五申		sān lìng wǔ shēn	repeatedly give injunctions faire des injonctions répétées	
17. 行政	(名)	xíngzhèng	administration administration	丙
18. 制止	(动)	zhìzhǐ	curb; prevent; stop mettre fin à; arrêter	丙
19. 必	(副)	bì	certainly; surely certainement	丙
20. 值班		zhí bān	be on duty être de service (de garde)	丁
21. 抽屉	(名)	chōuti	drawer tiroir	丁
22. 口罩	(名)	kǒuzhào	gauze mask (worn over nose and mouth) masque	
23. 捂	(动)	wǔ	cover couvrir	
24. 架	(动)	jià	put on soutenir; supporter	丙
25. 鼻梁	(名)	bíliáng	bridge of the nose arête du nez	
26. 何苦	(副)	hékǔ	why bother; is it worth the trouble à quoi bon?	
27. 提心吊胆		tí xīn diào dǎn	have one's heart in one's mouth; be breathless with anxiety être dans l'angoisse	
28. 溜	(动)	liū	sneak off; slip away s'esquiver; filer	丙
29. 熄	(动)	xī	put out; go out éteindre	丁
30. 转悠	(动)	zhuànyou	stroll; saunter; take a leisurely walk flâner; faire un tour	

31. 钟点	（名）	zhōngdiǎn	a time for sth. to be done or to happen	丁
			heure	
32. 奖金	（名）	jiǎngjīn	money award; bonus; premium	丙
			prime	
33. 电机厂	（名）	diànjīchǎng	factory of electrical machinery	
			usine de machines électriques	
34. 发车		fā chē	depart; pull out	
			donner le départ（d'une voiture）	
35. 坐落	（动）	zuòluò	be situated; be located	
			se situer; se trouver	
36. 保险	（形、名）	bǎoxiǎn	sure; bound; safety	丙
			sûr; certain; assurance	
37. 诱惑	（动）	yòuhuò	entice; tempt; seduce; lure	丁
			séduction; attirance	
38. 拥	（动）	yōng	crowd into; throng into	
			se ruer	
39. 吱呀	（象声）	zhīyā	（onomatopoeia of cry）	
			（onomatopée）	
40. 吵架		chǎo jià	quarrel; wrangle; have a row	丙
			se quereller	
41. 怒不可遏		nù bù kě è	be beside oneself with anger; boil with rage	
			déborder de colère	
42. 发泄	（动）	fāxiè	give vent to; let off	
			donner libre course à	
43. 黑压压	（形）	hēiyāyā	a dense or dark mass of	
			sombre; confus	
44. 把握	（动、名）	bǎwò	grasp; hold; assurance; certainty	丙
			assurance	
45. 杜绝	（动）	dùjué	stop; put an end to	丁
			mettre fin à	
46. 争分夺秒		zhēng fēn duó miǎo	work against time; make every minute and second count	
			travailler sans perdre une seconde	
47. 速决战	（名）	sùjuézhàn	war or battle of quick decision	
			guerre（ou opération）de décision rapide	
48. 老实巴交		lǎoshibājiāo	honest; frank	
			honnête; simple	
49. 溜奸滑蹭		liū jiān	try to shirk work or responsibility;	

			huá cèng	act in a slick way	
				rusé	
50.	沾光		zhān guāng	benefit from association with sb. or sth.	丁
				tirer avantage de; profiter de	
51.	奉公守法		fèng gōng shǒu fǎ	be law-abiding	
				se conduire en bon citoyen	
52.	要命		yào mìng	drive sb. to his death; kill; awfully; a nuisance	丁
				grave; terrible; enbêtant	
53.	轿车	(名)	jiàochē	bus or car	丁
				voiture ou autocar	
54.	吉普车	(名)	jípǔchē	jeep	丁
				jeep	
55.	一溜烟		yíliùyān	run away swiftly	
				en coup de vent; en un rien de temps	
56.	恼	(形)	nǎo	angry; irritated; annoyed	
				être colère; se fâcher	
57.	心急火燎		xīn jí huǒ liǎo	burning with impatience	
				brûler d'impatience	
58.	娘	(名)	niáng	mother	丙
				mère	
59.	索性	(副)	suǒxìng	simply; just; might as well	丁
				tout bonnement; tout simplement	
60.	吭声		kēng shēng	utter a sound or word	
				dire un mot	
61.	总	(形)	zǒng	chief; head; general	丙
				général	
62.	会计师	(名)	kuàijìshī	accountant	丁
				expert-comptable	
63.	高级	(形)	gāojí	senior; high-ranking	丙
				supérieur-e	
64.	党委	(名)	dǎngwěi	Party committee	丙
				Comité du Parti	
65.	常委	(名)	chángwěi	member of the standing committee	
				membre du Comité permanent	
66.	规矩	(名、形)	guīju	rule	丙
				règle; coutume; obéissant	
67.	嗨	(叹)	hāi	(an interjection)	
				Tenez!	

68. 头头	（名）	tóutou	head; chief; leader chef; dirigeant	
69. 受气		shòu qì	be bullied; suffer wrong être en butte aux mauvais traitements; persécuté	
70. 屁股	（名）	pìgu	bottocks; bottom derrière; fesse	丙
71. 享福		xiǎng fú	enjoy a happy life; live in ease and comfort jouir du bonheur; profiter de la vie	丁
72. 当面		dāng miàn	to sb.'s face; in sb.'s presence en face（en présence）de qn	丙
73. 愧悔交加		kuì huǐ jiāojiā	mixed feeling of shame and remorse être bourrelé de remords	
74. 来回	（副、名）	láihuí	back and forth; to and fro; round trip aller et retour	丙
75. 支	（动）	zhī	prick up tendre; dresser	丙
76. 牢骚	（名）	láosāo	complaint; grumble plainte; mécontentement	丙
77. 气话	（名）	qìhuà	words said to vent sb.' anger parole prononcée dans un moment de colère	
78. 八成	（副）	bāchéng	most probably; most likely presque; quatre-vingt pour cent	
79. 人群	（名）	rénqún	crowd; throng foule	丙
80. 骂街		mà jiē	shout abuses in the street injurier en public	
81. 赶忙	（副）	gǎnmáng	in a hurry en hâte; sans tarder	丙
82. 过失	（名）	guòshī	fault faute	丁
83. 劈	（动）	pī	strike foudroyer; fendre	丁
84. 保卫科	（名）	bǎowèikē	security section service de sécurité	
85. 精明强干		jīngmíng qiánggàn	intelligent and intrepid intelligent et capable	
86. 数目	（名）	shùmù	number; amount	丙

			nombre	
87. 省得	(连)	shěngde	so as to save (or avoid)	丙
			pour éviter qch; afin que ne...pas	
88. 出勤		chū qín	turn out for work	
			être présent au travail	
89. 挑选	(动)	tiāoxuǎn	choose; pick out	丙
			choisir	
90. 安装	(动)	ānzhuāng	install; fix	丙
			installer; monter	
91. 帆布篷	(名)	fānbùpéng	canvas roof; awning	
			capote en toile	
92. 收容	(动)	shōuróng	take in; house	
			recueillir; relever	
93. 万	(副)	wàn	absolutely; by all means	丙
			absolument; extrêmement	
94. 势头	(名)	shìtóu	impetus; momentum	
			situation; tendance	
95. 沉静	(形)	chénjìng	quiet	丁
			silence	
96. 带头		dài tóu	be the first; take the initiative	丙
			prendre l'initiative	
97. 实行	(动)	shíxíng	put into practice; carry out	丙
			pratiquer	
98. 好样的	(名)	hǎoyàngde	fine example; great fellow	丁
			un gaillard; un brave type	

专　名

乔光朴	Qiáo Guāngpǔ	name of a person
		nom de personne

三　词语搭配与扩展

√(一)整顿

[动~]需要~|进行~|经过~|开始~

[~宾]~作风|~纪律|~秩序|~市场

[状~]全面地~|彻底~|及时地~|必须~

[~补]~好(农贸市场)|~得对|~得及时|~不了|~一下|~了三次

[~中]~的原因|~的目的|~的方法|~的作用

(1)校领导决心好好整顿一下考试纪律。

(2)最近,这个城市的自由市场得到了整顿。

47

(二)制止

[~宾]~罪犯 | ~战争 | ~不正之风 | ~打架 | ~(不文明)行为

[状~]不断地~ | 及时地~ | 坚决~ | 已经~ | 应该~

[~补](把打架的人)~住了 | ~不了(他们) | ~得对 | ~了两次

  (1)这种犯罪行为,为什么一直得不到制止?

  (2)几个小青年在大街上打架,被警察制止住了。

(三)保险

[状~]很~ | 不~ | 绝对~ | 特别~

[~补]~极了 | ~得很

[~中]~的办法 | ~的想法

  (1)按照他的话去做,保险没有问题。

  (2)最保险的办法就是亲自去看看。

(四)把握

[动~]有~ | 没有~ | 缺少~

[~宾]~方向 | ~机会 | ~时机 | ~重点

[定~]成功的~ | 胜利的~ | 很大的~ | 绝对的~

[状~]认真地~ | 准确地~ | 容易~ | 完全~ | 能~

[~补]~住(方向) | ~好(时机) | ~得准 | ~不了

  (1)治这种病,那位大夫有把握吗?

  (2)你一定要把握住这次机会,把汉语学好。

(五)挑选

[~宾]~干部 | ~衣服 | ~工作 | ~学校

[状~]四处~ | 认真地~ | 仔细~ | 随便~ | 可以~

[~补]~到(几个人) | ~出来 | ~得认真 | ~了三次 | ~一下

[~中]~的条件 | ~的干部 | ~的方法 | ~的结果

  (1)她挑选了半天,也没买到一件喜欢的大衣。

  (2)大学毕业时,父母希望他能挑选到一份好工作。

(六)安装

[~宾]~电话 | ~机器 | ~门窗 | ~座位 | ~电灯

[状~]快~ | 要~ | 及时~ | 好好~ | 重新~ | 难~

[~补]~上 | ~好 | ~完 | ~得顺利 | ~不了 | ~了好几回

[~中]~的机器 | ~的办法 | ~的次数

  (1)这个城市的居民家中大都已安装上了电话。

  (2)工人们正在安装一台进口的机器。

(七)限制

[动~]受~|进行~|加以~|要求~|反对~

[~宾]~乘客|~时间|~专业|~数量|~人数|~喝酒

[定~]条件的~|人数的~|这种~|年龄的~

[状~]严格地~|合理地~|过分地~|专门~|应该~

[~补](这个规定把人)~住了|(开始)~起来|~得很死|~得厉害|~不了|~一年|~一下

[~中]~的原因|~的目的|~的时间|~的情况

(1)写作课考试,要受到时间和字数的限制。

(2)这个图书馆限制每人一次只能借五本书。

(八)带头

[~动]~改革|~跑步|~跳舞|~打太极拳

[状~]经常~|主动~|积极~|没~|应该~

[~中]~的人|~的单位|~的干部|~作用

[带……头]带个头|带好头|带不了头|带什么头|带一次头

(1)无论做什么工作,领导都应当自己带个好头。

(2)去长城的路上,女同学们带头唱起歌来。

(九)实行

[~动]~管理|~领导|~合作|~整顿

[~宾]~(……)计划|~(这种)方案|~……措施|~……制度

[~补]~起来|~得快|~不了|~了半年

[~中]~的原因|~的时间|~的方法|~的结果

(1)我们国家已经实行每周五天工作制了。

(2)这个办法咱们先实行起来看,有问题大家再提建议。

(十)自动

[~动]~交(出来)|~帮助(别人)|~组织(起来)|~打开|~拍摄

[状~]能~(停止)|经常~(打扫教室)

[~中]~的行为|~的开关|~铅笔

(1)我刚走到门口,那扇门就自动打开了。

(2)他每天一进教室,就自动把作业本放在老师的讲桌上。

四　语法例释

(一)顺便向窗外望了一眼

"顺便",副词。表示趁做某件事的方便做另一件事。也说"顺便儿"。在句中作状语。例如：

    (1)你去书店的时候,请顺便替我买一张世界地图。

    (2)我下班从这儿过,顺便来看看你们。

    (3)下午我去图书馆还书,顺便又借了两本杂志。

    (4)明天开会,我们可以顺便讨论一下这个问题。

    (5)这个词今天顺便提一下,以后还会仔细讲解。

    (6)小宝来请我看戏,还顺便带来一筐菜。

(二)这是何苦呢?

"何苦",副词。用反问的语气表示那么做是自寻苦恼,不值得或不必要。跟"何必"、"不必"的意思差不多。用"何苦"的句子,句末常有"呢"与它呼应。例如：

    (1)你何苦为这么点小事生气呢?

    (2)我去书店可以顺便替你买一本,你何苦再去一次呢?

    (3)他病得这么重,何苦还去上班呢?

    (4)她何苦跟孩子发那么大脾气呢?

有时,"何苦"+"呢"可以独立作谓语。例如：

    (5)冒着大雨去看电影,何苦呢?

    (6)跑那么远的路去买一张报纸,何苦呢?

(三)按规定,第一辆班车应该五点钟来

"按",介词。表示"按照"、"依照",常带名词、词组,组成介宾结构作状语。例如：

    (1)你的病还没好,应该按时服药。

    (2)他的意见不正确,不能按他说的办。

    (3)最近天气很好,运动会可以按期举行。

    (4)按现在的学习进度,这学期我们可以学完这本书。

    (5)一切都在按计划顺利进行。

    (6)对方提出按年龄分组。

(四)或者有什么事情稍微拖一会儿

"稍微",副词。表示数量不多、程度轻微或时间短暂。在句中常用在形容词或动词前作状语。"稍微"所修饰的动词或形容词后边常跟"一些、一下、一点"等,或者重复动词。例如：

    (1)这件衣服我穿着有点小,请再给我拿一件稍微大一点的。

    (2)请你稍微等一下,他马上就来。

(3)他来中国的时间比我稍微晚一些。

(4)这个问题你只要稍微想一想就能回答出来。

(5)这些方便食品,稍微煮煮就能吃。

(6)做这个菜要稍微放一点糖。

(五)乔光朴索性不吭声了

"索性",副词。表示直截了当,相当于口语里的"干脆"。多作状语。"索性"多用于后一分句,前一分句一般表示原因或条件。例如:

(1)你既然来了,索性多住几天再走吧!

(2)这篇文章要改好很难,索性另写一篇吧!

(3)今天风太大了,索性明天再去吧!

(4)他一生气,索性把电话挂上了。

(5)作业不多,索性全写完了再吃饭吧。

(6)这车总修不好,索性买新的吧。

(六)省得挤得带孩子的妈妈上不了车

"省得",连词。表示使某种(不好的或不希望的)情况不发生。多用于后一小句开头,意思是"如果采取前边所说的办法,就可以不……"。有"免得"、"以免"的意思。"省得"后面常常是动词、形容词或动词结构、主谓结构等。例如:

(1)快下雨了,出去带把伞,省得淋着。

(2)长城上风很大,去长城最好多穿点衣服,省得冻着。

(3)你要那本词典,我可以顺便替你买来,省得你再跑一趟。

(4)你应该早点把这里的情况写信告诉父母,省得他们担心。

(5)你还是住在学校好,省得天天来回跑。

(6)快告诉她吧,省得她着急。

(七)工人们万没想到

"万",副词。表示"绝对"、"无论如何"。多用在表示否定意义的句子中。通常用"万万",多用于口语,语气也更强烈。例如:

(1)我万没想到,他口语考试竟只得了 20 分。

(2)这种无理要求,你万不能答应。

(3)路上要小心,万万不可粗心大意。

(4)我们万不可轻易怀疑别人。

(5)新买的自行车,万万不可随便乱放,小心丢失。

(6)万没想到他竟贿赂了好几个干部。

(八)当厂长的不见得非得坐小车不可

"不见得","不一定"的意思。表示一种主观的估计,语气比较委婉,句中常有"我看"、"看样子"一类插入语。其用法有三种:

1."不见得"+动词或形容词。例如:

(1)为了保证你们骂我的时候我能听得到,每周我至少要和大家一起坐一次班车,当厂长的不见得非得坐小车不可。

(2)那篇文章比较长,但不见得那么难,大意还是能看懂。

(3)药吃多了,对病不见得好。

(4)下这么大的雨,我看他不见得来了。

2."不见得"+助动词(限于"会、能、肯"等少数几个)+动词。例如:

(5)看样子,他今天不见得会来。

(6)这篇文章我看不懂,他也不见得能看懂。

(7)你即使再去请他,他也不见得肯来。

3. 可以单独回答问题或在句中作宾语。例如:

(8)——这孩子一定很聪明吧!

——不见得。

(9)谁说得有钱就会快乐? 我认为不见得。

(九)当厂长的不见得非得坐小车不可

副词"非"和语气助词"不可"(或"不行"、"不成")相呼应,构成"非……不可(不行、不成)"的固定格式,是紧缩句的一种格式。"非"后面多为动词、动词性词组、指人的名词、代词或小句。表示的意思及用途如下:

1. 表示事情一定是这样或一定要这样,表示一种必然性和必要性。例如:

(1)我母亲不爱说话,在非说不可的时候才开口。

(2)要掌握过去学过的生词和语法,非经常复习不可。

(3)买火车票的事非你不可。

(4)任何一种语言都不是轻易可以学好的,非下苦功夫不可。

2. 表示一种强烈的愿望和不可动摇的决心。例如:

(5)我非把这个坏习惯改过来不可。

(6)她下了决心:非考上北大的研究生不可!

注意:

1. 在口语中,"非"后面如果是"要"、"得"时,"不可"常省略。例如:

(7)不让他去,他却非要去!

(8)她的婚礼,我非得参加!

2. 如果"非"后面是动词或动词结构,"不可"也可省略,意思不变。例如:

(9)他不来就算了,为什么非叫他来?

(10)大夫非让她住院,她也无可奈何。

五　副　课　文

(一)阅读课文　　怀念自行车

　　我挺钟爱自行车的,但由于工作需要,不得已我又选择了汽车。这意味着我在选择效率的同时,放弃了我那少得可怜的锻炼身体的机会。

　　以前自行车是我最好的伙伴。我骑车上班很方便,由于它轻巧灵活,我没受过塞车之苦。也许我对工作太投入了,以致常常没有时间参加体育锻炼。上下班骑车正好可以活动一下筋骨,调剂一下过度紧张的大脑。骑车还能带给你不少乐趣:我常和汽车赛跑,在选择好目标之后,憋足一口气,猛骑一段。那感觉很过瘾。后来,我的工作日程越排越满,两个轮子毕竟不如四个轮子跑得快。骑车速度慢,出门办事常赶不上趟,有时去开个会,路实在太远,我就"打的"去,这样又方便又快。我并不在乎我是步行还是坐轿车去某个大宾馆出席什么会议,我注重的是办事效率。

　　自从有了科智公司后,我又要搞研究,又要管公司,时间对我来说太宝贵了。在我忙得不可开交时,单位给配了汽车。有了车以后,可解决了我不少问题,我的工作节奏加快了,工作效率也提高了。

　　看着司机拉着我到处跑挺辛苦的,我想:干脆自己也去考个本子。我在驾校报了名,才发现自己根本没有时间去学车。报名有几个月了,还没和驾校的老师见过面呢!

　　自从我改用轿车后,我对目前公路现状才有了更深一步的认识。汽车本是一种方便快捷的交通工具,但在我国却大大地受到道路、经济等发展水平的限制,不能充分将其作用发挥出来,现在市区的路上是车满为患。

　　正如电脑的全球联网使地球变小了,轿车的使用使得正在不断延伸的公路缩短了。随着城市规模的不断扩大,市民的居住地迁往近郊已成为一种趋势,在这样广阔的地区发展公共交通是很不合适的,轿车的家庭化倒显得十分必要了。居民新区的建设一定要注意停车场的建设,国外拆楼改车位的教训是值得我们重视的。

　　轿车的使用延长了我的工作寿命,能使我有更多的时间处理业务。但我仍然很怀念那段骑车的日子。每到周末,我就约几个朋友骑车郊游,爬山,重温那种畅快的感觉。

(作者:陈肇雄。有删改。)

(二)会话课文　　车棚对话

（在车棚里。一辆"永久"牌自行车与一辆"飞鸽"牌自行车,因为男女主人双双购买了崭新的摩托车,而受到冷落,被放到几辆破旧自行车的旁边。一天夜里,它们进行了一场有点伤感的对话。）

永久:飞鸽小妹,我们被主人放到车棚里,已经多少天了?

飞鸽:永久大哥,既见不到太阳,又见不到月亮,我也不知道有多少天了。

永久:我觉得已经有很长很长时间了,有一个世纪那么长。

飞鸽:那是因为你寂寞和孤独。

永久:你还记得从前的日子吗?

飞鸽:记得,我通通记得。从前的日子,多么美好! 那时,主人待我们真好。他们一有功夫,总是反复地擦洗我们,让我们永远闪闪发亮,让过路的人不由得多看我们几眼。

永久:还记得那天下雨吗? 主人把雨衣脱下来盖在我们俩身上,自己却被大雨淋着。当时,我们紧靠在一起,看到站在大树下的主人被淋成那副样子,心里感动得直想哭。

飞鸽:那天,我和我的主人一起跌倒了,你的主人忙问:"车没摔坏吧?"我的主人笑着问:"是我重要还是车重要?"你的主人也笑着说:"当然是车重要呀!"

永久:自从他们夫妇一人买回一辆摩托之后,就渐渐地把我们忘了。那天也是下大雨,他们一人拿一件雨衣从六楼跑下来,边跑边叫:"快把摩托盖上! 快把摩托盖上!"我们却在雨地里淋着,淋着……

飞鸽:我永远记得那一天,他们说:"把它们扔到车棚里去吧。"

永久:从前的日子真是太让人怀念了。主人骑着我们去上班,到了班上,把我们锁在一旁,我们就在那儿静静地等待着他们下班,然后和他们高高兴兴地回家。每逢节假日,他们就骑着我们去郊外的大河边,那一片片好风光,让我们总也看不够。

飞鸽:从前真是好啊。虽然我们也感到很累,但我们愿意——愿意一辈子为主人效劳。

永久:有时,主人也会对我们生气。那天,主人骑着我去车站接一位朋友,半路上,我突然没气了,气得主人狠狠踢了我一脚。我心里虽然有些委屈,但却很能体谅主人的心情,甚至还在心里责备自己。

飞鸽:要是主人还能像从前那样待我们,我倒宁愿让她踢我几脚呢。

永久:现在,他们心目中可没有我们了。

飞鸽:不是我嫉妒,其实,摩托车有什么好呢? 它们"嘟嘟嘟"地冒烟,把空气都污染了。

永久：还要不停地"喝"油，一没有油，就把你扔在半路上，而且那么沉，推都推不动。

飞鸽：最糟糕的是，它把主人弄得提心吊胆的。

永久：可不是嘛，主人骑着它，再也没有像骑着我们那会儿的悠闲自在了。

飞鸽：也许，总有一天主人还会再想起我们来的。我多么想再看见蓝天，看见马路，看见高楼，看见行人，看见整个世界啊！

（三）听力课文　　晚　归

郊区农民丁力在城里卖完大白菜，心情很好，独自一人去小酒馆喝了点酒，然后驾驶他家那台拖拉机，"轰隆轰隆"地向城外开去。

城离家三十里地。出城时已是傍晚。白天辛苦了一天，身体早有些累，加上喝了点儿酒，便有点儿困，拖拉机就摇摇摆摆地往前跑。好在路上行人与车辆都很少。偶然遇到一辆车，对方一见，赶紧让路，然后就听对方伸出脑袋来大声叫着："你不要命啦！"

丁力听见了，一紧张，头脑就稍微清醒一些。然而，只清醒了一下，很快就又糊涂了。他就这样摇摇摆摆地往前开。

月亮挂在天上，朦朦胧胧的。

丁力眼中的世界也是朦朦胧胧的。他脑子里模模糊糊地只有一个念头：把拖拉机开回家，把拖拉机开回家，然后什么也不管，往床上一躺……

他觉得他的拖拉机已经开到了离村子不远的路口了。大路两旁是高大的白杨树。走在这样的路上，丁力眼前的世界变得更加灰暗起来。他突然看见拖拉机的灯光里出现了一个人的影子，他大吃一惊，赶紧去踩闸，可是已经晚了。他听到"咕咚"一声，连忙下车来看，可车下并不见人。再仔细寻找，发现路边的水中却浮着一个人。这时，他早吓出一身大汗，酒也全醒了。他急忙下去将那人捞上岸来。他似乎看清了那人的面孔：是村里的五奶奶。于是，他就叫道："五奶奶！五奶奶！……"然而五奶奶没有回答。他用力摇了摇她，提高了声音叫，五奶奶仍然没有说话。他把手放在五奶奶的鼻子底下，没有感觉到她的呼吸，心里说了一声："完了！"

丁力呆呆地站在路上，脑子里空空的。

月亮往西边落去。他朝村边一口井走去。他在井边犹豫了一会，但想到自己已撞死了五奶奶，便眼一闭，跳进井中。随即，村子里的人就听到了来自井下的痛苦的喊叫。原来那是一口没有水的井，丁力没有被淹死，但把自己摔伤了。

村里人闻声赶来，将他救起，并问他为什么要跳井。他说："我把五奶奶撞死了。"众人问："她在哪儿？"他答道："在村口。"于是，人们就跑向村口。然而，人们在拖拉机旁并没有发现五奶奶。有人就去了五奶奶家。不一会儿，那人跑

55

回来说:"五奶奶上床睡觉了。她刚才是被拖拉机撞晕了,醒过来以后,发现四周一个人没有,就独自回家了。"

后来经医院诊断,五奶奶什么事没有,丁力摔断了一条腿。

(语言游戏答案:"船到桥头自会直")

生　　词

1. 拖拉机	(名)	tuōlājī	tractor / tracteur	丙
2. 车辆	(名)	chēliàng	vehicle / voiture; véhicule	丙
3. 摇摆	(动)	yáobǎi	sway; swing / agiter; osciller	丙
4. 朦胧	(形)	ménglóng	obscure; dim / vague; flou; obscur	
5. 念头	(名)	niàntou	thought; idea / idée; pensée	丁
6. 闸	(名)	zhá	brake / vanne; écluse	丁
7. 咕咚	(象声)	gūdōng	(onomatopeia) / flac; floc (onomatopée)	
8. 诊断	(动)	zhěnduàn	diagnose / diagnostiquer	丁

专　　名

1. 丁力　　Dīng Lì　　name of a person / nom de personne

2. 五奶奶　　Wǔnǎinai　　the fifth grandmother
(奶奶:form of address to old woman)
mémé cinquième (appellation de politesse à une femme âgée)

六　练　习

(一) 成语填空:

1. 三____五____　　5. 争____夺____
2. 精____强____　　6. 奉____守____
3. 提____吊____　　7. 怒____可____
4. 无____于____　　8. 心____火____

（二）给下列词语搭配上适当的宾语：

1. 戴_____　　　5. 提醒_____
2. 脱_____　　　6. 安装_____
3. 摘_____　　　7. 保证_____
4. 挨_____　　　8. 整顿_____

（三）给下列词语搭配上适当的状语：

1. _____提前　　　5. _____带头
2. _____制止　　　6. _____安装
3. _____难受　　　7. _____挑选
4. _____吃亏　　　8. _____限制

（四）用指定词语完成句子：

1. 你出去时，_____。（顺便）

2. 既然你已经来了，_____，
   反正晚上你也没有什么事。　　　　　　　　　　　（索性）

3. 你提的这些问题，他_____，
   能回答出两个就不错了。　　　　　　　　　　　　（不见得）

4. 你不要专为这件事跑一趟，_____
   _____。（顺便）

5. 这几天天气不太好，而且又快考试了，别去玩了，_____
   _____。（索性）

6. 你既然需要这本字典就送给你好了，_____
   _____。（省得）

7. 大热的天，你_____？（何苦）

8. 那本书图书馆肯定有，不过现在正放暑假，_____
   _____。（不见得）

9. 我回宿舍去拿伞，可以顺便把你的雨衣带来，_____

_____。（省得）

10. 他明明不想去看球赛，_____

_____? （何苦）

（五）选择适当词语填空：

1. 你别担心，我只是_____有点感冒，休息一天就好了。

2. 既然他说得对，咱们就_____他说的去做吧。

3. 幸亏你_____我，不然我又忘了。

4. 明明没有_____，你却_____做不可，出了问题领导当然要批评你。

5. 有关北京语音的资料，老王_____了不少。

6. 这份文件十分重要，_____不可丢失。

7. 看样子明天_____会刮风，咱们还是骑自行车去吧，_____去挤公共汽车呢。

8. 他_____没想到，妻子竟会提出离婚。

（六）根据课文内容完成句子：

1. 乔厂长在给自己倒水时，发现_____

_____。

2. 为了了解一些人提前下班的原因，他_____

_____。

3. 来到班车站，乔厂长看到_____

_____。

4. 离下班还有四分钟，_____。

5. 早一点下班，不仅_____，而且

_____。

6. 工人们听到乔厂长的声音，大吃一惊，因为_____

_____。

7. 乔厂长认为工人们没赶上班车_____

58

_____。

8. 班车站不能由汽车公司管，_____

_____。

9. 带孩子的母亲和其他职工两处排队，两处上车，省得_____

_____。

10. 乔厂长叫车队挑选出两辆卡车，_____

_____。

(七) 根据课文内容回答下列问题：

1. 提前下班的现象以前发生过吗？乔厂长采取过什么措施？效果怎样？

2. 乔厂长为什么要把自己打扮一番？

3. 班车应该归谁管？为什么？

4. 下班之前与下班之后班车站上的情况有什么不同？

5. 工人们为什么骂了起来？

6. 班车问题是怎样解决的？

(八) 阅读练习：

1. 根据课文内容，从 A、B、C、D 中选择一个正确答案。

(1) "我"选择了汽车，因为：

　　A. 我不太喜欢骑自行车

　　B. 开汽车可以锻炼身体

　　C. 工作需要

　　D. 我家附近塞车很厉害

(2) "我"在驾校报了名，却没考到本子，因为：

　　A. 我怎么学也学不会

　　B. 我根本没时间去学车

　　C. 驾校现在没有老师

　　D. 我报名时没有交学费

(3) "我"仍然怀念那段骑车的日子，所以：

　　A. 我又买了一辆新自行车

　　B. 我终于把汽车卖了

　　C. 我又骑车上下班了

　　D. 周末我常约朋友去骑车郊游

2. 根据阅读课文内容回答下列问题:

(1)以前,"我"为什么那么喜爱自行车?

(2)在现代社会,骑车有什么不便?

(3)在中国,汽车的作用为什么受到限制?

(4)居民新区的建设一定要注意什么? 为什么?

(九)口语练习:

1. 分角色进行对话练习,注意语音语调。

2. 请用第三人称叙述"车棚对话"的内容。

(十)听力练习:

1. 根据录音判断正误,并说明理由:

( )(1)丁力卖完大白菜,喝了点酒,然后开着拖拉机回家了。

( )(2)丁力根本不会开车,所以拖拉机摇摇摆摆往前跑。

( )(3)晚上虽然有月亮,但白杨树下的世界还是很灰暗。

( )(4)他开着车把一个人撞到了河里。

( )(5)丁力很害怕,所以他跳河自杀了。

( )(6)五奶奶伤得很重。

2. 根据录音填空:

(1)城离家_____里地。出城时已是_____。白天辛苦了一天,身体早
有些累,_____喝了点儿酒,_____有点儿困。

(2)路上车辆很____。_____遇到一辆车,对方一见,赶紧_____路。

(3)丁力听见了,_____紧张,头脑就_____清醒一些。然而,_____清醒
了一下,很快_____又糊涂了。

3. 听录音,复述大意。

(十一)交际训练:

1. 根据提示选择下列词语(至少5个)说一段话或写一段话。

提示:我也坐过班车

词语:顺便、每逢、一……就……、打扮、挨、占、发车、保险、连……也……、
把握、八成、黑压压、无济于事、甚至

2. 根据提示两人一组进行对话:

提示:怀念(1)我的一个朋友

(2)我心爱的狗

(3)我的旧玩具

(4)我的童年

下面的词语帮助你表达：

提心吊胆、无济于事、把握、肯定、(急得)要命、索性、提醒、赶忙、省得、挑选、不见得、自动、何苦、趁、每逢、保险、渴望、欢乐

3．自由讨论：

(1)你觉得乔厂长这个领导怎么样？

(2)如果你是一个单位的领导,你如何解决职工迟到、早退的问题？

(3)在你们国家,什么单位有班车？班车的情况如何？什么人可以坐班车？

(4)介绍一下你们国家交通方面的情况(如：人们是否遵守交通规则；交通管理；交通事故……)。

4．"采访"活动：

请一位同学扮作电视台记者,到班上来采访,了解同学们对中国某城市(如北京、上海等地)交通状况的看法、意见、要求和建议。

要求：(1) 无论采访者还是被采访者都要彬彬有礼,举止大方,说话生动有趣。

(2) 采访者和被采访者要先写好提纲。

5．小辩论会：

将班上同学分为两组,老师作主持人,以抽签方式决定正、反方。

论题：轿车进入中国百姓家庭的利与弊

正方观点：利大于弊

反方观点：弊大于利

要求：(1)双方队员要轮流出场,阐述己方观点,反驳对方观点。

(2)尽量用上本课所学词语及句式。

6．语言游戏：

(1)由各国同学说出该国名牌汽车的名称,并答出其中文译名。如尚无中文译名,全班同学可在教师协助下译出。(除班上各国外,还可说一些其他国家的名牌汽车名称。)

(2)你听说过下面这句俗语吗？讲一讲它的意思。想想人们在什么情况下会使用它。

车到山前必有路

这句俗语的后面还有一句话,你知道是什么吗？(答案见听力课文后)

7. 看一看，说一说，写一写。

zhòng

众

古文字形象三个人在太阳下从事劳动。古文中"三"往往是虚指，表示数量很多。因为耕地的人很多，所以有"众多"的意思。

字形繁体楷化作"衆"；简化作"众"，是"三人成众"的意思。

选自《汉字的故事》，施正宇编著

第十九课

一　课文　健忘[1]的教授

教授名叫伊里奇,是 B 大学文学理论方面的权威[2],在绘画[3]、音乐方面也有着惊人[4]的才能[5]。同时,对一些事情又有着惊人的健忘症[6]。

90 年代初我在该大学文学系读研究生时,有他的一门"文学概论[7]"课。由于入学手续办晚了,开课一个多月后我才第一次去听教授的课。伊里奇教授几乎是踩着早八点的铃声准时步入教室的。教授五十多岁,上穿圆领毛衣,下穿牛仔裤,人很精神,没有半点学究[8]样。他看见了坐在第一排的我,"噢[9],新来了一个外国学生! 你好,欢迎你来听我的课。你叫什么名字? 哪个国家的?"我站起来恭恭敬敬[10]地向教授报[11]了姓名、国籍[12]。

"啊,中国来的,那是一个创造智慧和文明的国家,我很崇敬[13]她。"

"谢谢您,教授。"

"下面开始讲课。"教授两手插进裤兜儿[14],一屁股坐在讲台的角上,然后开始一、二、三,a、b、c 地讲了起来。没有教科书,没有教案[15]。他就像一台计算机[16],所有内容都很有条理地从他的口中准确地"输出[17]"。更令我吃惊的是,讲课时,所涉及[18]的引语[19],他竟能说出它们出自某书、某版本[20]以及出版年月,甚至页数。第一课我就被这位教授征服[21]了。

一个星期后我去上第二课。由于去晚了,第一排已没有空座位,我坐在了最后一排。教授准时走进教室。他的目光落在了最后一排的我身上:"噢,又来了一个外国学生! 你好,你叫什么名字? 哪个国家的?"我不好意思当众[22]提醒教授我们已经认识了,只好站起来再次报姓名、国籍。

"啊,中国来的,那是一个值得尊敬的国家。"

第三次上课时,我刚进教室,一个前边的同学就嚷嚷开了:"杨,你今天可别再换位置了,赶快老老实实坐在第一排,否则伊里奇教授又该认第三个外国学生了。"于是我坐在了第一排。教授进来后，看见了第一排的我，但这次没有说"噢，又来了一个外国学生。"他开门见山[23]地讲起了课。只是快下课时，教授忽然问："坐在最后一排的那个中国学生怎么没来？"

教授健忘的笑话在全校广为流传。据说，他年轻时，有一天晚上把儿子放在婴儿[24]车里推出散步，路上遇见了一个老同学，他和人家聊了起来。两个多小时后，他自己回了家，一进家门还问妻子："咱们的儿子睡了吗？"

还有一次，他开自己的小汽车去一百多里外的 C 城，办完事后他排了两个多小时的队，买了一张长途汽车票乘车回了家。第二天上班时才想起来小汽车忘在了 C 城。

教授虽然生活上粗心大意[25]，但讲课却非常认真、吸引人。他的授课方法很灵活，经常把下一课该讲的题目先布置给几个学生分别回去看书查资料备课，然后由这几个学生讲课。其他同学则负责挑毛病。这种方法很妙，讲课的同学在备课时等于精学了一遍；听课的同学由于抱着挑毛病的心理，所以格外认真听，而且课堂气氛十分活跃。

伊里奇教授和学生之间的关系也很融洽。有一次，B 城有一场国际足球比赛。上课时，同学们都吵吵嚷嚷坐不住了，纷纷请求伊里奇取消这节课。教授挥了挥手让大家安静。

"同学们，让我们来谈判吧！如果我取消今天的这节课，你们就可以兴高采烈[26]地去看球了，而我则要一个人躲在办公室里听收音机转播[27]，你们说这公平[28]吗？不瞒[29]你们说，我也买了今天的球票，但很不幸，我又把它弄丢了，所以今天我要你们陪我一起上课，除非[30]……"

学生们立刻明白了，"噢噢"地欢呼起来。一个男生掏出两张球票："教授，这一张是我的，另一张是我爸的，让他自己在家听收音机吧，咱们一起去！"伊里奇接过球票，大家欢呼着朝门口拥去。"慢着！"教授伸手拦住我们，"我得先看看这票是不是假的……"

期末考试到了，考试那天我们早早地就坐在教室里等候伊里奇教授。有个女生在胸前一个劲儿[31]地画十字："上帝，最好教授忘了今天有考试，现在正陪夫人逛自由市场[32]呢。"她话音刚落，教授就精神抖擞[33]地走了进来。他看见我们全都很紧张，一副可怜样，便乐了："同学们，我教了几十年的书了，就是喜欢看你们现在的样子,一个个像温顺[34]的小绵羊[35],真可爱。假如[36]哪一天我当了校长,我将规定每天都有考试!"教授刚说完,下边便是一片涨潮[37]般的"抗议"[38]声。教授开心地笑了。

"安静,现在开始发考卷。"教授打开黑皮包,翻找了足有三分钟也没找到一张纸。学生们立刻幸灾乐祸[39]起来。

"教授,太棒[40]了,我们也最喜欢看你现在的样子!"

"教授,咱们谈判吧,取消考试,我这儿有球票。"

伊里奇教授抬头看了看大家:"你们别高兴得太早了,拿出纸笔来,我口述[41]考题!"

填空、改错,大题、小题,一共三四页纸的试题,教授竟全背了下来。一个男生对伊里奇说:"教授,您可别骗我们,说不定[42]您弄丢的试题比您现在编的要容易呢!"

伊里奇背着手一字一句地说:"我口述的就是原来的试题,如果明天书面试题拿来,与我口述的有差别,那这次考试我就都算你们优秀。"

当考试进行到一半时,教授的女儿匆匆[43]地推门进来:"爸爸,这是您忘在家里的试题。"

我们接到书面试题后,一对照[44],嘿,真神了,连标点符号都没错一个!

教授在生活中丢三落四[45],但对做学问却十分严谨[46]。有一次教授组织了一个比较研究学术讨论会。我应邀[47]参加,并写了一篇《音乐与文学的平行研究》的论文。论文交上去不久,伊里奇教授把我叫到了他的办公室。

"杨,你的论文我读过了。我知道你是搞外交的,但是我并不希望在你的论文里看到模棱两可[48]的外交用语。既然你是在做学问,就要采取科学的态度。"我一看,教授的脸很严肃,手里拿的好像不是一篇论文,而是一封检举[49]他的信。

"你看看,你这一系列[50]的观点、引语全是'中国古人说',或是'曾说过'。这怎么行!一定要注明[51]谁、什么时候、在哪本书里说过。这是学术论文,不是外交致辞[52]!"

我向教授解释:"我在学校图书馆里都查过了,有关中国音乐理论的书很少……"

"那你应该到国立图书馆去查。"教授帮我打通了国立图书馆的电话,结果那里也没有这方面的书。他毫不犹豫地对我说："既然这样,你的这篇论文不能用。"就这样,他的一句话便把我花了几个月时间的心血之作给"枪毙[53]"了。

这事过了有一年,我都忘了。教授有一天把我叫到了办公室。

"杨,去年我轻易地就把你那篇论文给否定了,我一直觉得欠了你什么似的。但考虑到你当时刚刚开始做学问,一定要对你严格,所以就把那篇论文给撤[54]了下来。下个月又有一次国际学术讨论会,你参加吧!"

我一听下个月,忙说时间太紧了,来不及写出一篇像样的东西。教授从抽屉里拿出一份稿子来。

"这是你去年的那篇论文,我今年去中国讲学时,在图书馆帮你把所有的引语都查到了,并根据新找到的材料又作了一些补充,你就拿这篇论文去参加吧,我已替你报上了名。"

在这次学术报告会上,我的论文得到了很好的评价[55]。学术会议三天就结束了,但给我印象最深的却是伊里奇教授又一次因健忘而演出的"节目"。

参加会议的学者[56]都住在一个饭店里。早上去开会时,大家都把钥匙交给服务台。第一天会议结束后,我和伊里奇来到服务台,我报了自己的房间号,小姐便把我房间的钥匙交给了我。教授对我说:"你先上去吧,我还有点事儿。"我刚刚走出几步,就听教授低声对服务员说:"小姐,请问 B 大学来的伊里奇教授住几号房间?"我心里不禁[57]笑了:这个健忘的教授还真狡猾[58]!

"805。"小姐回答。

"请把钥匙交给我。"

"这怎么能行,客人还没回来。"

教授小声说:"我就是伊里奇教授。"

"先生,请您不要开玩笑。"教授忙掏出身份证,小姐才把钥匙交给了他。

去年年底,我们结束了伊里奇教授的课。这之后我就钻进图书馆里写博士[59]论文。有一天我忽然接到伊里奇教授的电话,他刚从上海回来,特意为我带回一些资料,约我第二天早上八点去他办公室取。

第二天早上,我提前到了他的办公室。八点一到,教授匆匆地来了。

"杨,你是开车来的吧? 快,快,我家里出了点事儿,快拉我回去。"

我们的车开到离他住的楼还有一百米远时,教授一声令下:"停车!"便冲下车直奔[60]路边的一个铁垃圾箱,弯腰从里边捡出了他的黑皮包,拍了拍上面的尘土[61],又钻进了车里。

"杨,你的材料全在这包里呢。"

"那您干吗存放[62]到垃圾箱里?"我笑着问。

"咳[63],别提了,我平常每天从家里出来,都是左手拿皮包,右手提垃圾袋,今天早上一忙给弄错了,拿垃圾袋的那只右手提了皮包,结果到了垃圾箱前就把皮包给扔进去了……"

(作者:杨晖。有删改。)

二 生 词

1. 健忘	(形)	jiànwàng	absent-minded oublieux amnésique	
2. 权威	(名)	quánwēi	authority autorité	丁
3. 绘画	(名)	huìhuà	drawing; painting peinture	丁
4. 惊人	(形)	jīngrén	astonishing; amazing surprenant	丙
5. 才能	(名)	cáinéng	ability; talent talent	丙
6. 症	(名)	zhèng	symptom maladie	丁
7. 概论	(名)	gàilùn	outline; introduction introduction	
8. 学究	(名)	xuéjiū	pedant pédant	
9. 噢	(叹)	ō	oh oh	丙
10. 恭敬	(形)	gōngjìng	respectful respectant	丁
11. 报	(动)	bào	report; reply; respond répondre	丙
12. 国籍	(名)	guójí	nationality nationalité	丙

13. 崇敬	（动）	chóngjìng	respect respecter; admirer	丁
14. 兜儿	（名）	dōur	pocket poche	丁
15. 教案	（名）	jiào'àn	teaching plan; lesson plan plan d'enseignement	
16. 计算机	（名）	jìsuànjī	computer ordinateur	丙
17. 输出	（动）	shūchū	export; output exporter	丁
18. 涉及	（动）	shèjí	involve; ralate to; touch upon concerner	丁
19. 引语	（名）	yǐnyǔ	quotation citation	
20. 版本	（名）	bǎnběn	edition édition	
21. 征服	（动）	zhēngfú	conquer conquérir	丙
22. 当众	（副）	dāngzhòng	in the presence of all; in public en public; ouvertement	
23. 开门见山		kāi mén jiàn shān	come straight to the point; declare one's intention right at the outset aller droit au but	
24. 婴儿	（名）	yīng'ér	baby; infant bébé	丙
25. 粗心大意		cūxīn dàyì	negligent; careless; inadvertent négligent; nonchalant	丙
26. 兴高采烈		xìng gāo cǎi liè	in high spirits; in great delight; jubilant débordant de joie; an comble de l'enthousiasme	丙
27. 转播	（动）	zhuǎnbō	relay retransmettre	丙
28. 公平	（形）	gōngpíng	fair; just; impartial; equitable juste	丁
29. 瞒	（动）	mán	hide the truth from cacher	丙
30. 除非	（连）	chúfēi	only if; only when; unless sauf	丙
31. 一个劲儿	（副）	yígèjìnr	continuously; persistently avec persistance	丁

32. 自由市场		zìyóu shìchǎng	free market marché libre	丁
33. 抖擞	（动）	dǒusǒu	enliven; rouse exciter; stimuler	
34. 温顺	（形）	wēnshùn	docile; meek; tame docile; doux	
35. 小绵羊	（名）	xiǎomiányáng	young sheep agneau	
36. 假如	（连）	jiǎrú	if; supposing; in case si	丙
37. 潮	（名）	cháo	tide vague; marée	丙
38. 抗议	（动）	kàngyì	protest; demonstrate protester	丙
39. 幸灾乐祸		xìng zāi lè huò	take pleasure in other's misfortune; gloat over other's misfortune se réjouir des malheurs d'autrui	
40. 棒	（形）	bàng	good; fine; excellent épatent; merveilleux; bravo	丙
41. 口述	（动）	kǒushù	dictate dicter	
42. 说不定	（副）	shuōbudìng	perhaps; maybe peut-être	丙
43. 匆匆	（形）	cōngcōng	hurried précipité	丁
44. 对照	（动）	duìzhào	contrast; compare comparer	丁
45. 丢三落四		diū sān là sì	forgetful; scatter-brained avoir la mémoire courte	
46. 严谨	（形）	yánjǐn	strict; rigorous rigoureux; strict	
47. 应邀	（动）	yìngyāo	at sb.'s invitation; on invitation accepter une invitation	丙
48. 模棱两可		móléng liǎng kě	fuzzy; ambiguous ambigul; équivoque	
49. 检举	（动）	jiǎnjǔ	report (an offense) to the authorities; inform against (an offender); accuse dénoncer	丁
50. 一系列	（形）	yíxìliè	a series of une série de	丙

51. 注明	(动)	zhùmíng	annotate; explain with notes annoter; indiquer	
52. 致辞		zhì cí	make a speech prendre la parole	
53. 枪毙	(动)	qiāngbì	execute by shooting fusiller	丁
54. 撤	(动)	chè	remove; take away; withdraw se retirer	丙
55. 评价	(名、动)	píngjià	evaluation; assessment; evaluate; assess évaluer; évaluation	丙
56. 学者	(名)	xuézhě	scholar; learned man savant; homme de science	丙
57. 不禁	(副)	bùjīn	can't help(doing sth.); can't refrain from ne pas pouvoir s'empêcher de (f.qch.)	丙
58. 狡猾	(形)	jiǎohuá	sly; crafty; cunning; tricky rusé	丙
59. 博士	(名)	bóshì	doctor docteur	丙
60. 奔	(动)	bèn	run quickly; hurry; rush courir	丙
61. 尘土	(名)	chéntǔ	dust; dirt poussière	丙
62. 存放	(动)	cúnfàng	leave with; leave in sb.'s care déposer; faire un dépôt	丁
63. 咳	(叹)	hāi	dammit (to express sadness, regret or surprise) ah! ha!	丙

专　名

1. 伊里奇	Yīlǐqí	name of a person nom de personne
2. 杨	Yáng	surname of a Chinese nom de famille Chinois
3. 上海	Shànghǎi	a city name in China Shanghai

三　词语搭配与扩展

(一)惊人 *jīng*

　　[主～]成绩～|变化～|速度～

　　[状～]相当～|确实～

　　[～中]～的变化|～的才能|～场面|～的速度

　　　　(1)没想到,他当时的反应惊人地快。

　　　　(2)在与疾病的斗争中,他的毅力是惊人的。

(二)征服

　　[～宾]～自然|～沙漠|～命运|(他的表演)～了观众|～病魔

　　[状～]不断地～|成功地～|共同～|把……～了

　　[～中]～的对象|～的计划|～的手段|～的过程

　　　　(1)我们希望征服癌症的日子已经不远了。

　　　　(2)他们在征服大自然的过程中成长起来。

(三)提醒

　　[动～]得到～|需要～

　　[状～]小声～|偷偷地～|互相～|再三～|及时～

　　[～补]～得及时|～了两次|～一下

　　[～中]～的时间|～的方式

　　　　(1)她总是及时提醒乘客做好下车的准备。

　　　　(2)必须提醒他,说话要注意场合。

(四)吸引 *xī yǐn*

　　[～宾]～顾客|～观众|～(学生的)注意力|～(读者的)兴趣

　　[状～]互相～|被……所～|强烈地～着(孩子们)|始终～着(我)

　　[～补]～住了|(把大家的目光)～过去|～过来|～了一阵

　　[～中]～的方式|～的对象

　　　　(1)锣鼓声把孩子们都吸引过来了。

　　　　(2)香山吸引着越来越多的游客。

(五)纷纷 *fēn fēn*

　　[主～]议论～|大雪～|落叶～|意见～

　　[～动]～表示|～要求|～抗议|～报名|～检举|～揭发|～离开

　　　　(1)这个消息传来以后,大家议论纷纷。

　　　　(2)会上,同学们纷纷表示愿意参加义务劳动。

(六)转播

[动～]进行～|连续～|决定～|要求～

[～宾]～新闻|～……节目|～……实况

[状～]及时～|按时～|正在～|从未～(过)

[～补]～完了|～得不清楚|～不了|～了两个小时|～一下

[～中]～的时间|～的内容|～的结果

    (1)明天的球赛,我们可以通过卫星转播。

    (2)今晚中央台转播新疆台的中秋节晚会。

(七)公平

[动～]显得(很)～|注意～|认为(不)～|要求～

[状～]真正地～|基本～|相当～|不～|应该～

[～补]～极了|～不了|～得很|～一点

[～中](不)～的原因|～的标准|～的决定|～的看法

    (1)你这样对待他是不公平的。

    (2)生活对待他是如此地不公平,但他从不抱怨。

(八)抗议 *kàng yì*

[动～]提出～|进行～|表示～|决定～

[～动]～镇压(工人)|～解雇(工人)|～取消(……的资格)|～提高(物价)

[定～]工人们的～|强烈的～|受害者的～|外交部的～

[状～]强烈地～|不停地～|坚决地～|应该～

[～补]～得好|～得有力|～得及时|～得坚决|～了一回

[～中]～的结果|～的方式|～的原因

    (1)对方违反合同,我们应该提出抗议。

    (2)抗议的结果是,厂方答应赔偿一切损失。

(九)对照 *duì zhào*

[动～]加以～|通过～|进行～|用不着～

[～宾]～事实|～原文|～(试题的)答案|～(他的)态度

[定～]事实的～|(两国)情况的～|数字变化的～

[状～]严格地～|反复地～|认真地～|按要求～

[～补]～得很仔细|～起来(检查)|～不了|～一下

[～中]～的内容|～的方面|～的目的|～的结果

    (1)这篇稿子要对照原文进行校对。

    (2)对照小王的笔记一检查,我才发现自己有很多地方没听懂。

(十)评价 *píng jià*

[动～]进行～|给予～|做出～|加以～

[~宾]~(一个)人 | ~作品 | ~(一个)作家 | ~(研究)成果

[定~]很高的~ | 错误的~ | 专家的~ | 群众的~

[状~]科学地~ | 充分地~ | 重新~ | 高度地~

[~补]~得很合理 | ~得正确 | ~得全面 | ~得客观 | ~起来 | ~一下

[~中]~的内容 | ~的客观性 | ~的标准

    (1)学生们对张老师的教学给予了高度的评价。

    (2)专家对这部作品重新进行了评价。

四　语法例释

(一)由于入学手续办晚了

"由于",连词。表示原因,常用在表示因果关系的复句里。"由于"可以放在主语的前面或后面,也可以出现在"是"后边。例如:

    (1)由于多方面的原因,出国考察人员的名单还没有定下来。

    (2)由于他平时比较注意积累,因此他的知识面比较广。

    (3)这次比赛由于天气的关系,只好延期了。

    (4)他的创造性由于观念比较保守,所以受到了限制。

    (5)他这次的失败,不是由于技术水平,而是由于心理准备不足。

    (6)这次的成功,完全是由于大家的努力和领导决定的正确。

(二)否则伊里奇教授又该认第三个外国学生了

"否则",连词。有"如果不是这样"的意思,表示对上文做假设性的否定,同时指出否定的结果。"否则"连接小句,用于后一小句的开头。例如:

    (1)谢谢你的提醒,否则我早把这件事忘了。

    (2)你先报上名,然后再商量考试的问题,否则就失去机会了。

    (3)他一定很有把握,否则他是不会答应的。

    (4)你应该先跟学校打个招呼,否则学校不批准怎么办?

    (5)学外语一定要下苦功夫,否则很难学好。

    (6)他一定接到通知了,否则他会打电话来问的。

(三)不瞒你们说,我也买了今天的球票

"瞒",动词。意思是把真实的情况隐瞒起来,不让别人知道。"不瞒"是"不隐瞒"的意思。在"不瞒……说"的格式中,常嵌入第二人称代词或某某人。表示对某人不隐瞒,很坦率。说话人所说的话往往是不轻易告诉别人的。常作插

入语。例如：

  (1)不瞒你说，我已经提出辞职了。

  (2)不瞒你说，你这样不负责任地乱批评，群众意见很大。

  (3)不瞒大家说，你们来了，我还什么都没准备呢。

  (4)不瞒大家说，学校已经准备开除小王了。

  (5)不瞒老师说，考试时我查字典了。

  (6)不瞒你说，这所房子已经不属于你了。

(四)所以今天我要你们陪我一起上课，除非……

  "除非"，连词。用在条件复句的从句中，强调指出惟一的条件。条件分句可以在前，也可以在后。条件分句在前时，后一分句常有"否则"、"才"等与之呼应；条件分句在后时，则前一分句常有"如果"、"要"等与之搭配。例如：

  (1)除非补办一个手续，否则对方是不会接受的。

  (2)除非过年过节，他才会开这个大灯。

  (3)除非大家都来，才有可能问清楚，否则没有办法解决。

  (4)他今天是不会来的了，除非老王亲自去请。

  (5)如果想天黑以前到达目的地，除非能找到一个向导。

  (6)你要说小王作弊了，除非能拿出证据来。

(五)有个女生在胸前一个劲儿地画十字

  "一个劲儿"，副词。表示一种行为、动作不停地连续地进行。后边可带"地"，作状语。例如：

  (1)人家都烦死了，你还一个劲儿地唱。

  (2)他一个劲儿地问，我只好告诉他了。

  (3)老王好像有什么心事，坐在那儿一个劲儿地抽烟。

  (4)雨一个劲儿地下，咱们怎么回家呢？

  (5)阿里在那儿一个劲儿地翻抽屉，好像什么东西找不着了。

  (6)邻居在装修房子，从早到晚都在一个劲儿地敲。

(六)论文交上去不久

  "……上去"，趋向补语。引申义为：动作使人或事物由较低的部门到较高的部门，或使事物的产量、质量、水平等方面由低到高。例如：

  (1)你们的申请报告交上去没有？

  (2)下半年的生产计划已经报上去了。

  (3)没想到，他们那么快就把经济搞上去了。

(4)同学们的意见都反映上去了吗?

(5)我们又补上去两个人。

(6)产量是抓上去了,但质量并没抓上去。

(七)我心里不禁笑了

"不禁",副词。表示在某种情况下,不知不觉地或不由自主地产生某种感情或做出某种动作,相当于"不由得"、"不觉",常用作状语。例如:

(1)他看着看着信,不禁落下了眼泪。

(2)一阵冷风吹过,我不禁哆嗦了一下。

(3)听到试验成功的消息,人们不禁欢呼起来。

(4)我突然去找她,她打开门,不禁吃了一惊。

(5)听到这首歌,他不禁回忆起无忧无虑的童年时代。

(6)她为什么一个劲儿地解释? 我不禁怀疑起她来。

五 副 课 文

(一)阅读课文 教授考博士学位

为了考博士,我拼死拼活地准备了一年,终于以总分第二的成绩通过了笔试。在复试时,导师问我,为什么当了教授还要考博士? 我脱口而出:了却一个心愿。今年是我的最后一次机会,我就要45岁了,再不考,就超过年龄了,我怕以后会后悔的。这个心愿埋在心底好久好久了。我必须最后试一试。

我初中没有毕业就下乡当了知青。那年代,翻几座山跑到县城,才买到一本《马克思传》。每次回城经过学校,心里只有羡慕和遗憾:读书是别人的事儿了,学校也是别人的了。没想到,后来,自己成了工农兵大学生。坐在教室里,我问自己:我真的又读书了吗? 是在读大学吗? 不是接着读高中吧?

什么工作我都干过了:当农民,当工人,当干部。最后发现,干什么都需要知识。于是,我不顾自己30岁了还没恋爱结婚,苦苦准备了一年,以总分第一的成绩考上了硕士研究生。近视眼镜也一下子增加了200度。

之后,在大学教书,提副教授、升教授。都说我革命成功了,但我心里还是不踏实,总觉得缺点儿什么。我是硕士生导师,天天鼓励自己的研究生毕业以后考博士,可自己却没有这个学位。打铁还得本身硬啊!

同事们都说我,你是怎么啦? 教授都当了还要考博士,这不是丢面子吗。可我认为,这是两个问题。教授是个职称,只是证明我的教学科研达到了教授的水平,而博士是接受过高学位教育。

亲友们也说,你去考博士,考上了还好,要是考不上,多丢面子。这倒是我所顾虑的,如果真考不上,是挺丢面子的。可我反复想:面子难道比我接受高学位教育更重要吗?这一生,大大小小的面子不知丢了多少。我想,活着就不能怕丢面子,而且,人不是为面子而活的。

可现在,毕竟和十几年前考硕士时大不相同了。教书、带研究生一点不敢马虎;又是一个人带孩子,凡是女人要干的家务,一样也少不了。早晚接送孩子,买米、买菜、做饭、洗衣,晚上还得辅导孩子学习。时间都被打散了,想学点什么干点什么真难啊。我心里好急好烦。

不过,多年追求上进的性格,使我像月亮绕着太阳一样不能停下来。我抓紧一切可以抓紧的时间学习,连送女儿去少年官学画画也带上书。她在教室里学画,我在窗外读外语。

今天,好朋友来信祝贺我考上了博士研究生,并送给我一句话:只有不断地上进,才能真正地解放自己。我一下子明白了,我的了却心愿,就是要解放自己呀!回想自己大半生的追求,不都是想获得真正的解放和自由吗?如今,我站在攻读博士学位的起跑线上,对自己说,教授考博士,好啊!

(二)会话课文　　怎么称呼

(德国留学生柯彼德和中国学生王大海是一对好朋友。)

柯:大海,今天我要去看中国朋友杨广,他在德国留学时我们认识的。你看在礼节上我应该注意些什么?

王:你平时很有礼貌,不会有什么问题。

柯:可别这么说,首先,见了面,我不知道该怎么称呼,就会说"你好"。

王:在你不知怎么称呼时,说"你好"就行。

柯:那是刚一见面,如果谈起话来,我不能总用"你好"代替称呼呀!比方说,管杨广的爸爸妈妈,还有他的妻子,还有……

王:一般来说,管杨广的父母可以叫"伯父、伯母",如果杨广有孩子,也可以跟着孩子叫爷爷奶奶。

柯:可杨广的父母才五十多岁,我看过照片,还挺年轻的,也叫爷爷奶奶吗?

王:中国人的传统观念是往辈分大上称呼,表示尊敬。但现在人们的观念也在变,好像知识分子并不愿意别人称他"老某某"或是"爷爷奶奶"。不过,没进行过这方面的调查,这只是我个人的看法。

柯:还有,怎么称呼杨广的妻子呢?在我们国家可不能随便称呼女士"老张、老杨",她会很反感的。

王：没错，我的一位中国老师在国外教书。一次，他好心地对女邻居说："您这么大年纪了，还爬楼给我送报纸，这怎么行，应该我给您送去。"没想到女邻居扭头就走了，以后，也总躲着我那位老师，脸上再也没有过笑容。

柯：我很能理解那位女邻居，这里不但有心理上的不同，也存在文化差异。所以，你必须告诉我，怎么称呼杨广的妻子，叫老了叫小了都不好。

王：主要看你朋友的妻子跟你的年龄相差多少。

柯：杨广跟我差不多。

王：那一般地说，他妻子也跟你差不多。杨广介绍时会告诉你她的名字，你就叫她名字或小杨、小李什么的。

柯：如果我朋友的妻子是四五十岁的老师呢？

王：那你就叫她张老师、李老师。如果是大夫，你就叫她张大夫、李大夫。

柯：如果是售货员、售票员、工人，我就叫张售货员、李工人……

王：那可不行。不过，你可真把我问住了。这样的情况，一般叫"师傅、同志"，可现在她是你朋友的妻子，已经四五十岁了，怎么称呼？最好问问你的朋友，他让你怎么称呼你就怎么称呼。

柯：听说现在中国人之间的称呼也比过去复杂多了，倒退二三十年，人人都称"同志"，现在是叫同志、师傅还是先生、小姐，那可要好好看一看。

王：有人把这叫做"看人下菜碟"。

柯：你不是告诉过我，"看人下菜碟"含有贬义吗？

王：我这是一种幽默的说法吧。其实，就是说怎么称呼要看对方的身份、年龄、文化、生活习惯，要研究对方的心理。

柯：你说的这些，古今中外都是一样的，就是要因人而异。

王：你说的很对，相信你今天的称呼，会带给主人一个好心情。

（三）听力课文 　一件重要的事

去年春天，我带着十几个学生，到乡下的一所中学进行教学实习。

一天下午，我独自在办公室批改学生的教案。一个微微发胖，头发有些乱的中年人，敲开门赔着笑问："您知道校长到哪儿去了吗？刚才他还在这儿呢。"我回答说不知道，正要关门，他却挡住门问我是谁。说话之间，他已经不请自进，往椅子上一坐，说："我就在这儿等会儿老校长。"

我见他一身土气，挺实在的样子，猜他可能是远道而来的学生家长。于是低头继续批改教案。这么沉默了好一会儿，还是他先开口，笑着问："您这位中学老师，怎么用这么一支笔？"

我看看笔，自己也有些不好意思，刚才匆匆忙忙地随便捡了个红圆珠笔芯就用起来了。这么一来,我们也就随便谈起来。一问才知道,他竟然也是位中学老师。"文革"当中,他从这所学校毕业后,回家种了几年地,后来因为有的学校缺人上课,他就成了一所乡村中学的生物老师。现在,他连个高中文凭都没有,又错过了进修的机会。他所在的那所中学要合并,一切都将正规化。他没资格再当老师,就要回家种地去了。这回他赶了几十里路来到母校,要在回家之前看看辛勤培养过自己的老师——现在的老校长,也就是他念中学时的班主任。

"我这次来,还为一件重要的事。"说这话时,他脸上露出兴奋的神情,还有点儿神秘。他小心地从上衣口袋里掏出一个小纸包,慢慢地打开。里面是几块半黄不白的化石。

"您知道这是什么吗?这是珊瑚!老校长前几年就答应了给我的,但因为忙,一直没来取。我为我们那所学校建了个生物角,搞了一整套生物标本,只差珊瑚了。我这次取回去,就是为了在离开学校前把那套标本补齐。"

看着他藏宝贝似地把纸包收起来,不知为什么,我心里有些难过。这几块半黄不白的化石,对他来说,就是宝贝。我不禁仔细地看着他:那么实在,红红的脸上总带着笑容。可以说,在他这样的年纪,遇到这样的变化,人们多半会认为真倒霉,今后还有什么前途?可他"身在愁中不知愁",仍旧为他答应过、计划过、追求过的一切忙碌着。这件事分明跟他没有什么关系了,可他还看得那么重要,兴奋得像个孩子。

这以后又聊了些什么,我已经记不清了。不过,从那以后,每当我怨天怨地时,总会想到他那实在的样子,那笑容……于是,我告诉自己:你得到的已经够多了。

生　词

1. 实习	(动)	shíxí	practise; do field work faire un stage	丙
2. 匆忙	(形)	cōngmáng	hasty; hurried en hâte; hâtif	丙
3. 圆珠笔芯	(名)	yuánzhū- bǐxīn	ball-pen wick cartouche pour stylo à bille	
4. 文凭	(名)	wénpíng	diploma diplôme	丁
5. 正规	(形)	zhèngguī	regular; standard régulier	丁
6. 母校	(名)	mǔxiào	one's old school; Alma Mater école où l'on a fait ses études	

7. 辛勤	（形）	xīnqín	industrious; hardworking travailleur; laborieux	丙
8. 化石	（名）	huàshí	fossil fossile	丙
9. 珊瑚	（名）	shānhú	coral corail	丁
10. 生物角	（名）	shēngwùjiǎo	animal sample corner coin de biologie	
11. 标本	（名）	biāoběn	specimen spécimen	丁
12. 宝贝	（名）	bǎobèi	treasured object trésor	丁
13. 多半	（副）	duōbàn	probably; most likely il est probable que...	丙
14. 忙碌	（形）	mánglù	busy occupé	丁

六　练　习

(一)熟读下列词组：

一系列措施	气氛紧张	集体的智慧	缺乏才能
一系列变化	气氛融洽	人类的智慧	发挥才能
年龄的差别	花费心血	学术权威	应邀出席
职业的差别	付出心血	理论权威	应邀参加

(二)给下列动词搭配一个宾语和一个补语：

1. 存放_____　2. 提醒_____　3. 吸引_____　4. 转播_____

　　存放_____　　提醒_____　　吸引_____　　转播_____

5. 征服_____　6. 对照_____　7. 瞒_____　8. 抗议_____

　　征服_____　　对照_____　　瞒_____　　抗议_____

(三)在形容词前后各搭配一个适当的成分：

1. 惊人_____　　2. 纷纷_____　　3. 公平_____

_____惊人　　　　_____纷纷　　　　_____公平

4. 棒_____　　　5. 狡猾_____　　6. 匆匆_____

_____棒　　　　　_____狡猾　　　　_____匆匆

79

(四)用指定词语回答下列问题：

1. 你们班为什么会取得这么好的成绩？

　　_____。　　（由于）

2. 阿里怎么现在才办手续？

　　_____。　　（由于）

3. 为什么要取消小王的考试资格？

　　_____。　（不瞒……说　一个劲儿）

4. 安娜为什么哭了，是不是有人把那件事告诉她啦？

　　_____。　（不瞒……说　一个劲儿）

5. 你昨天迟到了吗？

　　_____。　　（提醒　否则）

6. 张强又在给谁打电话？

　　_____。　　（提醒　否则）

7. 你们家乡的变化大吗？

　　_____。　　（……上去）

8. 你们的科研计划定出来了吗？

　　_____。　　（……上去）

9. 关于事故发生的原因，现在查清楚了吗？

　　_____。　　（除非　否则）

10. 你说安娜今天会来吗？

　　_____。　　（除非　否则）

11. 李兰英的卡拉OK唱得怎么样？

　　_____。　　（不禁）

12. 在关键时刻小李踢进了一个球，观众的心情怎么样？

　　_____。　　（不禁）

(五)根据课文内容判断下列句子对错,并说明理由:
(　　)(1)伊里奇教授进教室后,发现来了一个中国留学生。
(　　)(2)引语出自某书、某版本、某页,教授都背下来了。
(　　)(3)"我"第二次去上课,虽然坐在最后一排,教授仍然认出了"我"。
(　　)(4)教授的讲课方法灵活生动,课堂气氛十分活跃。
(　　)(5)有一次,教授陪夫人逛自由市场,把考试的卷子忘在家里了。
(　　)(6)教授为了看球,主动取消了自己的课。
(　　)(7)教授和学生的关系很融洽,期末考试那天,学生一点也不紧张。
(　　)(8)教授口述的试题与书面的试题一字不差。
(　　)(9)教授认为"我"的论文中的观点、引语有问题,所以给"枪毙"了。
(　　)(10)教授趁去中国讲学的机会,帮"我"把论文中的引语都查到了。
(　　)(11)教授忘记了自己的房间号,只好拿出身份证来证明自己的身份。
(　　)(12)教授把资料忘在家里了,让"我"赶快开车送他回家去取。

(六)根据课文内容回答下列问题:
1. "我"第一次和伊里奇教授见面的情况怎么样?
2. "我"第二、第三次去上课的情况和第一次一样吗?
3. 伊里奇教授讲课有什么特点?
4. 教授和同学们的关系怎么样?举例说明。
5. 期末考试时,教授把试题忘在家里了,他是不是取消了考试?
6. 为什么说教授做学问十分严谨?
7. 参加学术会议期间,教授又演出了什么样的好"节目"?
8. 教授特意从上海为"我"带回一些资料,他是怎么交给"我"的?

(七)阅读练习:
1. 根据阅读课文内容判断对错,并说明理由:
(　　)(1)"我"没读完高中就上山下乡了。
(　　)(2)"我"做梦也没想到还能坐在教室里读大学。
(　　)(3)当工人、当农民、当干部都没有成为博士好。
(　　)(4)考博士考得眼镜增加了200度。
(　　)(5)同事们认为当了教授还考博士,太丢面子。
(　　)(6)"我"也担心自己考不上,太丢面子。
(　　)(7)这一生大大小小的面子丢得太多了,再不能丢面子了。
(　　)(8)考硕士时自己还没有结婚,现在考博士负担重多了。
(　　)(9)攻读博士学位仅仅是开始。

(   )(10)"我"的"了却心愿"就是不断上进,永远为追求新目标而奋斗。

2. 根据阅读课文内容回答问题:

(1)"我"是怎样从知识青年成为大学教授的?

(2)"我"当了教授以后,为什么还要考博士学位?

(3)"我"考上了博士,是不是就了却心愿了呢? 为什么?

(八)口语练习:

1. 分角色进行对话练习,注意语音语调。

2. 根据会话内容回答下列问题:

(1)近年来,中国人在称呼上有哪些变化?

(2)如何称呼对方,需要从哪些方面去考虑?

(九)听力练习:

1. 根据录音内容,用自己的话完成下列语段:

(1)有人敲门进来找校长,看他的样子,我以为_____

_____。后来,他就坐下来等校长。

(2)通过交谈才知道,他_____。现在,_____

_____,他没有资格再当老师了。

(3)他这次来是为了一件重要的事,_____

_____。他一定要在离开学校前把那套标本补齐。

(4)一般的人可能会认为他很倒霉,但是他_____

_____。

(5)这个普普通通的乡村教师的言行教育了我,_____

_____。

2. 根据录音内容复述大意。

(十)交际训练:

1. 请告诉你的朋友:(说一段话或写一段话)

(1)我最怀念我的小学老师……

(2)他是一位幽默的老师……

(3)这位老师的特点就是要求严格……

(4)我的老师是球迷(戏迷、舞迷)……

(5)我的妻子(丈夫)没有文凭……

(6)我想(不想)当老师……

下面的词语帮助你表达：

才能、智慧、惊人、怀念、一系列、珍贵、开心、幽默、调皮、瞎逗、兴高采烈、狡猾、评价、棒、严谨、提醒、不禁、一个劲儿、不瞒……说、由于、说不定、除非、否则

2. 自由讨论：

(1)你喜欢什么样的老师？

(2)健忘的人能当好老师吗？

(3)老师的爱好、特长与修养会对教学产生什么影响？

(4)在与中国人的交往中，你在称呼方面遇到过麻烦吗？

(5)你们国家重视称谓吗？

3. 语言游戏：

(1)客套用语歌(比一比,看谁学得快记得牢)。

初次见面说"久仰",好久不见说"久违"；

向人祝贺说"恭喜",求人原谅说"包涵"；

请人帮忙说"劳驾",求人指点说"赐教"；

麻烦别人说"打扰",看望别人说"拜访"；

宾客到来说"光临",中途先走说"失陪"；

让人别送说"留步",等候客人说"恭候"；

与人分别说"告辞",托人办事说"拜托"；

客套用语要记牢,时时刻刻莫忘掉。 (熊绍高)

(2)你学过下边这两句成语吗？它们出自哪一部著作？作者是谁？你了解这个作者吗？

学而不厌(xué ér bú yàn)

诲人不倦(huì rén bú juàn)

4. 看一看,说一说,写一写(见84页)。

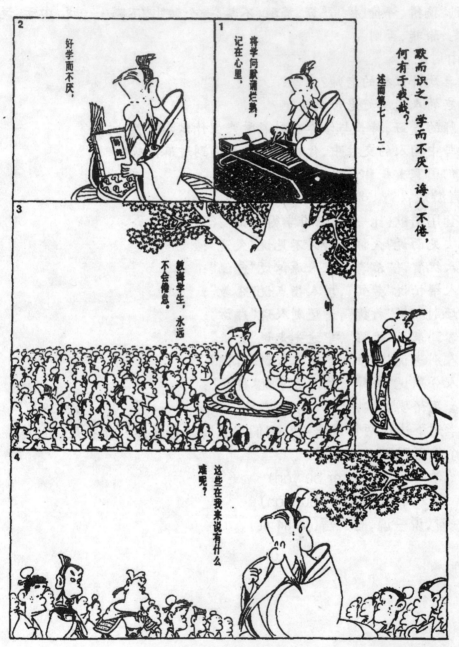

选自蔡志忠漫画《孔子说》

84

第二十课

一 课文 三个母亲

我母亲、我、我女儿,三个母亲,生活在三个不同的时代,有着三种不同的文化。

我出生在江西一个贫穷的农村,母亲是位温和[1]善良[2]的妇女,终日[3]操持[4]家务[5]而无半句怨言[6]。那一代的女人,并没有什么自我价值观念,"相夫教子"[7]是她心目[8]中最重要的大事。

记得父亲去世时,母亲跪在地上大哭:"我对不起你,我没有为你生下一个儿子!"在母亲的意识里,这便是女人一生最大的悲哀[9]。因为没有儿子,便意味着左家绝了后[10]。

我们姐妹三人,看到村里的男孩子都去读书,便缠[11]着母亲也送我们去,母亲同意了。村里人都笑她:女孩子长大都是别人家的,还读什么书! 每当别人欺负[12]我们孤儿寡母[13]时,母亲就叹着气[14]说:"我要是有个儿子,就不会受气了。"我总是很男子气地说:"我不相信女人就不能给女人争气[15]!"母亲听了,满脸惊讶[16]。

我的舅舅[17]是位中学教师,他十分怜爱[18]我们,鼓励和支持我们去县城读书。在他的劝说[19]下,母亲卖了部分房子和地,供我们读中学。

有人指着母亲批评道:"你这个妇道人家[20]真不懂事,难道真指望[21]女儿为你养老送终[22]、传宗接代[23]不成?"母亲虽然自叹命苦,但还有几分坚强,她终于顶住了嘲笑[24],支持我们完成了学业。

不久,母亲带着没有生儿子的遗憾去世了。

我离开了家乡,带着替女人争气的愿望投入了社会,投入了革命洪流[25]。

时光易逝,转眼[26],我也做了母亲。

我们的年代,是一切为革命的年代,是无我的年代。我多年从事妇女工作

85

和文化工作,天天宣传男女平等、妇女解放。当时提倡的口号就是:凡是男人能做到的事,女人也能做到。

记得我们还专门组织过妇女讨论:作为一个女人,事业和家庭,应该把哪个放在首位? 我和当时许多女同志一样,毫不犹豫地把事业放在至高无上[27]的地位。

那时,占据[28]我脑子里面的全部是工作。白天是工作、开会,晚上是开会、工作。我们从封建社会反叛[29]出来,对旧式[30]贤妻良母[31]看不惯[32]。同时,我对做饭做家务也毫无兴趣。同事们来我家,常看到我煮面条儿,他们要吃饭,我也请他们自己煮,我觉得现代妇女就应该采取这样的生活方式。

我把三个孩子全送到幼儿园整托[33],送到学校住校,以便[34]腾出更多的时间工作。星期日孩子们常磨我带他们上公园,我总回答他们:“让爸爸带你们去!”丈夫调到外地工作后,我就打发[35]他们自己去。他们拿到几角钱,欢欢喜喜手拉手向外奔的样子,我现在还记得很清楚。

我对他们进行教育,常讲些革命道理。我教育他们要艰苦朴素。那时,孩子们的裤子、袜子都是补丁[36]摞[37]补丁,新衣服都是大的穿完小的接着穿,那时的孩子都充满着革命的理想主义精神。

有一次,儿子在日记中写道:“我有资产阶级黄色[38]思想!”我看后吓了一跳,追问[39]他怎么回事,儿子说他和同学看电影《保尔·柯察金》去了,里面有保尔和冬妮亚接吻的场面。出电影院后,有的同学说这是资产阶级的黄色镜头[40],他当时没说话。他问我,他这是不是资产阶级黄色思想?

现在看来,那个年代,人们的思想单纯[41]可笑,可大家都是认真的。在学校,是革命大道理,在家里还是革命大道理。孩子们在这种氛围[42]里长大,不懂得黑暗和丑恶[43],以为前面是铺满鲜花的光明大道。在后来的动荡[44]岁月[45]里,这些梦幻[46]让他们吃尽了苦头[47]。

女儿中年后不止一次地对我说,她吃亏就在于[48]盲目[49]地信仰[50]了我们所讲的革命大道理,因此太缺乏自我保护意识,太善良地对待别人,太忘我地投入劳动,太轻易地受到他人伤害[51]。

这一切,能怪谁呢?

我也经历了动荡,也受到了迫害[52],但我不埋怨[53],我初衷[54]不改。

儿子曾问过我:“解放前你有那么多机会,为什么不出国?”

我回答:"资本主义社会是地狱[55],共产主义才是天堂。"

儿子反问说:"你没去过,你怎么知道那儿是地狱?"

我们这一代人的想法他们是很难理解的。回忆往事,我觉得自己的选择是对的,我从不后悔。

时间过得真快,现在,我的女儿也做了母亲。

女儿做母亲的方式和我完全不同。正如我和我的母亲完全不同一样。

女儿尽管工作、学习都很忙,但她还是把许多爱都倾注[56]在孩子身上。

外孙女[57]小时候,女儿说孩子"皮肤饥渴[58]",需要经常抚摸[59];孩子稍大,爱说"就不"的时候,她说这是"少年反抗期",不用教育,过一阵[60]就好了;外孙女长成漂亮姑娘了,她又说到了"青春躁动[61]期",两人躲在屋里长时间恳谈[62]。他们这一代,名堂[63]真多,这都是我们这一辈[64]不曾[65]考虑、不曾留意[66]的。

女儿做母亲,很讨厌说教[67],她支持孩子打网球滑冰游泳学弹琴,她给孩子买各种书,也放任[68]孩子自己买书,偶尔她也带孩子去跳舞或卡拉 OK 一下。她不反对孩子将来大了自己去闯天下,自己去辨别[69]善[70]与恶[71],但她对孩子反复强调的是:只有自强[72],只有全面发展,才能迎接生活。

外孙女的衣服很多,东一件西一件扔得满处都是,床底下还有一大堆鞋,眼看我家艰苦朴素的传统到这一辈已荡然无存[73],对这点,我很有些不满[74],外孙女却满不在乎。女儿见到我发火[75],便骂外孙女两句,劝我两句。不过,我发现女儿悄悄地把我穿了多年舍不得[76]扔的旧衣服全给扔掉了。

女儿做妻子,做母亲,特别重视家庭基本建设,她爱装饰[77]房间,一会儿[78]贴瓷砖[79],一会儿铺地毯[80];她喜欢新上市的家用电器,洗衣机、空调机、抽油烟机[81]、加湿器[82]买个没完。每次她买回一个"大件",我就要反对一次,我觉得家具越简单越好,房间里越朴素越好,东西越少越好。

可女儿常振振有辞[83]地说:"家要像个家的样子,就是要让自己过得舒适。干吗一辈子[84]凑凑合合[85],破破烂烂[86]的。"

很快,女儿的女儿长大了,她每天高高兴兴地随录音机唱流行歌曲,美滋滋[87]地在镜子前晃[88]来晃去。她很知道心疼母亲,给母亲快乐。有时她看母亲不加修饰[89]地出门,就很认真地说:"你得注意衣服的配套[90],你得好好打扮自己,人美了,就会有<u>自信</u>。"

　　这一课,应该是我给女儿上的,可我没有上。几十年过去了,没想到竟让女儿的女儿帮我补上了。

　　望着充满青春活力[91]的外孙女,我常想,不知她将来会成为什么样的母亲?

(作者:左诵芬。有删改。)

二 生 词

1. 温和	(形)	wēnhé	gentle (caractère) doux	丙
2. 善良	(形)	shànliáng	good and honest; kindhearted bon	丁
3. 终日	(名)	zhōngrì	all day long tous les jours	
4. 操持	(动)	cāochí	manage; handle s'occuper de	
5. 家务	(名)	jiāwù	household affairs ménage	丁
6. 怨言	(名)	yuànyán	complaint plainte	
7. 相夫教子		xiàng fū jiào zǐ	assist the husband and educate the children aider son mari et éduquer ses enfants	
8. 心目	(名)	xīnmù	mind; mental view vue; avis	丁
9. 悲哀	(形)	bēi'āi	grieved; sorrowful triste	丙
10. 绝后		jué hòu	without offspring ne pas avoir de descendance	
11. 缠	(动)	chán	pester importuner	丁
12. 欺负	(动)	qīfu	bully; treat sb. high-handedly malmener; brutaliser	丙
13. 孤儿寡母		gū'ér guǎmǔ	orphan and widow enfant orphelin et mère veuve	
14. 叹气		tàn qì	sigh soupirer	丙

15. 争气		zhēng qì	try to win credit for	丁
			faire honneur à
16. 惊讶	(形)	jīngyà	surprised; amazed	丙
			surpris; étonné
17. 舅舅	(名)	jiùjiu	uncle (mother's brother)	丙
			oncle (du côté maternel)
18. 怜爱	(动)	lián'ài	love tenderly
			aimer tendrement
19. 劝说	(动)	quànshuō	persuade	丁
			persuader
20. 妇道人家		fùdao rénjiā	women the womenfolk
			les femmes
21. 指望	(动、名)	zhǐwang	look to; count on; hope	丁
			espérer; espoir
22. 养老送终		yǎng lǎo sòng zhōng	provide for the aged and bury them when they die
			subvenir aux besoins de ses parents et leur rendre les derniers devoirs
23. 传宗接代		chuán zōng jiē dài	have a son to carry on his family name
			assurer la descendance
24. 嘲笑	(动)	cháoxiào	ridicule; laugh at	丁
			se moquer de
25. 洪流	(名)	hóngliú	powerful current
			grand courant
26. 转眼	(副)	zhuǎnyǎn	before you can say Jack Robinson *(very quick)*
			en un clin d'oeil
27. 至高无上		zhì gāo wú shàng	most lofty
			suprême
28. 占据	(动)	zhànjù	occupy	丁
			occuper
29. 反叛	(动)	fǎnpàn	revolt; rebel
			trahir
30. 旧式	(形)	jiùshì	old type	丁
			(de type) ancien-ne
31. 贤妻良母		xián qī liáng mǔ	a good wife and loving mother
			épouse vertueuse et bonne mère de famille
32. 看不惯		kàn bu guàn	hate seeing
			regarder de travers
33. 整托	(动)	zhěngtuō	send children to boarding nursery

confier pleinement（son enfant）à la crèche

34. 以便	（连）	yǐbiàn	so that; in order to pour; afin de	丙
35. 打发	（动）	dǎfa	send away envoyer; éconduire	丁
36. 补丁	（名）	bǔding	patch pièce	
37. 摞	（动）	luò	pile up; stack up empiler; entasser	
38. 黄色	（形）	huángsè	decadent; pornographic obsène; érotique	丙
39. 追问	（动）	zhuīwèn	make detailed inquiry presser（qn.）de questions	丁
40. 镜头	（名）	jìngtóu	shot; scene objectif; vue	丁
41. 单纯	（形）	dānchún	simple; pure simple	丙
42. 氛围	（名）	fēnwéi	atmosphere atmosphère	
43. 丑恶	（形）	chǒu'è	ugly; hideous laid; répugnant	丁
44. 动荡	（形）	dòngdàng	turbulent mouvementé	丁
45. 岁月	（名）	suìyuè	years années; temps	丁
46. 梦幻	（名）	mènghuàn	illusion; dream rêve; illusion	
47. 吃苦头		chī kǔtou	suffer souffrir	
48. 在于	（动）	zàiyú	lie in; rest with se trouver; consister en	丁
49. 盲目	（形）	mángmù	blind aveugle	丙
50. 信仰	（动、名）	xìnyǎng	faith; belief; conviction foi	丁
51. 伤害	（动）	shānghài	harm; injure blesser	丙
52. 迫害	（动）	pòhài	persecute persécuter	丙
53. 埋怨	（动）	mányuàn	complain; blame	丁

			se plaindre de	
54. 初衷	（名）	chūzhōng	original intention	
			première intention	
55. 地狱	（名）	dìyù	hell	
			enfer	
56. 倾注	（动）	qīngzhù	devote; throw into	
			faire porter tous ses efforts	
57. 孙女	（名）	sūnnǚ	granddaughter	丙
			petite-fille	
58. 饥渴	（名）	jīkě	hunger and thirst	
			faim et soif	
59. 抚摸	（动）	fǔmō	stroke	
			caresser	
60. 一阵	（名）	yízhèn	a spell of	丙
			un moment; un coup de	
61. 躁动	（形）	zàodòng	restless	
			agité	
62. 恳谈	（动）	kěntán	talk earnestly	
			s'entretenir en toute sincérité	
63. 名堂	（名）	míngtang	trick	
			variété; raison; motif	
64. 辈	（名、量）	bèi	generation	丙
			génération	
65. 不曾	（副）	bùcéng	never	丙
			ne...jamais	
66. 留意	（动）	liúyì	be careful; look out; keep one's eyes open	丁
			faire attention	
67. 说教	（名）	shuōjiào	sermon; preach	
			faire un sermon; prêcher	
68. 放任	（动）	fàngrèn	not interfere; let alone	
			laisser aller	
69. 辨别	（动）	biànbié	distinguish	丁
			distinguer	
70. 善	（形）	shàn	good	丁
			bon	
71. 恶	（形）	è	evil	丙
			mauvais	
72. 自强	（形）	zìqiáng	make unremitting efforts to improve oneself	
			faire des efforts inlassables pour se parfectionner	

73. 荡然无存	（形）	dàngrán wú cún	all gone; nothing left ne rien laisser	
74. 不满	（动、形）	bùmǎn	be discontented with; resentful; dissatisfied mécontenter; mécontent	丙
75. 发火		fā huǒ	get angry; lose one's temper être en colère; se fâcher	丁
76. 舍不得	（动）	shěbude	hate to part with or use; grudge ne pas pouvoir se résoudre de faire qch.	丙
77. 装饰	（动）	zhuāngshì	decorate orner	丙
78. 一会儿…… 一会儿……		yíhuìr… yíhuìr…	do things one after another tantôt… tantôt…	丙
79. 瓷砖	（名）	cízhuān	ceramic tile; glazed tile carreau de céramique	丙
80. 地毯	（名）	dìtǎn	carpet; rug tapis	丙
81. 抽油烟机	（名）	chōuyóu-yānjī	exhaust fan; cooker hood; range hood évacuateur d'air	
82. 加湿器	（名）	jiāshīqì	humidifier humidificateur	
83. 振振有辞		zhènzhèn yǒu cí	speak plausibly and volubly parler d'abondance	
84. 一辈子	（名）	yíbèizi	a lifetime toute la vie	丁
85. 凑合	（动）	còuhe	make do (with) s'accommoder	丁
86. 破烂	（形）	pòlàn	worn-out; ragged en loques	丙
87. 美滋滋	（形）	měizīzī	self-satisfied; complacent content	
88. 晃	（动）	huàng	shake; sway s'agiter	丁
89. 修饰	（动）	xiūshì	make up and dress up soigner sa tenue	丁
90. 配套	（动）	pèitào	form a complete set s'assortir; s'accorder	丁
91. 活力	（名）	huólì	vigor; energy vigueur; énergie	丁

专　名

1.《保尔·柯察金》　《Bǎo'ěr·Kēchájīn》　the title of a Russian film
　　　　　　　　　　　　　　　　　　　nom d'un film

2. 保尔　　　　　　Bǎo'ěr　　　　　name of a person
　　　　　　　　　　　　　　　　　　　nom de personne

3. 冬妮亚　　　　　Dōngníyà　　　　name of a person
　　　　　　　　　　　　　　　　　　　nom de personne

三　词语搭配与扩展

(一)温和

[主~]气候~|阳光~|性情~|态度~|目光~

[动~]显得~|觉得~|变得~了

[状~]很~|实在~|确实~|不~

[~补]~极了|~起来|~下来|~不了

[~中]~的性格|~的态度|~的声音

　　(1)他总是显得很温和,对谁都笑嘻嘻的。

　　(2)她听着听着,脸上的表情慢慢地温和下来。

(二)价值

[动~]具有…… ~|缺乏(学术)~|利用(它的)~|研究…… ~|发
　　　现…… ~

[~动/形]~降低了|~提高了|~(很)高|~(很)低

[定~]人生的~|本身的~|科学~|经济~|营养~|收藏~|实用~

　　(1)随着生活水平的提高,人们越来越注意食物的营养价值。

　　(2)在中国,科技人才的价值越来越受到重视。

(三)意识

[动~]具有(公民的)~|树立(法律的)~|加强(服务)~|克服(落后的)~

[~动/形]~丧失|~恢复|(旧)~严重|(旧)~浓厚

[定~]传统~|法制~|社会~|封建~|现代~|农民~

　　(1)我们每一个人都应增强法制意识,维护自己的合法权益,做一个好
　　　公民。

　　(2)我们要不断克服保守的落后意识,跟上现代化的步伐。

(四)欺负

[动~]遭到~|受到~|忍受~|遭受~|挨~

[~宾]~孩子|~弱者|~穷人|~外地人

[~补] ~哭了 | ~下去 | ~不了 | ~了一年

[~中] ~的对象 | ~的手段 | (被)~的人 | (受)~的情况

    (1)现在,她再也不受别人的欺负了。

    (2)那个男同学一贯欺负女同学,别人都看不起他。

(五)盲目

[~动] ~经营 | ~发展 | ~崇拜 | ~追求 | ~行动

[状~] 不能~…… | 不该~…… | 很~

[~中] ~的群众 | ~的乐观主义 | ~的行动

    (1)我们要相信自己,不要盲目崇拜他人。

    (2)投资的盲目会给公司造成很大损失。

(六)信仰

[动~] 树立~ | 形成~ | 改变~ | 坚持~

[~动/形] ~形成了 | ~树立了 | ~改变了 | ~动摇了 | ~坚定 | ~不同

[~宾] ~佛教 | ~基督教 | ~真理

[定~] 宗教的~ | 民族的~ | 伟大的~ | 坚定的~ | 共同的~

[状~] 应该~ | 坚定地~ | 一贯~ | 无限~ | 一心~

[~中] ~的原因 | ~的危机 | ~的对象

    (1)每个人都有不同的信仰,我们主张信仰自由。

    (2)一个人的信仰不是生来就有的,而是逐渐形成的。

(七)伤害

[动~] 遭到~ | 受到~ | 避免~ | 防止~ | 禁止~……

[~宾] ~眼睛 | ~内脏 | ~妇女 | ~儿童 | ~对方 | ~自尊心 | ~积极性

[状~] 极大地~ | 故意~ | 可能~ | 严重~ | 直接~

[~补] ~得很厉害 | ~过(他) | ~不了(他)

    (1)我的话极大地伤害了他的自尊心。

    (2)我们要时刻避免伤害他人。

(八)埋怨

[~宾] ~老师 | ~他人 | ~条件太差 | ~物价飞涨

[定~] 无尽的~ | 众多的~ | 学生的~ | 父母的~

[状~] 不停地~ | 总是~ | 一个劲儿地~ | 不该~

[~补] ~起来 | ~下去 | ~不了 | ~了一辈子

    (1)我们应该多做自我批评,不要埋怨对方了。

    (2)出了问题,他总是埋怨别人,真不像个男子汉。

四 语 法 例 释

(一)记得我们还专门组织过妇女讨论

1."专门",副词。与"特地"、"特意"意思相近,用来限定动作的范围,只能修饰动词。例如:

(1)我是专门来找你的,真巧,在这儿碰上了。

(2)总公司还专门派了两位技术专家来作指导呢。

(3)乔厂长专门派了两个人来管理班车。

(4)为了满足外国朋友的需要,旅游局专门开会研究并布置了旅游纪念品和工艺品的生产任务。

(5)为了提高接待水平,单位的有关部门专门讨论出了五十条文明用语。

(6)虽然王英没有专门花功夫去减肥,但效果却挺明显。

2."专门",形容词。指专从事于某一方面或某一项工作的。例如:

(7)他是一个专门人才,在汽车工业领域很有成就。

(8)京海财经学院是一所培养会计的专门学校。

(9)别看不起美容行业,那也需要专门的理论,专门的技术。

(10)他们为培养企业所需的专门人才,付出了很大的代价。

(二)我把三个孩子全送到幼儿园整托,送到学校住校,以便腾出更多的时间工作

"以便",连词。连接两个分句,表示使得下文所说的目的容易实现,用于第二个分句开头。常常用于书面语。例如:

(1)我们现在就应该努力学习知识,不断充实自己,以便将来为社会多做贡献。

(2)北京电话号码升为八位,以便适应现代化通讯的需要。

(3)我们要大力开展体育运动,以便进一步增强人民体质。

(4)政府应加强道德教育,以便培养国民具有良好的道德品质。

(5)你们来之前,最好预先打个招呼,以便我们有所准备。

(6)家长们应以身作则,以便给孩子们树立良好的榜样。

(三)这都是我们这一辈不曾考虑、不曾留意的

"不曾",副词。"曾经"的否定。"曾经",表示以前有过某种行为或情况,但现已结束。它后面常带动态助词"过"。例如:

(1)她不曾见过这么大的场面,感到有些紧张。

(2)刘大夫为妇科事业倾注了全部心血,而她自己却不曾做过母亲。

(3)他过去不曾留意过公司有这么一位漂亮小姐。

(4)赵心仪过去不曾想过做一名演员,是一个偶然的机会使她步入影坛的。

(5)母亲一生终日操劳,却不曾有过一句怨言。

(6)据了解,约翰先生不曾来过中国,可他对古老的东方文化却无比热爱。

(四)外孙女的衣服很多,东一件西一件扔得满处都是

"东……西……,"在这个格式中,"东"和"西"不表示方位,而是泛指"这儿……那儿……",有"各处"、"到处"的意思。当中常嵌入意义相近或相同或同类的词语。例如:

(1)为了买房子,王大妈东拼西凑,好容易才凑足两万块钱。

(2)我太忙了,哪有时间跟你东拉西扯。

(3)一觉醒来,我发现家里东倒西歪地躺了好几个人。

(4)王小红东问西问,东找西找,好容易才找到了张老师家。

(5)妈妈这些天东一趟西一趟,跑遍了这一带的大小商场,终于办齐了年货。

(6)湿衣服东一摊西一摊的,把家里搞了个乱七八糟。

(7)你的书,东一本西一本的,扔得哪儿都是。

(五)眼看我家艰苦朴素的传统到这一辈已荡然无存

1."眼看",动词。表示亲眼看到或听凭事情的发生或发展,后面可带"着",不能重叠,没有否定式。

(1)我眼看着他进了餐厅,怎么转眼就不见了呢。

(2)我们眼看着张小姐被病魔折磨得一天天地消瘦,谁也无可奈何。

(3)我们不能眼看着坏人横行霸道,每个人都应该勇敢地站出来制止他们。

(4)假冒伪劣商品充斥市场,有正义感的人绝不能眼看着不管。

2."眼看",副词。"马上"的意思,常与"就"连用。

(5)天眼看就亮了。

(6)他心爱的狗病得很严重,眼看就要死了。

(7)我们同窗四年,眼看就要分开了,心里真有点舍不得。

(六)不过,我发现女儿悄悄地把我穿了多年舍不得扔的旧衣服全给扔掉了

"舍不得",动补结构。是"舍得"的否定,意思是因爱惜或留恋而不忍放弃或离开,不愿使用或处置。它后面常跟着动词、动宾结构或动补结构,也可以跟名词。例如:

    (1)那个沙发早就坏了,可他就是舍不得扔。

    (2)这件大衣是初恋情人送的,她一直都舍不得穿。

    (3)妈妈过日子特别节俭,总是舍不得花钱。

    (4)黄群当兵四年,复员时,舍不得离开朝夕相处的战友。

    (5)我早就想住楼房,可真搬进楼房时,又有点舍不得那个四合院。

    (6)彩电已经很旧了,也早就过时了,可奶奶还是舍不得淘汰掉。

(七)她爱装饰房间,一会儿贴瓷砖,一会儿铺地毯

"一会儿……一会儿……",连用两次或几次,连接两个或两个以上的词组或句子,构成并列复句,表示几种动作或情况互相交替出现。例如:

    (1)他最近的心情好像六月里的天气一样,一会儿阴,一会儿晴,也不知是为什么。

    (2)老王这个人哪,一会儿明白,一会儿糊涂。

    (3)王大妈一会儿摇头,一会儿叹气,不知是什么事使得老人如此发愁。

    (4)晚会上,大家一会儿唱歌,一会儿跳舞,玩得很开心。

    (5)他一会儿嫌时间过得慢,一会儿又感到它跑得太快了。

    (6)王东躺在床上,一会儿闭上眼睛休息,一会儿又眯起眼睛望着天花板出神。

(八)美滋滋地在镜子前晃来晃去

"……来……去",在这个格式中嵌入同一动词或两个同义动词(动词不带宾语,如有宾语,必须提前)表示如下意思:

1. 表示动作的趋向,指一会儿这个方向,一会儿那个方向,来来回回重复进行。一般作谓语、状语。例如:

    (1)这条街太乱,人也多,汽车开来开去的,你可要小心啊!

    (2)孩子们在草地上无忧无虑地跑来跑去,他们真是幸福的一代。

    (3)王群一边抽着烟,一边在房间里走来走去,不知是什么问题困扰着他。

    (4)风筝在天空飞来飞去,为孩子们增添了许多快乐。

2. 表示动作反复或持续,不能作为句子的主要谓语,后面必须另有主要谓语来说明动作反复、持续的结果。例如:

(5)这件衣服改来改去,改得都没法穿了。

(6)他们几个人花了整整一下午,研究来研究去,也没研究出个结果。

(7)王小红躺在床上翻来覆去,一夜没睡着。

(8)那个人我似乎在哪儿见过,可想来想去也想不出她到底是谁。

五 副课文

(一)阅读课文　　最难的一道题

人生有许多难题,女儿是我最难的一道题。

当小生命刚刚在孕育,我就开始了无穷无尽的担心:发育是不是健康? 智力会不会有问题? 五官不端正、相貌丑怎么办?

等到女儿平安落地,我又开始了无穷无尽的操心:渴了吗? 饿了吗? 冷了吗? 热了吗? 今天怕她长得太胖,明天又怕她个子长得不够高,还要担心她缺碘、缺钙……

等到把女儿送进幼儿园,新的挂心马上又来了:没有挨小朋友打吧? 阿姨不会训她吧? 不会比别的小朋友笨吧? 没有什么坏习惯坏毛病吧……

不知从什么时候开始,年轻的家长们开始觉得正规的幼儿园教育已经不能满足孩子们的需要了。他们给孩子找家庭教师,报名上各种各样的业余班。凡是别的孩子有的,自己的孩子就不能缺了。其实,很多家庭的经济条件并不是很好的。我也是这个潮流中的一员,我给孩子报了四个业余班:小提琴班,绘画班,合唱班,还有英语班。我不仅要牺牲休息日陪女儿去"上班",而且自己也要跟着学,为的是回家能给女儿辅导。

真正让我费心的是,眼看着女儿一蹦一跳地消失在小学校那扇高高的铁门里:她的学习成绩好不好? 品德行为好不好? 同学关系好不好? 老师对她如何评价? 学校的教学水平怎么样……要知道,这一切都会影响女儿今后的一生啊!

现在,让我最揪心最累心的时刻到来了! 女儿今年考初中——懂得现代生活程序的人都知道,这是孩子一生当中最紧要的关头。因为若考不上一所重点中学,就意味着将来考不上高中,上不了大学,就根本甭想进入有知识有文化的知识分子行列。我的看法可能有点儿太绝对,但摆在你面前的事实就是"一步赶不上,步步赶不上"。谁敢放松今天而把希望寄托在将来呢? 其实,我的孩子各方面的表现都很好,年年被评为三好生。许多家长都对我说:"要是我的女儿能像你女儿一样,我就什么心都不操了。"可是这怎么可能呢? 孩子毕竟是孩子,尤其是我的女儿,最大的弱点就是经不起压力,有时成绩会大起大落。因此,我一刻也不能放松啊,也不敢让女儿放松。每天下班回家,连口气都不喘,马上给女儿检查作业、布置作业。看到她很累的样子,心里也很疼爱,但嘴上不能软,不能放松。在这关键时刻,稍微一放松,就可能会留下终生的遗憾啊!

一个母亲的操心是无穷无尽的,即使女儿上了重点中学,还有高中、大学,还要读硕士、博士、博士后,还要找工作干一番事业,还要操心的是:她能不能找个好丈夫?家庭是否和睦幸福?他们以后的孩子会怎么样……母亲为儿女操一辈子心,直到生命的尽头。

我相信天下的母亲,全与我"心心相印"。现代生活竞争如此激烈,连我们大人都感到力不从心,将来的孩子们啊,他们会是怎样的呢?

这真是最难的一道题,我们总不能代替他们生活吧?再说我们没有权利说我们的选择就一定对,一定好,一定能使他们幸福。

但是,这道题多难也得无穷无尽地做下去。

(作者:韩小惠。有删改。)

(二)会话课文　　北京有没有夜生活

(晚饭后,韩国的朴先生和翻译林先生在聊天。)

朴先生:阿林,我想问问,北京有没有夜生活?

阿　林:唉呀,你还真把我问住了。首先,得弄清楚"夜生活"是什么意思。你去查《现代汉语词典》吧,那上边准没有这个词。但我小时候从我母亲那儿听到过这个词。

朴先生:那你母亲怎么解释这个词呢?

阿　林:我母亲没解释过,但她说过这样的话:"你看隔壁的芳兰,那脸色就像过夜生活的女人,不健康。""你看你大表哥的女朋友,那打扮就像过夜生活的女人,不正经。"

朴先生:你母亲的意思,是说她们都不是好女人啦?

阿　林:虽然不能这么说,但是"夜生活"在人们的观念里是和"纸醉金迷"、"腐朽的生活方式"连在一起的。

朴先生:在我们国家,夜生活是白天生活、工作的继续,是不可缺少的一部分。特别是公司的职员们,下了班总要去酒吧喝喝酒,去卡拉OK唱唱歌,或是去咖啡厅、舞厅……除了工作,大家还要联络感情、交往,融洽上下级的关系。

阿　林:我们中国丈夫可是一下班就回家,与老婆孩子同欢乐,而且是谁下班早谁去接孩子做饭。

朴先生:难怪大家都说中国丈夫世界第一呢!那么,你们就真的不过夜生活了吗?

阿　林：怎么说呢，我们下班后也有娱乐生活。

朴先生：就是嘛，现在北京的迪厅、咖啡厅、舞厅、健身房、娱乐中心也不少啊。

阿　林：是这样的，过去我们是"一日三餐、睡觉上班"，和过去相比，现在的娱乐生活已经相当丰富多彩了。但我们一般不把这叫做"夜生活"，我们使用的字眼是"休闲"、"娱乐"、"健身"。

朴先生：本质是一样的吧？

阿　林：还不好这么说。

朴先生：噢，你谈到"休闲"、"健身"，我看你们的报纸上介绍，休闲生活不再是西方人的专利，北京人，尤其是北京年轻人，在社会发展的过程中，也在创建自己的休闲方式。

阿　林：这是很自然的，青年人最有活力，最富有创造性和创新精神嘛。

朴先生：青年人也最少保守，他们最不愿意过那种单调、重复的日子。

阿　林：现在青年人的休闲娱乐也改变了那种以家庭为中心的局面，而是以彼此交往、沟通感情、互相联络为目的。

朴先生：有文章介绍说，14～17岁的青年人多是运动型的，打保龄球、游泳，女孩子偏爱健美操；18～23岁的青年更注重文化内涵，像听音乐、看画展、参观博物馆；23～28岁的青年，他们的休闲更注重职业方面的信息交流、人际关系……

阿　林：看来，你比我这个中国人还了解情况。其实，各个年龄层、各种休闲方式，也不见得分得那么清楚、那么细。

朴先生：那当然。我因为想了解北京的夜生活，特别注意了一下这方面的介绍。说了半天，你还没回答我开头提的问题呢？

阿　林：我还要调查调查，再查查词典，听说现在新出版的《现代汉语词典》修订本，增加了四千多个条目呢。

朴先生：好，我可等着你的答案呢。

（三）听力课文　　两代之间

　　小乌鸦学会了飞行，就要告别母亲远走高飞了。老乌鸦的心情很复杂：又高兴又舍不得。既想让孩子长本领，又怕孩子太单纯没经验，在外面的大世界里挨欺负受伤害。她把小乌鸦叫到跟前，温和而耐心地嘱咐说："孩子，你是一只聪明的小乌鸦，现在飞得那么好，一定能周游世界的。这一点，你要有信心啊！但是，你毕竟还是太小了，没有经验。为了保险，有些话，妈妈必须提醒你。如果遇到坏人，有了危险，你会用得着的。"

　　小乌鸦焦急地恳求说："妈妈，您有什么重要的话就快说吧，可别说起来就没完……"

"孩子,你要记住,不管是在土豆地里,还是在玉米地里找食的时候,如果有人在胳膊底下夹着东西,或者手里拿着什么向你走来时,你要马上飞走,千万不要犹豫。他们拿的有可能是什么新式武器,他们会把你打伤的。"

"我记住了,妈妈。现在可以飞了吗?"小乌鸦问。

"我还要告诉你,"老乌鸦继续用长者那种带有丰富经验的语气说:"如果有人在街上或田野里向你走来,并且弯下腰去,那你也要马上飞走。可不能粗心大意满不在乎。这个人弯下腰去,很可能是要捡石头来打你。好孩子,到了外面,你可要学会辨别善和恶呀!如果这个人既没在胳膊底下夹什么东西,也没弯腰去捡什么的话,那就一定没有什么危险了。"

"妈妈,这些我都记住了。"小乌鸦认真地说,"可是,如果这个人很狡猾,他把石头放在口袋里,我该怎么办呢?"

"快滚吧!"老乌鸦喊道。

"妈妈,还有,如果那人拿的是面包什么的,要喂我,我该怎么办呢?"小乌鸦追问道。

"滚!滚!滚!在这个世界上,你比我还懂得多吗?"

生　词

1. 乌鸦	(名)	wūyā	crow		丁
			corbeau		
2. 周游	(动)	zhōuyóu	travel round		
			parcourir; faire le tour de...		

六　练　习

(一)在下列形容词的前后各搭配一个适当的成分:

1. 温和＿＿＿＿　2. 善良＿＿＿＿　3. 悲哀＿＿＿＿　4. 惊讶＿＿＿＿

＿＿＿＿温和　　＿＿＿＿善良　　＿＿＿＿悲哀　　＿＿＿＿惊讶

5. 单纯＿＿＿＿　6. 盲目＿＿＿＿　7. 不满＿＿＿＿　8. 破烂＿＿＿＿

＿＿＿＿单纯　　＿＿＿＿盲目　　＿＿＿＿不满　　＿＿＿＿破烂

(二)给下列动词搭配一个宾语一个补语:

1. 信仰＿＿＿＿　2. 劝说＿＿＿＿　3. 装饰＿＿＿＿　4. 埋怨＿＿＿＿

信仰＿＿＿＿　　劝说＿＿＿＿　　装饰＿＿＿＿　　埋怨＿＿＿＿

5. 留意_____　　6. 伤害_____　　7. 欺负_____　　8. 迫害_____

　　留意_____　　　　伤害_____　　　　欺负_____　　　迫害_____

(三)用指定词语完成句子:

1. 你爸爸和妈妈为什么又闹矛盾了?　　　　　　　　　(舍不得　非……不可)

　　_____。

2. 王太太的性格怎么样?　　　　　　　　　　　　　　　　　(温和　不曾)

　　_____。

3. 你怎么下了班不回家? 还在这儿忙啊?　　　　　　　　(稍微　以便)

　　_____。

4. 张教授的夫人是做什么工作的?　　　　　　　　　　　(专门　资格)

　　_____。

5. 孩子们为什么都不和飞飞玩了?　　　　　　　　　　(欺负　这样一来)

　　_____。

6. 她家那么好找,你怎么找不到呢?　　　　(东……西……　……来……去)

　　_____。

7. 你们昨天的晚会开得怎么样?　　　　(一会儿……　一会儿……　总之)

　　_____。

8. 你真的了解小王吗?　　　　　　　　　　　　　　　　(眼看　难道)

　　_____。

(四)根据课文内容判断对错,并说明理由:

（　　）(1)"我"母亲深感对不起父亲,因为她使左家绝了后。

（　　）(2)当时村里的人都让孩子读书,所以母亲就让我们姐妹去了。

（　　）(3)母亲送我们去读书是盼望着我们能传宗接代,给她养老送终。

（　　）(4)母亲平静地去世了,没有什么遗憾。

（　　）(5)"我"既热爱"我"的工作,也热爱家务劳动。

（　　）(6)"我"坚信资本主义是地狱,其实"我"根本没见过资本主义的
　　　　　样子。

（　　）(7)女儿除了工作、学习之外,非常爱家、爱孩子。

（　　）(8)女儿很重视家庭建设,"我"也十分支持她。

(五)把下列词语整理成正确的句子:

1. 想法　一代　完全　人　不同　和　上　年青人　的

2. 倾注 孩子 母亲 所有的 把 身上 到 都 爱 了 几乎

3. 大干 的 工作 教授 带着 一番 投入 王 决心 了

4. 到底 哪里 问题 不曾 我 过 留意 出在

5. 选择 必然 方式 新的 年青人 我 社会 是 认为 发展 的 休闲

6. 舒适 放弃 犹豫 小王 了 的 毫不 边疆 选择 生活 了 而 城市 地

(六)选词填空：

倾注、意识、盲目、劝说、凑合、不曾、在乎、占据、终日、眼看

1. 现在青少年中盛行对港台歌星_____崇拜的现象。

2. 在母亲的_____下,小张终于认清了自己的错误,又重新回到工作岗位上。

3. 王教授在这个项目上_____了全部心血。

4. 找什么样的对象关系到自己一生的幸福,绝不能瞎_____。

5. 现在,____我脑子的,全部是甲A足球联赛。

6. 王老师_____操劳,几乎从不休息,终于累倒在讲台上。

7. 吸烟危害健康,这是人人应_____到的。

8. 我不小心弄脏了她的衣服,可她一点也不_____。

9. _____又要放暑假了,你有什么打算吗?

10. 最让我伤心的是:张鹏_____留意过我,甚至从没有多看过我一眼。

(七)根据阅读课文内容回答问题：

1. 为什么母亲会觉得对不起父亲?
2. 母亲为什么要送我们几个女孩子去读书?
3. "我"是一个什么样的母亲?"我"跟"我"的母亲有什么不同?为什么?
4. 女儿是一个什么样的母亲?她和"我"又有什么不同?为什么?
5. 女儿的女儿做了母亲会是什么样子?她会有什么新特点?

(八)阅读练习：

1. 根据阅读课文内容判断正误,并说明理由：

(1)"我"认为女儿是最难的一道题,是因为：

(　　)A. 女儿太麻烦,让人很费心。

(　　)B. "我"最疼爱"我"女儿。

(　　)C. "我"是一个母亲,母亲永远会为孩子操心的。

(2)许多家长让孩子上各种各样的业余班,因为：

(　　)A. 他们希望孩子全面发展。

(　　)B. 惟恐别人的孩子有的,自己的孩子没有。

(　　)C. 他们有许多钱,愿意以这种方式给孩子花钱。

(3)女儿考初中最让我揪心累心,这是因为：

(　　)A. 考初中是孩子一生中的一个紧要关头,耽误不得。

(　　)B. 女儿的功课不太好,我怕她考不上重点中学。

(　　)C. 女儿觉得太累,压力太大,不想学了。

(4)一个母亲的操心是无穷无尽的,是指：

(　　)A. 要把孩子培养成有用的人材就要操心。

(　　)B. 母亲要为儿女操一辈子心,直到操不了心的时候。

(　　)C. 社会发展很快,竞争激烈,母亲不得不操心。

2. 根据阅读课文内容回答：

(1)"我"在孩子成长的每个阶段,是怎样关心孩子的?

(2)"我"是不是个特殊的母亲?

(3)"我"的女儿是不是特别难教育?

(九)口语练习：

1. 分角色朗读,注意语音语调。

2. 回答问题：

(1)过去人们对"夜生活"有什么看法? 外国人又怎么看?

(2)为什么青年人的休闲活动越来越丰富多彩?

(3)北京青年的休闲活动有什么年龄层次的差异? 为什么?

(十)听力练习：

1. 根据录音,用自己的话完成下列语段：

(1)看到小乌鸦就要远走高飞了,老乌鸦的心情_____

_____。老乌鸦嘱咐小乌鸦_____

_____。

(2)老乌鸦告诉小乌鸦,如果_____,_____

_____,千万要当心。

(3)最后,老乌鸦生气了,她让小乌鸦"滚！滚！滚！",因为小乌鸦问她____

_____。

2. 讲一讲这个寓言故事,并说说它的寓意。

(十一)交际训练:

1. 根据提示说一段话或写一段话,至少用上 10 个词:

提示:我的母亲

温和、善良、终日、操持、怨言、意识、怜爱、争气、指望、贤妻良母、埋怨、
以便、打发、不曾、自强、说教、舍不得、价值

2. 自由讨论

(1)你怎么看待代沟的问题?"三个母亲"中所反映的问题有没有普遍性?

(2)你们喜欢什么样的休闲方式? 休闲与紧张的工作有什么关系?

(3)在你们国家,母亲以什么方式关心孩子? 她们与中国母亲有什么不同?
为什么?

(4)你们国家的孩子是否面临同样的问题?

(5)你小时候是否有一个欢乐的童年? 如果你有了孩子将怎么办?

3. 语言游戏:

(1)把下列词语写在黑板上,叫一个男生和一个女生到前边,分别在适用于
男性和女性的词语前画"√",然后说明理由。

温柔、善良、刚强、美丽、英俊、坚毅、正直、忠诚、潇洒、忧郁、敏感、坦率、迷
人、细腻、粗犷、专横

(2)熟读下列广告语,并分析其中成语的含义:

①蓝带啤酒,天长地久

②佳能小威力(照相机),轻而易举

③亚都空调一拖二,事半功倍

④止咳药,"咳"不容缓(刻不容缓)

⑤电蚊香:默默无"蚊"(默默无闻)

4. 看一看、说一说、写一写(见 106 页)。

乳　　　　古文字形是母亲抱着吃奶的
　　　幼子的形象，是"哺乳"的意思。

　　　选自《汉字的故事》，施正宇编著

106

第 二 十 一 课

一 课文 整 容[1]

去年秋初的一天,纺织厂女工肖琴从上海市的一家人民医院出来,心中充满着难言[2]的痛苦:她花了两个多月的时间,到处托人联系,总算找到了整容专家张涤生。可是,张医生连问带讯[3],门诊[4]只花了十分钟时间,就起身拿着肖琴的挂号卡[5]说:"我劝你不要整容。你才三十二岁,脸部的皮肤正常,我看根本没有必要做手术。"

肖琴含着委屈的泪水,走出了门诊室。张医生的话使她越想越恼火[6]。难道说,要使自己变得更漂亮一些,也算是一种错误吗?何况[7]肖琴现在有一种危机感,她的家庭生活正面临着一位漂亮的女学生的挑战。

肖琴的丈夫林谷是某业余大学的青年教师,这几年他教过许多学生,并没有引起过肖琴的不满。可是去年新来的一位名叫李娜的女学生,却与众不同[8]。开课不久,林谷就常在妻子面前说:"李娜聪明好学,理解力强。""李娜对学问真是着了迷[9],听她头头是道[10]地回答问题,我会感到一种当教师的满足!"开始肖琴也不注意,后来林谷一回家总是提到李娜,还常常边说边笑地称赞道:"我们班上的学生都喜欢她!"肖琴和李娜没有见过面,然而,她几乎成了肖琴家每天见不到面的常客。肖琴的心蒙上了一层阴影[11]:"三十多岁的我,脸上、眼角都爬满了皱纹[12],怎么比得过青春妙龄[13]的李娜呢!"

这以后,肖琴本来就觉得单调的生活变得更加无味。她常常不知不觉地站到镜子前,仔细地观察自己的那张脸:结婚只不过七年,额[14]上已经刻下深深的皱纹,眼睛四周[15]有了黑斑[16],脸上的肌肉开始松弛[17]、起皱。肖琴自己对这张脸也越来越不满意了。

不知怎么她突然冒出"整容"的念头。整容手术费虽高,但为了使家庭生活重放光彩[18],这笔钱值得花!

107

现在,肖琴失望了。她慢慢地离开医院,也不知走了多久多远。忽然,她发现附近一条小街的胡同口,有一家私人开的整容所。肖琴的眼里闪出了光亮[19],她毫不犹豫地跨进了整容所。

手术还算顺利。那天肖琴服了大量镇静剂[20],脸上扎[21]满了绷带[22]。第三天拆绷带时,她看到自己的脸又肿[23]又紧。几个星期之后,脸不再肿了,可怕的黑斑也淡了下去。原来不平的脸部皮肤,又变得平整[24]光滑[25],就像少女[26]时代一般。但是,额上的几条横[27]纹和眉毛间的深沟[28]却依然[29]像过去一样。这该有多别扭[30]啊!手术前这些皱纹并不明显,现在却又深又黑,像是一条条刀痕[31]。肖琴到整容所去拆线的那天,遗憾地对医生说起这件事,得到的回答却是:"整容不是万能[32]的,这些皱纹是去不掉的了。"

又过了一段时间,肖琴额上的"刀痕"渐渐地不那么明显了。可是不久又出现的情况更令人沮丧:她的左眼皮[33]奇怪地下垂[34],后来右眼皮也变了样,眨[35]眼时不能很快睁开,好似没睡醒的样子。肖琴急忙给那位整容医生打电话,对方回答说需要预约[36]复查。她立刻写信去联系,回信却又说预约客满,需要耐心等待。肖琴心里暗暗[37]着急,背地里[38]不知流了多少眼泪。

一次周末,肖琴下班回家,见丈夫悠然[39]地坐在沙发上读信,心中立刻冒起一股无名火:"我这副模样难道非[40]要到处去丢丑[41]吗?今天你在家为什么不去托儿所[42]接孩子?"林谷一听也火了,马上反驳[43]说:"这么怕丢丑,你就一辈子呆在家里吧!"这下可狠狠[44]刺到了妻子的痛处,她伤心地说:"你真没良心[45],我是为了你才弄成这副样子的!"

林谷气呼呼[46]地说:"为了我?我什么时候让你去整容啦?"

"我想重新漂亮起来。"肖琴哭起来,断断续续地说,"我想使一切都……恢复到原来的样子。"

"原来,什么时候?原来,什么样子?"林谷感到疑惑[47]不解[48]。

"在我开始变老之前,"肖琴又伤心地哭起来,"在你没有拿我同那个李娜相比之前。我要问你,究竟你对她着迷到什么程度了,为什么你总在我面前,李娜长李娜短地夸[49]个不停?"

林谷被妻子的一连串问题问呆了,沉默不语地垂着头。过了好一会,他才慢慢地回答说:"琴,你的话只说对了一半。我有时是在对比,特别是当你没完没了

108

地抱怨[50]自己的相貌之后,李娜对于学问的探索精神,就好像使我服了兴奋剂。"

不知为什么,肖琴一句话也不说了。双方沉默无言,难堪[51]极了。

突然,林谷好像想到了什么,他走上前拉着妻子的手说:"今天我们一起去接宝宝,好不好?"

几分钟以后,汽车靠站,林谷指着前面一座普通的小平房说:"知道吗,那位让你丈夫着迷的美人就住在这儿。"

肖琴硬着头皮[52]不安地跟着丈夫走到门前。林谷敲了敲门,开门的是一位五十来岁的女人,灰白的头发,胖胖的圆脸上满是细细的皱纹。

"哎呀,林老师,是您呀!"她大声地嚷起来,"真没想到,太好了!这位该是肖琴吧,我一直都惦记[53]着你呢!"她哈哈笑着向肖琴伸出双手,非常友好、坦率[54]。

"谢谢,"肖琴疑惑地说,"您是李娜的……"

"哎呀,天哪!"那女人禁不住笑得前仰后合,"阿兴,你听到了没有?"她转过身去,朝身后的一个男子笑着说。他戴着一副金丝眼镜,头发花白[55],风度[56]翩翩[57],一看就是知识分子[58]的样子。

林谷赶快上前给妻子解围[59],他得意地笑着说:"琴,给你介绍一下:这位是李娜同志,也可以说,是我尊敬的学生。他,赵祖兴工程师,是李娜的爱人……"

随后[60]的一个小时,对肖琴来说也许是终身[61]难忘的。他们坐在李娜的房间里,一边喝茶,一边交谈[62],气氛极其融洽。肖琴渐渐不觉得难堪了,她发现李娜身上确实有许多闪光的东西。李娜的爱人是个有事业心的知识分子,可是二十多年来生活十分艰难。李娜结婚之前就想考大学,可婚后有了孩子,加上丈夫政治上的坎坷[63],使她一度[64]心灰意冷[65]。现在一切都好起来了,李娜渴望[66]读书,渴望发掘自己被岁月埋没[67]的能力。"女人也是人,她除了具有女性的价值之外,还应当有作为人的完整价值。这就是对社会的创造,以及社会对这种创造的承认。"李娜说到这些富有哲理[68]的话语时,眼睛亮亮的,眼角旁跳动着欢乐[69]的鱼尾纹[70]。

虽然不能说那天下午发生了什么奇迹[71],但从那以后,肖琴对许多问题开始自问:我的人生的黄金岁月,难道已随着青春逝去了? 如果我和李娜相比,相貌上还占着绝对优势[72],可为什么她却显得那么有魅力[73]、有生气?

(作者:周稼骏。有删改。)

二 生 词

1. 整容　　　　　　　zhěng róng　　　tidy up one's appearance
　　　　　　　　　　　　　　　　　　　　lifting; faire sa toilette

2. 难言　　　　　　　nán yán　　　　　be awkward to disclose
　　　　　　　　　　　　　　　　　　　　difficile à dire

3. 讯　　　（动）　　xùn　　　　　　　ask about; inquire　　　丁
　　　　　　　　　　　　　　　　　　　　s'imforner questionner

4. 门诊　　（名）　　ménzhěn　　　　　outpatient service　　　丙
　　　　　　　　　　　　　　　　　　　　consultation

5. 卡　　　（名）　　kǎ　　　　　　　　card
　　　　　　　　　　　　　　　　　　　　fiche; carte

6. 恼火　　（动、形）năohuǒ　　　　　annoy; irritate; annoyed; irritated　丁
　　　　　　　　　　　　　　　　　　　　se fâcher fâché-e

7. 何况　　（连）　　hékuàng　　　　　let alone　　　　　　　丙
　　　　　　　　　　　　　　　　　　　　d'ailleurs

8. 与众不同　　　　　yǔ zhòng　　　　out of the ordinary
　　　　　　　　　　　bù tóng　　　　　se distinguer des autres

9. 着迷　　　　　　　zháo mí　　　　　be fascinated
　　　　　　　　　　　　　　　　　　　　être fasciné

10. 头头是道　　　　　tóutóu　　　　　clear and logical; closely reasoned
　　　　　　　　　　　shì dào　　　　　and well argued
　　　　　　　　　　　　　　　　　　　　très sensé; bien argumenté

11. 阴影　　（名）　　yīnyǐng　　　　　shadow
　　　　　　　　　　　　　　　　　　　　ombre

12. 皱纹　　（名）　　zhòuwén　　　　　wrinkles; lines　　　　丙
　　　　　　　　　　　　　　　　　　　　ride; pli

13. 妙龄　　（名）　　miàolíng　　　　　young; youthful
　　　　　　　　　　　　　　　　　　　　dans la fleur de sa jeunesse

14. 额　　　（名）　　é　　　　　　　　forehead　　　　　　　丁
　　　　　　　　　　　　　　　　　　　　front

15. 四周　　（名）　　sìzhōu　　　　　all around　　　　　　丙
　　　　　　　　　　　　　　　　　　　　alentour

16. 斑　　　（名）　　bān　　　　　　　spot　　　　　　　　　丁
　　　　　　　　　　　　　　　　　　　　tache

17. 松弛　　（动、形）sōngchí　　　　　flaccid; loose
　　　　　　　　　　　　　　　　　　　　relâcher; détendu

18. 光彩　　（名）　　guāngcǎi　　　　lustre; splendor　　　　丙
　　　　　　　　　　　　　　　　　　　　splendeur; éclat

19. 光亮　　（名、形）guāngliàng　　　bright; luminous　　　　丁
　　　　　　　　　　　　　　　　　　　　lumière

20. 镇静剂	（名）	zhènjìngjì	sedative; tranquilizer	
			calmant; sédatif	
21. 扎	（动）	zā	tie; bind	
			bander; nouer	
22. 绷带	（名）	bēngdài	bandage	丁
			pansement	
23. 肿	（动）	zhǒng	swell	丙
			gonfler; enfler	
24. 平整	（形、动）	píngzhěng	neat; smooth; level	丁
			plat; niveler; égaliser	
25. 光滑	（形）	guānghuá	smooth; glossy	丙
			lisse; poli	
26. 少女	（名）	shàonǚ	young girl	丙
			jeune fille	
27. 横	（形、动）	héng	horizontal; move crosswise	丙
			horizontal	
28. 沟	（名）	gōu	ditch; channel	丙
			sillon	
29. 依然	（副）	yīrán	still; as before	丙
			toujours	
30. 别扭	（形）	bièniu	awkward	丁
			gêné; choquant	
31. 痕	（名）	hén	mark; trace	丙
			marque; trace	
32. 万能	（形）	wànnéng	omnipotent; almighty	
			omnipotent	
33. 眼皮	（名）	yǎnpí	eyelid	
			paupière	
34. 垂	（动）	chuí	hang down; droop	丙
			pendre; baisser	
35. 眨	（动）	zhǎ	blink; wink	丁
			cligner (de l'oeil)	
36. 预约	（动）	yùyuē	make an appointment	丁
			prendre rendez-vous	
37. 暗暗	（副）	àn'àn	secretly; inwardly	丙
			en cachette	
38. 背地里		bèidìli	behind one's back; privately	
			en cachette	
39. 悠然	（形）	yōurán	carefree and leisurely	
			à loisir; là son aise	
40. 非（要）	（副）	fēi(yào)	have to	丙

			à moins de（que）	
41. 丢丑		diū chǒu	lose face; be disgraced perdre la face	
42. 托儿所	（名）	tuō'érsuǒ	nursery; child-cere cantre crèche	丙
43. 反驳	（动）	fǎnbó	retort; refute répliquer	丁
44. 狠	（形）	hěn	ruthless cruel	丙
45. 良心	（名）	liángxīn	conscience conscience	
46. 气呼呼	（形）	qìhūhū	in a huff; panting with rage suffoquant de colère	
47. 疑惑	（动）	yíhuò	feel uncertain; be not convinced douter	丁
48. 不解	（动）	bùjiě	not understand; be puzzled ne pas comprendre	丁
49. 夸	（动）	kuā	praise louer; faire l'éloge de	丙
50. 抱怨	（动）	bàoyuàn	complain; grumble se plaindre	丁
51. 难堪	（形）	nánkān	embarrassed gêné; embarrassé	丁
52. 硬着头皮		yìngzhe tóupí	brace oneself; force oneself to do sth. against one's will faire qch. à contrecoeur; prendre son courage à deux mains	
53. 惦记	（动）	diànjì	be concerned about penser à	丙
54. 坦率	（形）	tǎnshuài	candid; frank franc	
55. 花白	（形）	huābái	grey grisonnant	
56. 风度	（名）	fēngdù	demeanor; manner allure; genre	丁
57. 翩翩	（形）	piānpiān	elegant; smart élégant; désinvolte	
58. 知识分子		zhīshi fènzǐ	intellectual intellectuel	丙
59. 解围		jiě wéi	save sb. from embarrassment tirer qn. d'embarras	

112

60. 随后	（副）	suíhòu	soon afterwards; later	丙
			ensuite	
61. 终身	（名）	zhōngshēn	lifelong; all one's life	丙
			toute la vie; à vie	
62. 交谈	（动）	jiāotán	talk with each other; converse	丙
			s'entretenir; converser	
63. 坎坷	（形）	kǎnkě	full of obstacles	
			infortuné; mouvementé	
64. 一度	（副）	yídù	once; on one occasion	丁
			temporairement	
65. 心灰意冷		xīn huī yì lěng	be disheartened; be disappointing	
			être découragé	
66. 渴望	（动）	kěwàng	thirst for; long for; yearn for	丙
			désirer ardemment	
67. 埋没	（动）	máimò	neglect; stifle	丁
			laisser dans l'ombre	
68. 哲理	（名）	zhélǐ	philosophy	
			philosophie	
69. 欢乐	（形）	huānlè	happy; joyous	丙
			joyeux; gai	
70. 鱼尾纹	（名）	yúwěiwén	crow's feet	
			rides au coin de l'oeil	
71. 奇迹	（名）	qíjì	miracle; wonder	丙
			miracle	
72. 优势	（名）	yōushì	superiority; advantage	丙
			supériorité	
73. 魅力	（名）	mèilì	glamour; charm	
			charme	

专　名

1. 肖琴	Xiāo Qín	name of a person
		nom de personne
2. 张涤生	Zhāng Díshēng	name of a person
		nom de personne
3. 林谷	Lín Gǔ	name of a person
		nom de personne
4. 李娜	Lǐ Nà	name of a person
		nom de personne
5. 阿兴	Ā Xīng	name of a person
		nom de personne
6. 赵祖兴	Zhào Zǔxīng	name of a person
		nom de personne

三　词语搭配与扩展

(一)别扭

[动~]感到~|觉得~|看着~|显得~

[状~]特别~|很~|格外~|实在~|不~

[~补]~极了|~得不得了|~得厉害|~了半天

[~中]~的动作|~的句子|~的感觉

    (1)这些家具这么摆放看起来有点别扭。

    (2)他俩从来就有些别别扭扭的,说不到一块儿去。

(二)耐心

[动~]有~|需要~|缺乏~|显得(很)~

[~动]~等待|~帮助(他)|~教育(孩子)|~讲解

[状~]很~|不~|应该~|确实~|(他)可~|(了)

[~补]~得很|~极了|~得不得了|(你)~一点

    (1)母亲对孩子们很耐心。

    (2)只要耐心地学习,什么技术都能学会。

(三)反驳

[~宾]~(专家的)意见|~(对方的)观点|~(他的)发言

[定~]有力的~|巧妙的~|专家的~|对方的~

[状~]坚决地~|及时地~|公开~|没有~|无法~|可以~

[~补]~得有力|~得巧妙|~不了|~几次|~了半天

[~中]~的原因|~的根据|~的方法

    (1)在会上,他坚决地反驳了那些人对他的诽谤。

    (2)在辩论中,我们以事实反驳了对方的错误观点。

(四)疑惑

[动~]产生~|感到~|引起~|减少~

[~动/形]~增加|~消除|~多|~少

[状~]非常~|实在~|长期~|可能~|(你)

[~补]~起来|~得很|~了几天

[~中]~的眼神|~的神情|~的理由|~的原因

    (1)妻子近来常常深夜才归,丈夫渐渐产生了疑惑。

    (2)听了那件事后,他疑惑地问:"这是真的吗?"

(五)抱怨

[~宾]~司机|~天气|~命运(不好)|~物价(太贵)

[定~]顾客的~|学生们的~|他的~|这种~

[状~]不要~|总是~|处处~

[~补]~起来|~了几次|~了半天

[~中]~的样子|~的原因|~的口气|~的话

    (1)开车都三个小时了,也没有列车员送开水,旅客们纷纷抱怨起来。

    (2)这个人干什么都不努力,却总是抱怨自己的运气不好。

(六)惦记

[~宾]~着孩子|~着老人|~着工作|~(儿子的)婚事

[状~]总是~(这件事)|一直~|不要~|天天~

[~补]~得不得了|~了很长时间

    (1)妻子在国外工作,心里总惦记着孩子。

    (2)我在北京生活得很好,不要惦记我。

(七)气氛

[动~]感觉到(……的)~|充满(欢乐的)~|洋溢着(喜悦的)~|制造
      (紧张)~

[~动/形]~活跃了|~变了|~紧张|~热烈

[定~]家庭的~|考场的~|友好的~|节日的~|这种~

    (1)节日的大街上,充满了欢乐的气氛。

    (2)昨天上讨论课,教室里气氛十分活跃。

(八)渴望

[动~]开始~|充满~|带着……~|产生了……~

[~动]~上(大学)|~结婚|~放假|~出国|~工作

[~宾]~(美好的)生活|~(安静的)环境|~(漂亮的)衣服|~(优越的)
      地位

[定~]父亲的~|对……的~

[状~]特别~|一直~|由衷地~

[~中]~的目光|~的神情|~的心理|~的心情

    (1)那时我们多么渴望有个足球场啊,现在终于有了。

    (2)多年来,我一直渴望得到出国深造的机会。

(九)奇迹

[动~]创造~|发现~|出现~|产生~

[~动/形]~出现了|~产生了|~惊人

[定~]惊人的~|创造的~|梦想的~|这种~|一个~

    (1)在十分困难的条件下,工人们创造出了人间奇迹。

    (2)宇航员登上了月球,这是一个伟大的奇迹。

四 语法例释

(一)门诊只花了十分钟时间,就起身……

副词"只"和连词"就"搭配构成"只……就……"格式,以强调某种行为的时间短和数量少。例如:

(1)他只用了两天时间就把这部小说看完了。

(2)他只看了一眼就认出来了,那正是他丢的笔。

(3)安娜只听了几分钟录音就困了。

(4)这孩子只走了五六步就摔倒了。

(5)她只吃了几口就饱了。

(6)老师只说了两句他就明白了。

(二)何况肖琴现在有一种危机感

"何况",连词。有以下用法:

1.用于后一分句句首,表示进一步申述理由或追加理由。常和"又"、"也"、"还"等配合使用。用法基本上同"况且"、"再说"。例如:

(1)天这么晚了,何况你又是一个人,明天再走吧。

(2)你去接他一下吧,这儿不好找,何况他又是第一次来。

(3)那部电影听说不错,何况已经买了票,咱们还是去看吧。

(4)路那么远,何况又下雨,他能按时来吗?

2.用于后一分句句首,构成反问句,表示更进一层的意思。前一分句常有"尚且、都、还"或"连……都(也)……"与它呼应。"何况"前面可加"更、又"。例如:

(5)鲁迅的书他都能翻译,何况这几篇小文章?

(6)她病得走都走不动,更何况跑呢?

(7)经常复习,还免不了会忘,何况从不复习呢?

(8)连她家里人都不知道她去哪儿了,何况外人呢?

(9)再大的困难我们都克服了,何况这点儿小事。

(三)怎么比得过青春妙龄的李娜呢?

"比得过/上/了"常用于两类人(或事物)的比较中,表示前一类人(或事物)可以与后一类人(或事物)相比。例如:

(1)小马的论文水平比得过老李。

(2)他虽然只是个小科长,但住房条件比得上大学校长。

(3)她是个既漂亮又能干的女厂长,我怎么比得了?

否定形式"比不过/上/了",表示前一类人(或事物)无法与后一类人(或事物)相比。例如:

(4)你考了90分,我只考了82,当然比不过你。

(5)大学老师的工资收入,大都比不上出租汽车司机。

(6)他家的生活水平很高,我们家可比不了。

(四)额上的几条横纹和眉毛间的深沟却依然像过去一样

1．"依然",副词。表示样子依旧,和原来没有什么两样,没有改变。多用于书面语,一般作状语。例如:

(1)这位老人的身体依然很健壮。

(2)他没听见外面有人叫他,依然低着头写信。

(3)二十年过去了,但她依然还是那么爱开玩笑。

(4)他们两家的关系依然如故。

(5)老张已经快四十了,依然过着独身生活。

2．"依然"也可作形容词用,在句中充当谓语。例如:

(6)一别四十年,家乡风景依然。

(五)肖琴心里暗暗着急

"暗暗",副词。表示在暗中或私下里,不显露出来。常用来修饰表示心理活动的动词。例如:

(1)听到那个消息,他暗暗吃了一惊。

(2)他暗暗下定决心:一定要考上北大。

(3)丈夫和另一个女人跑了,她没有告诉家人,只是暗暗伤心。

(4)我在暗暗地注意着刚进门的那个人。

(5)她没有证据,不能随便说,只是心里暗暗怀疑。

(6)小杨嘴上没说什么,但心里暗暗佩服李强的毅力。

(六)为什么你总在我面前,李娜长李娜短地夸个不停?

"……长……短",并列联合结构。用法如下:

1．中间嵌入两个相同的名词,表示对某人某事的亲热和关心。例如:

(1)她是个惹人喜爱的小姑娘,每次见到我就阿姨长阿姨短地叫个不停。

(2)他在搞技术改革,一天到晚就是机器长机器短的。

(3)我儿子见了他总是哥哥长哥哥短的,还挺亲热。

(4)见她满脸不高兴的样子,我便大嫂长大嫂短地向她道歉。

2.中间嵌入不同的名词、代词或动词,如"东家长西家短"、"这个长那个短"等等。表示"……怎么样……怎么样"的意思,多含贬义。例如:

(5)这两个老太太一见面,就张家长李家短地说起来没完。

(6)大家对他总是张三长李四短的很有意见。

(七)使她一度心灰意冷

1."一度",副词。表示过去曾经有过一次或过去一段时间内曾发生的情况。在句中常作状语。例如:

(1)他因病一度休学。

(2)对这件事他曾一度产生过怀疑。

(3)因为丈夫脾气太坏,她和丈夫曾一度分居。

(4)由于学习不太好,她曾一度放弃过考大学的打算。

2."一度",有时又和"一次"、"一阵"相同。例如:

(5)一年一度的中秋节又快到了。

(6)经过一度紧张的"战斗",考试终于全部结束了。

(八)这就是对社会的创造,以及社会对这种创造的承认

"以及",连词。连接两个并列关系的词、词组,或者分句。它前面的部分往往是比较重要的。一个句子如果有好几个并列成分,可以同时用"和"和"以及","以及"往往用在"和"的后面,连接最后一个成分。"以及"在口语里不常使用。例如:

(1)学校的领导、老师和各国留学生以及中国同学都参加了今晚的联欢会。

(2)同事、朋友以及一些不认识的人,都向她伸出了援助的双手。

(3)妈妈来信问了我许多问题:北京的气候怎么样,中国菜吃得惯吃不惯,以及学校的居住环境怎样等等。

(4)去机场迎接来宾的有国家总理、外交部长以及其他有关的政府官员。

(5)问题是怎样产生的,以及最后该如何解决,都需要我们仔细研究。

(6)他怎样爱上了中文,怎样刻苦地学习,以及后来怎样考上了研究生,我都知道得很清楚。

118

五 副课文

(一)阅读课文　　无限的爱

　　一位妇人带着两个很小的孩子坐公共汽车。下车之后,车开走了,她才发现有个孩子没跟下来。妇人急了,将手上的孩子交给一个陌生人,就拼命地去追公共汽车。追了一两站,车居然真被她追上了。她把孩子拉下车往回跑,跑到原来的地方,发现交给人的孩子又不见了。原来陌生人把孩子送到派出所去了。妇人一路哭到派出所,看见孩子,不哭了,回身就打了身边的孩子一巴掌:"都怪你没下车,差点儿把弟弟也丢了。"警察看不过去,说那妇人:"明明是你自己的错,先把那个孩子落在车上,又把这个孩子交给陌生人,你自己有没有脑子啊! 你是不是比较爱那个,不太爱这个啊?"

　　"我哪个都爱,有什么好比较的!"妇人很不服气地说。

　　有个台湾朋友,生活并不富裕,却连生五个小孩。做母亲的眼看着女儿一个接一个地生,怎么劝都没用,气得逢人就说:"我女儿总有一天是要累死的。"

　　有一次外出旅行,由女儿开车,一个孩子抱在怀里,一个孩子捆在前座,三个大点儿的关在后座由老太太照管。一路上五个孩子大哭小叫,老太太头都要炸了,却见女儿在高速公路上,一边开车,一边回头盯着捣蛋的孩子笑。

　　"你专心开车,回头看什么?"老太太不高兴地说。

　　"我看他们好可爱。"

　　老太太后来对我说:"要是有一天,我女儿出了车祸,绝对不是技术不好,而是爱得太多。"

　　有一次,到一个朋友家做客,女主人一边为大家倒茶,一边说大孩子该出门约会了。果然,话刚说完,大孩子就从自己的房间里出来,匆匆冲出门去。

　　吃饭时,她一边端茶,一边对丈夫说:"该开演了。"原来当天晚上,他家的老三在学校参加文艺演出。

　　饭后聊天,她一边为大家切水果,一边说:"老二该到家了。"跟着就见老二进门。

　　"好像三个孩子全在你的算计中。"我笑道。

　　"不是在算计中,是挂在心里面。"她指指自己的心,"我这个做妈的,没办法把自己拆成三份,但是可以把心分成三份。"

　　"每个孩子三分之一?"

　　"不,每个孩子都百分之百。"

　　常听做父母的问孩子:"你更爱爸爸,还是更爱妈妈?"

常听子女不平地问父母:"你们更爱哥哥、姐姐,还是更爱我?"

也听过夫妻吵架,一方质问对方:"你到底爱我,还是爱你妈?"

问题是,爱像蛋糕吗? 这边切多一点,那边就剩少一些?

曾在电视上,看见一位贫苦的非洲母亲,搂着她的一群儿女说:"我很穷,幸亏我有许多子女,我给他们每个人百分之百的爱,爱就是生命。"

我们虽然只有一个身体,却有无限的爱。我们常不得不放下一群羊,去找另一只丢失的羊,如同那位母亲,扔下一个孩子,去找另一个,再回头找这一个。

也许这就是爱的矛盾吧。我们与其恨自己有太多的爱,却只有一个身体、一个生命,不如说:"谢谢上帝,虽然只给我一个身体,却能让我有许多爱,爱自己、爱亲人、爱朋友、爱大地、爱生命。"

(二)会话课文　　悄悄话

罗杰:丽,这几天你怎么老恶心?

艾丽:我有了。

罗杰:你有什么了?

艾丽:你真傻! 我怀孕了。

罗杰:真的? 你怎么知道的?

艾丽:上午刚去医院检查的。

罗杰:几个月了?

艾丽:都两个月了。

罗杰:太棒了! 我就要当爸爸了。

艾丽:瞧你那傻样儿! 我说杰,我是不是应该喝点儿"太太口服液"了,那不是一种美容营养品吗?

罗杰:听说"太太口服液"是纯中药制成的。用中药来美容,是当代美容业的一大进步,也是对中华古老医学的开发利用。

艾丽:噢,是中药制成的,那我怀孕喝好吗?

罗杰:那还真得问问大夫,这期间可不能随便吃药。我说丽,你想吃酸的还是辣的?

艾丽:怎么了?

罗杰:没听说过吗? 酸儿辣女。

艾丽:谁说的? 我就不信。

罗杰:信不信由你。哎! 你喜欢男孩儿还是女孩儿?

艾丽:我喜欢男孩儿。让他像你一样,大高个儿,宽肩膀儿,多帅呀! 你呢?

罗杰:我喜欢女孩儿,咱们女儿长得一定像你,弯弯的眉毛,大大的眼睛,还有两个酒窝儿,多俊呀!

艾丽：我说杰,孩子的营养我负责,这取名儿的事儿就交给你了。

罗杰：那哪儿成啊,这取名儿可是大事儿,还是一块商量吧。

艾丽：让我想想,要是男孩儿就叫甜甜吧。

罗杰：要是女孩呢?

艾丽：叫蜜蜜好不好? 表示咱俩的生活甜甜蜜蜜。

罗杰：要是双胞胎呢?

艾丽：一下生两个真太好了,一个叫德,一个叫才,德才兼备嘛!

罗杰：这名字像男的,要是女孩儿叫什么好呢?

艾丽：一个叫美,一个叫丽,美丽无比,永不分离。

罗杰：你说要是生的是一男一女怎么取名儿呢?

艾丽：儿子叫可可,女儿叫乐乐,怎么样?

罗杰：那不成了可乐了吗?

艾丽：糟糕! 成饮料了。

罗杰：依我看,儿子叫爱丽,女儿叫爱杰。

艾丽：爱丽像女儿的名儿,而且和我的名字同音了。

罗杰：我的意思是我爱你,你爱我,咱俩恩恩爱爱,白头到老。

艾丽：意思是不错,可叫起来不顺嘴儿。

罗杰：让我再想想,那这样儿吧,儿子叫爱和,女儿叫爱平。

艾丽：这俩名字取得真好。爱和、爱平,合起来就是爱和平。

罗杰
艾丽：我们学习汉语,我们爱好和平!

(作者:鲍久遂。有删改。)

(三)听力课文　礼　物

今天是老奶奶的生日。

她早早地起了床,等待着送信的到来。如果送信的骑车来了,她能从自己住的小房间的窗子瞧见。平时,她很少有信寄来。如果有了,楼下的六岁男孩小平会跑着给她送上楼来。

尽管大女儿兰兰平时很少写信来,但是她相信兰兰会惦记着她,不会忘记她的生日的。兰兰调到本市的教育部门工作后,依然很忙;丈夫去年也当上了副市长。兰兰还因对母亲十分孝顺而获得了市政府的奖励。

老奶奶还有一个心爱的小女儿玲玲。玲玲没有结过婚,同母亲生活在一起,在一所小学里教书。有一天晚上,她对母亲说:"妈,我已经讲好了,请一个小保姆来照顾您几天。明天我不得不去住医院了……"

第二天早上玲玲就去了医院,但她再也没有回家来。兰兰赶回来参加了妹妹的葬礼,并安排小保姆长期住在家里照顾妈妈。

兰兰以后曾回来看望过母亲一次,但她丈夫从来没回来过。

老奶奶今天整八十岁。今天她穿上了最好的衣服。"也许,也许兰兰能回来吧!"老奶奶心想。因为毕竟八十岁的生日是具有特殊意义的日子。万一兰兰回不来,她也会收到一份礼物的。她望着窗外,眼光竟像孩子一样兴奋:她是多么盼望能和女儿一起过生日啊!

老奶奶喜欢什么样的礼物呢?一双拖鞋或一件毛衣?也许是一个台灯?

她靠近窗户坐着,瞧着。终于,送信的骑着自行车出现了。她的心不由得跳起来。她听见小平跑向大门口的声音,接着,听到他上楼的脚步声。"奶奶,奶奶!"小平叫着:"我拿来了您的信!"

"没有邮包吗,小平?"

"没有呀,奶奶。"

老奶奶顿时感到一阵难言的痛苦,心里却又暗暗安慰自己:也许邮包会寄来得晚一点。

她手里拿着三封信:一封是老朋友寄来的,一封是玲玲的同学寄来的,还有一封——那不是一封信,而是一张汇款单,上面只简单地写了一句话:

我太忙,您自己买一样喜欢的东西吧。兰兰

这就是八十岁的老奶奶盼望了很久的礼物!老奶奶眼前一片模糊,双手颤抖起来,那张汇款单轻轻地飘落到了地上……

生　词

1. 孝顺	(形、动)	xiàoshùn	filial; show filial obedience piété filiale	丁
2. 奖励	(动、名)	jiǎnglì	encourage and award; reward encourager; récompenses	丙
3. 保姆	(名)	bǎomǔ	housekeeper bonne; femme de ménage	丁
4. 葬礼	(名)	zànglǐ	funeral cérémonie funèbre	丁
5. 汇款单	(名)	huìkuǎndān	money order mandat-carte	

专　名

1. 小平		Xiǎopíng	name of a person nom de personne

122

2. 兰兰　　　　Lánlan　　　　　　name of a person
　　　　　　　　　　　　　　　　nom de personne
3. 玲玲　　　　Língling　　　　　name of a person
　　　　　　　　　　　　　　　　nom de personne

六　练　习

(一)词语搭配：

1. _____气氛　　　　　　2. 面临_____
3. 惦记_____　　　　　　4. _____惦记
5. _____耐心　　　　　　6. 反驳_____
7. _____反驳　　　　　　8. 抱怨_____
9. _____疑惑　　　　　　10. _____别扭

(二)用指定词语完成句子：

1. 那个人说话口音很重,连北京人都听不懂,_____

　　_____? 　　　　　　(何况)

2. 天快黑了,_____

　　_____,明天再去吧。 　　　　　　　　(何况)

3. 我是个美国人,写汉字_____? 　(比……上)

4. 她的写作水平_____。 　　　　　(比……过)

5. 这个小孩子太聪明了,谁_____。 　(比……了)

6. 他们虽然结婚已经十几年了,_____

　　_____。 　　　　　　(依然)

7. 我同屋学习_____。 　　　　　　　　(依然)

8. 我的老师、同学_____。 　　　　　(以及)

9. 他的身材、相貌_____

　　都让姑娘们喜欢。 　　　　　　　　　　　　　　　　(以及)

(三)根据课文内容进行语段表达：

1. 肖琴总算找到了张医生,可张医生却_____。
2. 肖琴整容主要是为了_____。
3. 李娜这个学生与众不同,因为_____。
4. 肖琴整容以后,_____。

5. 林谷明白了妻子整容的原因之后，_____。

6. 李娜竟然是_____。

7. 在李娜的家里，_____。

8. 离开李娜家以后，_____。

(四)选择适当的词语填空：

别扭、气氛、奇迹、反驳、耐心、疑惑、渴望、惦记、比得上、气呼呼、
非(要)、预约、恼火、垂

1. 我们在会上_____了他的错误观点。

2. 大家坐在椅子上都不说话，_____十分紧张。

3. 张明学习很吃力，你要_____帮助他。

4. 这件衣服她穿着不合适，觉得很_____。

5. 我早就_____去黄山旅游。

6. 她说明天和我去办结婚手续，今天晚上又说不去了，我有点_____不解。

7. 金字塔是古代埃及人民创造的伟大_____。

8. 小刘_____地说："这么重要的事,你为什么不告诉我?"

9. 对他的恶劣态度，老赵十分_____。

10. 到那个诊所看病，必须事先_____。

11. 路太远，我不让他去，他_____去。

12. 我怎么_____李丽? 她每次考试都得90多分。

13. 我一直_____着故乡的小伙伴们。

14. 白纱的窗帘一直_____到地面，真是美极了。

(五)判断下列句子对错,对的画√,错的画×：

(   )(1)小王突然让京剧着了迷。

(   )(2)看见有个孩子掉进了湖里，他毫不犹豫地跳了下去。

(   )(3)她在车站只等了一会儿才买到了火车票。

(   )(4)厂长正在给来访的客人们介绍厂里的情况。

(   )(5)你对那个姑娘究竟喜欢到什么程度了?

(   )(6)他们坐着房间里，一边聊天，一边喝茶。

(   )(7)除了苏州、桂林之外，我还没去过别的地方。

(   )(8)她化了妆，又穿了一套新衣服，显得很精神。

（六）用指定词语改写下列句子：

1. 丁力花了一小时就买到了去广州的卧铺票。（只……就……）

　　　　　　　　　　　　　　　　　　　　　　　　　　　　。

2. 王刚才吃了三个包子就已经饱了。（只……就……）

　　　　　　　　　　　　　　　　　　　　　　　　　　　　。

3. 因为父亲做过驻外大使，所以他曾经在国外住过一段时间。（一度）

　　　　　　　　　　　　　　　　　　　　　　　　　　　　。

4. 母亲得了重病，医生不让告诉她本人，子女们心中都很着急。（暗暗）

　　　　　　　　　　　　　　　　　　　　　　　　　　　　。

5. 一年只有一次的春节在中国是最重要的节日。（一度）

　　　　　　　　　　　　　　　　　　　　　　　　　　　　。

6. 下课之后，同学们还在教室里谈论新老师，老师这个老师那个地说起来没完。（……长……短）

　　　　　　　　　　　　　　　　　　　　　　　　　　　　。

7. 她下了一个谁也不知道的决心：一定要成为一个优秀的翻译。（暗暗）

　　　　　　　　　　　　　　　　　　　　　　　　　　　　。

8. 他对邻居总是不满意，动不动就这家怎么样那家怎么样地抱怨起来。（……长……短）

　　　　　　　　　　　　　　　　　　　　　　　　　　　　。

（七）根据课文内容回答问题：

1. 从人民医院出来时，肖琴为什么心里十分恼火？
2. 肖琴为什么想整容？
3. 肖琴对整容结果满意吗？为什么？
4. 肖琴为什么和丈夫争吵起来？
5. 肖琴的丈夫常常称赞李娜是因为对她产生了爱情吗？
6. 肖琴的丈夫用什么办法消除了妻子的误会？
7. 从李娜家出来后，肖琴对哪些问题有了新的思考？

（八）阅读练习：

1. 根据阅读课文内容判断对错，并说明理由：
（　　）(1)一位妇女带着两个很小的孩子外出。
（　　）(2)下了地铁，她才发现有个孩子没下车。

(   )(3)她把手中的孩子交给警察就去追公共汽车。

(   )(4)妇人比较爱先丢了的那个孩子。

(   )(5)一位台湾朋友一个接一个地生了五个孩子。

(   )(6)这位朋友的母亲似乎不太喜欢孩子。

(   )(7)爱不是蛋糕。

(   )(8)我们因为只有一个身体,所以也就只有一份爱。

2. 根据阅读课文内容回答问题:

(1)没下车的孩子和妇人带着的孩子谁大一点儿?

(2)较小的孩子是男孩儿还是女孩儿?

(3)谁把孩子送到了派出所? 为什么?

(4)警察为什么批评那位妇人?

(5)妇人到底更爱哪个孩子?

(6)老太太是那五个孩子的什么人?

(7)那位非洲母亲能给孩子们什么?

(8)你认为父母会对孩子有偏爱吗?

(九)口语练习:

1. 分角色熟读对话,注意语音语调。

2. 对话:

　　甲:艾丽说"我有了"是什么意思?

　　乙:_____。

　　　　你们国家在谈论这方面的事时,也有什么特别的说法吗?

　　甲:_____。

　　乙:罗杰为什么问艾丽想吃酸的还是想吃辣的?

　　甲:_____。

　　　　在你们国家,给孩子取名儿有什么讲究吗?

　　乙:_____。

(十)听力练习:

1. 根据录音内容复述大意。

2. 听录音填空:

(1)今天是老奶奶_____岁的生日。

(2)如果_____骑车来了,她能从_____瞧见。

(3)如果她有信,楼下的男孩_____会给她送上楼来。

126

(4)她希望收到_____寄来的礼物,当然更希望她_____。

(5)_____是副市长。

(6)她的小女儿叫_____,她已经_____。

(7)今天她收到了_____封信,一封是_____寄来的,一封是_____寄来的。

(8)兰兰只给妈妈寄来了一张_____。

(十一)交际训练:

1.请告诉你的朋友:(说一段话或写一段话)

(1)现在,在中国的大城市,已出现了一些美容院,比如……

(2)人们要去美容或整容,是因为……

(3)最近,我收到了一份礼物……

下面的词语可以帮助你表达:

四周、与众不同、皱纹、头头是道、预约、面临、难言、松弛、恢复、理解、光彩、念头、惦记、非(要)、欢乐、渴望、总算、值得、暗暗、一度、比得(上/过/了)、抱怨、别扭

2.讨论:

(1)你对肖琴整容有什么看法?

(2)你认为在他们家庭生活不美满的问题上,丈夫林谷有没有责任?

(3)你觉得他们以后的情况会怎么样?

(4)请介绍一下你们国家美容、整容业的情况。

3.语言游戏:(卡片接力赛)

准备六张(视学生分行情况)卡片,每张上书写一个本课生词,如"镇静剂"、"少女"、"整容"、"化妆"、"托儿所"、"花白"、"知识分子"等易于用自己的话表述的,也可以是学生熟悉的方面。请每竖行的头一名同学从中各抽一张卡片,看一看,然后用自己的话将卡片上的词的意思告诉给后面一个同学,如卡片上是"自行车",可说"这是在中国使用得最普遍的一种交通工具"(注意:严禁说出词中的任何一个字)。后面一个同学应力争将这一句话一丝不差的向后传,直至最后一个同学时,请他(她)猜出这个词是什么。全部猜完后,请没猜中的一组同学当众再做一遍,请大家帮助找出问题所在,并罚他们(或某个出现严重失误的同学)用汉语表演一个节目。

(对预习较好的班级,此游戏亦可在讲生词前进行)。

4.看一看,说一说,写一写(见128页)。

选自蔡志忠漫画《孔子说》

128

第二十二课

一 课文 住宅[1]电话——现代家庭的"宠物"[2]

十几年前,要是哪位新搬来的邻居家响起电话铃声,你即使不伸过脑袋去张望一下,心里也会不由得一惊:这个邻居准是个什么特殊人物! 可如今电话就像彩电、冰箱一样,正成为普通老百姓家的现代"宠物"。

进入 90 年代以来,私人住宅电话已成为一种新的社会消费潮流[3],消费主体[4]已从少数先富起来的人扩展[5]到工薪阶层[6],特别是在大城市和沿海[7]经济发达地区,出现了前所未有[8]的"电话消费热"[9]。

据邮电部门统计,70 年代末[10]期,中国城市私人住宅电话寥寥无几[11]。到了 1984 年,发展到 1.5 万多户,也仅占城市电话用户[12]数的 0.84%。到 1993年,私人住宅电话用户猛增,已经占全国城市电话新增用户数的七八成[13],平均每天有 9000 多户城市家庭装上电话。可见[14],私人住宅电话正日益[15]成为中国电话业发展的主体。

电话使人们的生活、工作节奏[16]更加适应经济和社会的发展。电话进入家庭极大[17]地方便了人们的日常生活。购物、订票、谈生意、炒[18]股票[19]、询问[20]天气、祝贺节日、求医问药等等都少不了它。住宅电话为那些家有老人、孩子,上班较远或出门在外的人解除[21]了后顾之忧[22]。特别是那些孤寡老人,电话简直成了他们的生命线[23],有了它,就多了一份安全感,也添了一份温暖和亲情[24]。电话进入家庭更对下一代产生了重要影响,青少年在学习、工作、娱乐[25]中频繁[26]地使用电话,通过电话与人交往[27],了解外面的世界。

实行市场经济就意味着激烈的竞争[28]。在激烈的竞争中,人们越来越认识到"时间就是金钱,效率就是生命"。而要提高工作效率就时刻离不开电话。难怪有些生意人说"电话就是财源[29]"。"让手指头[30]代替你走路"这句响遍全球的广告词传诵[31]了几十年后,如今不仅吸引了中国的城市居民,也吸引了富起来的广大农民,在农村现在也涌现[32]出了不少"电话村"。一位养鸡专业户[33]为了联系业务方便,曾买了一辆汽车。但装上电话之后才发现,他的汽车轮子没有电话号码转得快。

随着社会的进步,电话的通话方式也发生了前所未有的变化。近年[34]来,五花八门[35]的"热线[36]电话"相继[37]开通[38]——

"我们这儿的下水道[39]堵了,水都跑到了马路上,什么时候能解决?"你打个"百姓热线",电视台记者一去,电视上一曝光[40],问题准能迅速解决。

"我买了假冒的名牌电视机,商店不给退货怎么办?""消费者投诉热线"接到你的电话后,会将事实调查清楚,如果你的投诉属实[41],一定能得到双倍的赔偿。

这些"热线电话"不仅帮助人们解决燃眉之急[42],还在沟通[43]人们心灵方面架起了一座桥梁。

"我期末考试不及格,不敢回家,想离开家到别的地方……"一个小朋友拨通了"知心[44]姐姐热线"。于是,知心姐姐跟这个小朋友亲切交谈,帮助他打消[45]了离家出走的念头。

东北某省有个监狱[46],为了更好地改造服刑[47]中的犯人[48],在春节期间为犯人开通了节日热线电话。犯人姜琦第一个给远在北京的父母拨通了电话。当电话里传来母亲那惊喜[49]而又熟悉的声音时,姜琦流着激动的热泪,几乎是哭着给母亲和父亲拜年,给家中送去了节日的祝福[50]。母亲刚接到狱中儿子打来的电话时,一下子愣住了,她做梦也没想到儿子会从监狱打来拜年电话。当她知道监狱专门为犯人安装了节日电话时,禁不住感动得哽咽[51]了,说:"你们监狱可真为犯人和家属[52]着想啊……"

不少人特别是青少年崇拜明星[53],苦于[54]没有和他们直接交谈的机会。为此《北京晚报》开通了名人[55]热线。下面就是一段影迷[56]和明星的对话——

问:我是你的忠实[57]影迷、歌迷,请问,你业余时间喜欢做什么?

答:我比较喜欢音乐,平时在家弹弹钢琴[58],不过只是业余水平。也喜欢
　　邀[59]朋友喝酒、打扑克,[60]和普通人的生活差不多。

问:你夫人好吗?

答:很好。她刚从国外考察[61]回来,正在制作一部新片子。谢谢你关心她。

黄慧贤
十月二十七号

1) 因为我在课上没尊重老师，我被父母骂了。

2) 只有自信才可能成功。

3) 值得高兴的是我妈妈病得不太严重。

4) 李老师没来，这样一来，你要替(代)他教这个课。

5) 他又常常做好事又很爱帮别人，他总之是一个好人。

6) 如果你离开我，那我会自杀！

90   Nov. 7

- 看不够
- 效劳 xiao lao. (no sent)
没气了.
责备 zhe bei
宁愿 ning yuan.
心目中
不得已 (have to).
意味 yi wei (it means).
放弃 fang qi (no sent)
轻巧 <u>灵活</u> — no sent.
　　　　 flexible.
投入. — tou ru. (devoted)
赶不上趟 (no sent) 53.
正如 just as (sent)
寿命 shou ming (sent).
重温 chong wen (sent)
受到限制 xian. (sent)
提心吊胆
悠闲自在 you xian zi zai

问:你最近又出录音带了吗?

答:还是很早以前出的那一盘。我唱歌只是业余水平,不能糟蹋[62]了那些好听的歌曲。

问:你也像有些明星一样很有钱吗?

问:从收入来说可能比一般工薪阶层高一些,可演员花钱的地方也特别多。我的观点是有钱就花,没钱不花,没有存钱意识。生活上只是不紧张,不困难,与做生意的人没法比。

......

据有关部门调查,电话机、录像机、空调已成为 90 年代中国家庭消费的新"三大件"。目前,许多人在还无力购买商品房[63]、私人汽车的情况下,便把眼光集中在个人电话的消费上。改革开放十多年来,中国电话网[64]容量[65]增长了 4.2 倍,发展速度居[66]世界首位,但待装户有增无减。如今提出申请[67]装电话的人多,打算装电话的人更多。为了满足人们对电话的需求[68],北京市于 1996 年 5 月 8 日成功地将 7 位电话号码升至 8 位,成为全世界继[69]巴黎、东京、香港、上海之后第五个电话号码为八位数的城市。

在安装住宅电话的同时,无线寻呼[70]、移动电话、磁卡[71]电话、传真[72]电话等世界先进的通讯手段也将在中国得到迅速发展。

(选自《今日中国》,作者:顺发。有删改。)

二 生 词

1. 住宅	(名)	zhùzhái	residence; dwelling logement	丙
2. 宠物	(名)	chǒngwù	pet; favorite favori; préféré	
3. 潮流	(名)	cháoliú	current; fashion courant	丁
4. 主体	(名)	zhǔtǐ	mainstream corps principal	丁
5. 扩展	(动)	kuòzhǎn	expand; spread élargir	丁
6. 工薪阶层		gōngxīn jiēcéng	wage earners les salariés	

7. 沿海	（名）	yánhǎi	coastal; littoral zone littorale	丙
8. 前所未有		qián suǒ wèi yǒu	unprecedented sans précédent	丁
9. ……热	（尾）	…rè	craze of...; fan vogue de...	
10. 末	（名）	mò	end; last; final fin	丙
11. 寥寥无几		liáoliáo wú jǐ	very few rare	
12. 用户	（名）	yònghù	subscriber; user; consumer utilisateur	丁
13. 成	（量）	chéng	one tenth （spécificatif）pourcentage	丙
14. 可见	（连）	kějiàn	it is thus clear that... il est évident que...	丙
15. 日益	（副）	rìyì	increasingly; day by day de plus en plus; de jour en jour	丙
16. 节奏	（名）	jiézòu	rhythm rythme	丁
17. 极大	（副）	jídà	greatly amplement	
18. 炒	（动）	chǎo	sell and buy stock crazily faire; gagner des bénéfices (en a- chetant ou en vendant des actions)	丙
19. 股票	（名）	gǔpiào	shares; stock titre d'action	丁
20. 询问	（动）	xúnwèn	ask about; inquire questionner; s'informer	丙
21. 解除	（动）	jiěchú	remove; relieve; get rid of dégager	丁
22. 后顾之忧		hòu gù zhī yōu	fear of disturbance in the rear; trouble back at home craindre pour ses arrières	
23. 生命线	（名）	shēng- mìngxiàn	lifeline; lifeblood ligne vitale	
24. 亲情	（名）	qīnqíng	intimate feeling sentiment; amour des siens	
25. 娱乐	（动、名）	yúlè	entertain; recreation se distraire; distraction	丙
26. 频繁	（形）	pínfán	frequent	丁

27. 交往	（动）	jiǎowǎng	associate with; be in contact with communiquer; se fréquenter	丁
28. 竞争	（动、名）	jìngzhēng	compete; competition concourir; concours	丙
29. 财源	（名）	cáiyuán	financial resources; source of reve- nue richesse source de la richesse	
30. 指头	（名）	zhǐtou	finger doigt	丙
31. 传诵	（动）	chuánsòng	be on everybody's lips; be widely read se répandre	
32. 涌现	（动）	yǒngxiàn	emerge in large numbers; spring up aparaître en grands nombres	丁
33. 专业户	（名）	zhuānyèhù	specialized households famille spécialisée	丁
34. 近年	（名）	jìnnián	recent years ces dernières années	
35. 五花八门		wǔ huā bā mén	multifarious; of a wide variety de toutes sortes	
36. 热线	（名）	rèxiàn	hot line ligne chaude	
37. 相继	（副）	xiāngjì	in succession; one after another successivement	丁
38. 开通	（动）	kāitōng	install mettre en oeuvre	
39. 下水道	（名）	xiàshuǐdào	sewer égout	
40. 曝光	（动）	bàoguāng	expose; reveal exposer au grand jour; mettre au jour	
41. 属实		shǔ shí	prove to be true （certifié）conforme	
42. 燃眉之急		rán méi zhī jí	as pressing as a fire singering one's eyebrows; a matter of extremely urgency; a pressing need urgence	
43. 沟通	（动）	gōutōng	link up; communicate se communiquer	丁
44. 知心	（形）	zhīxīn	intimate; close	

133

			intime	
45. 打消	（动）	dǎxiāo	give up (an idea, etc.); dispel (a doubt etc.)	
			revenir gur (une décision)	
			renoncer (à un projet)	
46. 监狱	（名）	jiānyù	prison	丙
			prison	
47. 服刑		fú xíng	serve a sentence	
			se soumettre à la sentence	
48. 犯人	（名）	fànrén	prisoner; convict	丙
			prisonnier; criminel	
49. 惊喜	（形）	jīngxǐ	pleasantly surprised	
			étonné (de joie)	
50. 祝福	（动）	zhùfú	bless; express good wishes	丁
			présenter ses bons voeux	
51. 哽咽	（动）	gěngyè	choke with sobs	
			sangloter	
52. 家属	（名）	jiāshǔ	family members	丙
			les sìens; les parents	
53. 明星	（名）	míngxīng	a famous performer; star	丁
			star; vedette	
54. 苦于	（动）	kǔyú	suffer from (a disadvantage); trouble	
			obsédé de...	
55. 名人	（名）	míngrén	famous person; eminent person; who's who	丁
			personnalité	
56. 影迷	（名）	yǐngmí	film fan	
			fanatique de film	
57. 忠实	（形）	zhōngshí	faithful	丙
			fidèle	
58. 钢琴	（名）	gāngqín	piano	丁
			piano	
59. 邀	（动）	yāo	invite	丁
			inviter	
60. 扑克	（名）	pūkè	poker	丁
			jeu de cartes	
61. 考察	（动、名）	kǎochá	investigate; investigation	丙
			inspecter; inspection	
62. 糟蹋	（动）	zāotà	spoil; ruin	丁
			détériorer	
63. 商品房	（名）	shāngpǐnfáng	commercial residential buildings	

134

				logement en vente	
64. 网	（名）	wǎng	net-work		丙
			filet; réseau	
65. 容量	（名）	róngliàng	capacity		丁
			capacité	
66. 居	（动）	jū	occupy (a place); rank		丁
			se trouver; être situé	
67. 申请	（动）	shēnqǐng	apply for		丙
			demander	
68. 需求	（名）	xūqiú	requirement; demand; needs		丁
			besoin	
69. 继	（动）	jì	follow; succeed		丁
			succéder	
70. 无线寻呼		wúxiàn xúnhū	page; beeper		
			appel radiotéléphonique	
71. 磁卡	（名）	cíkǎ	magnetic card (phone card)		
			carte magnétique	
72. 传真	（名）	chuánzhēn	fax		丁
			fax	

专　名

姜琦	Jiāng Qí	name of a person
		nom de personne

三　词语搭配与扩展

(一)询问

[~宾]~领导|~价钱|~厂家|~(往返)路线|~(事故)原因

[状~]认真地~|急切地~|关心地~|被(乘客)~|应该~

[~补]~得(很)清楚|~得(很)仔细|~起来|~了两个小时|~一番

[~中]~的口气|~的态度|~的方式|~的目的

(1)你办手续之前,应该把有关的情况询问清楚。

(2)经过一番询问,他才决定报名。

(二)解除

[~宾]~痛苦|~顾虑|~误会|~烦恼|~武装

[状~]自动~(武装)|顺利地~|彻底~|很难~

[~补]~得(很)及时|~得彻底|~不了

(1)看了那封信后,双方多年的误会终于解除了。

(2)你应该帮助她解除思想负担。

(三)交往

[~动/形]~开始了|~停止了|~密切|~频繁|~(很)少|~多

[定~]一般的~|友好的~|两个人的~|他俩之间的~

[状~]广泛地~|频繁地~|应该~|跟(外国人)~

[~补]~频繁|~密切|~下去|~起来|~了一年|~过几回

    (1)他只喜欢跟中国人交往。

    (2)虽然我们同学了三年,但彼此没有什么交往。

(四)考察

[动~]进行~|负责~|重视~|加以~

[~动]~(刚)结束|~开始了|~(正在)进行

[~宾]~环境|~农村|~(事故的)原因|~(他的)能力|~……水平

[定~]全面的~|某一方面的~|能力的~

[状~]积极地~|有计划地~|对(质量进行)~|一项一项地~

[~补]~得(很)顺利|~得(很)细致|~严格|~下去|~了一个月|~一番|
    ~一下

[~中]~的时间|~的起点|~的过程|~的结果

    (1)工厂非常重视这次考察,所以派你去。

    (2)他们准备再到南方考察两个月。

(五)集中

[~动]~安排|~讨论|~分配|~考察

[~宾]~注意力|~精神|~时间|~(大家的)意见

[状~]迅速地~|逐渐~|全部~|合理地~

[~补]~得(很)及时|~得不够|~起来|~不了|~一下|~一次

[~中]~的原则|~的条件|~的方式

    (1)你先把大家集中一下,然后再讲一讲。

    (2)他的聪明表现在善于集中大家的智慧。

(六)增长

[动~]控制(速度的)~|开始~|影响(速度的)~|继续~

[~宾]~才干|~知识|~速度|~工资

[状~]迅速地~|缓慢地~|适当地~|明显~|全面地~

[~补]~得很缓慢|~得太快了|~下去|~了一倍

[~中]~的条件|~的计划|~的特点|~的结果

    (1)照这样的速度增长下去,产品的质量没有保证。

    (2)他们要进一步考察生产增长缓慢的原因。

(七)申请

[动~]提出~|写~|停止~|继续~

[~动]~调动|~参观|~转学|~退休|~辞职|~入学

[~宾]~助学金|~护照|~房子|~许可证

[定~]重要的~|调动工作的~|转学的~|一份~

[状~]积极地~|及时~|主动~|大胆地~

[~补]~得及时|~晚了|~过两次|~了一年|~一下

[~中]~的办法|~的原则|~条件|~的结果

(1)机会难得,你快写申请报告吧。

(2)王静就要超过申请年龄了,这是她最后一次的申请。

(八)满足

[动~]得到~|觉得(很)~|感到~

[~动]~需要|~供应|~要求|~(孩子们的)希望

[~宾]~(已有的)成绩|~现状|~(现在的)地位|~好奇心

[定~]物质上的~|精神上的~|感情上的~|心理上的~

[状~]逐渐~|充分~|很难~|应该~

[~补]~极了|~不了|~起来

[~中]~的办法|~的目的|~的心情

(1)刚取得一点成绩,他就满足起来。

(2)母亲想各种办法满足孩子们的求知欲。

四 语法例释

(一)……发展到 1.5 万多户,也仅占城市电话用户数的 0.84%

在汉语里"占"加上分数或百分数构成的格式,是汉语分数或百分数的一种表达方法,表示部分在总体中所占的比重。例如:

(1)海洋几乎占地球的四分之三。

(2)这次考试,全系有 44 个学生不及格,占参加考试人数的 14.5%。

(3)我们厂今年有 34 个人义务献血,占报名献血人数的 32%。

(4)我们班少数民族学生大约占三分之一。

(5)这个居民区,坚持锻炼身体的老人差不多占老人总数的三分之二。

(6)今年这个县有 58 个学生考上了大学,占参加高考人数的 7%。

(二)可见,私人住宅电话……

"可见",连词。连接分句、句子或段落,表示后一部分是根据前边所说的事实得出的判断或结论。例如：

(1)唱卡拉 OK 的顾客都爱选《小芳》这首歌,可见这首歌很受欢迎。

(2)他的宿舍里没亮灯,可见他还没回来。

(3)同学们都喜欢听王老师讲课,可见他讲得不错。

(4)那个酒吧的顾客总是特别多,可见那个老板很会做生意。

(5)他连这么简单的句子都听不懂,可见他的汉语水平很低。

(6)我回办公室时,都快一点了,小李的提包、自行车都没了,可见他已经走了。

(三)私人住宅电话正日益成为中国电话业发展的主体

"日益",副词。表示程度一天比一天加深或提高。作状语。多用于书面。例如：

(1)由于种种原因,那两个公司的矛盾日益尖锐。

(2)最近几年,这里物价稳定,市场日益繁荣。

(3)改革开放以来,全市人民的居住条件日益得到改善。

(4)李老师改变了教学方法,教学效果日益显著。

(5)这个城镇的旅馆太少,不能满足日益增多的游客的需要。

(6)王教授的研究日益受到领导的重视。

(四)随着社会的进步……

"随着"组成的介词结构作状语,表示条件,指出在这个条件的影响下,产生了某种结果。多用在句首。例如：

(1)随着建设事业的发展,人民的物质和文化生活水平大大地提高了。

(2)随着形势的发展,咱们的任务越来越重了。

(3)随着理论水平的提高,他写的论文更有深度了。

(4)随着讨论的深入,人们对这个问题的认识越来越清楚了。

(5)随着收入的增加,老孙家里添了几件新家具。

(6)随着科学技术的进步,人类征服地震的日子已经不远了。

(五)五花八门的"热线电话"相继开通

"相继",副词。表示一个接着一个,相隔的时间可以很短,也可以较长。如果修饰单音节动词,要有附加成分。多用于书面。例如：

(1)赵先生的儿子女儿相继出国学习,但是亲友们常来看望他。

(2)老方的几个孩子相继参加了工作,已经没有什么生活负担了。

(3)这两年,他家相继购买了彩电、冰箱、音响等高档家用电器。

(4)白峰相继给秀云写了五封信,但至今没有接到她的回信。

(5)他刚坐下,影迷们的热线电话便相继打来。

(6)大家相继站起来,透过窗口朝街上望去。

(六)一下子愣住了

"一下子",副词。表示某种动作发生、完成得迅速,或某种现象出现得突然。常与副词"就"搭配,作状语。例如:

(1)有一天,他刚从山上下来,一下子就晕过去了。

(2)那天,小马骑车太快,拐弯时,一下子摔到路边的沟里去了。

(3)爷爷很固执,你很难一下子说服他。

(4)这孩子真聪明,教给他几个字,他一下子就会写了。

(5)老师批评她时,她的脸一下子红了。

(6)没想到秋天刚一到,天气一下子就凉了。

(七)……成为全世界继巴黎、东京、香港、上海之后第五个……

"继"有"接着"的意思,"继……之后"就是"在……以后"。表示紧接着某事之后又出现了新的变化。常用于书面。例如:

(1)继电视连续剧《三国演义》播出之后,又有两部描写历史题材的电视连续剧相继播出。

(2)继"百姓热线"开通之后,本市又有几种热线开通了。

(3)近年来这所中学继周兴年、杨建民、康洁之后,又有四个学生考上了名牌大学。

(4)这部著作是继《论市场经济》之后,我校又一部获奖的科研成果。

(5)他是我国继容国团之后,第二位获得乒乓球世界冠军的运动员。

(6)继这个水库建成之后,本市又修建了两座大型水库。

五　副　课　文

(一)阅读课文　　司机和他的"儿子"

　　一天,我乘出租车,因路较远,我就同司机聊了起来。他知道我是小学教师后,对我格外客气,询问我有关学校的事情及爱跟什么人交往等等。说着说着就谈起了他正上小学五年级的儿子来。

　　"我儿子踢足球,在市少年足球队。"他的口气里明显地带着自豪,"我儿子踢前锋。上星期的市长杯赛,他踢进了16个球,是各个队中进球最多的队员。

从北京来青岛挑选国家青年队队员的教练,没选到青年队员,倒看上了我儿子,说我儿子很有发展前途,以后带他到北京去。"

我禁不住跟他谈起本市一些足球界名人,这位司机都很熟悉。他说,要不是一些特殊原因,他今天还在足球队。我这才注意到他的确很像运动员。

我说:"你有个爱踢足球的孩子,球又踢得好,你运气还可以,应该满足了。"不料他说:"这孩子不是我的。我的亲生儿子才5岁,还没上学呢!""那么……"我感到奇怪。

"他是我同事的孩子。"他的神情有些伤感,"四年前,我这个同事和他的妻子先后去世,我看这孩子可怜,就把他接到家里来。这孩子爱踢足球,我就把他送到市少年足球队,没想到只练了半年多,他就成了市少年足球队的主力队员。"司机的口气里充满了对"儿子"的爱。

"我儿子踢足球需要营养,因为体力消耗太大。可是,你想想,当工人能挣几个钱?还得常常请假陪他往体育场跑。我跟妻子商量了一下,就辞了职,借钱买了一辆车,开起了出租车。虽然早起晚睡,累一些,可挣的钱比在工厂干多得多,可以给孩子多买些有营养的食品。到了下午孩子练球时间,我就歇班了,专门送孩子去训练,然后再把他接回家。这孩子还真行,球越踢越好。唉,这孩子爸爸是个足球迷,要是活着该多高兴啊!"司机说到这里,迅速地擦了一下眼睛。

我疑惑地问:"你对同事的孩子这样好,你妻子没意见吗?"

"没有。她跟我一样喜爱这个懂事的孩子。她跟这孩子的父母以前也认识。我5岁的儿子跟这孩子处得也很好,老是哥哥长哥哥短的,叫得挺亲热的。"

说到这儿,车开到了我要去的地方。我掏钱给他,他说什么也不收,说我认识的足球界名人他也很熟悉,跟我也算是个朋友了。我把钱放在坐位上就下了车。

出租车开走了。我心里很长时间也没能平静。我被人间的一种亲情深深地打动了。

(作者:杜帝。有删改。)

(二)会话课文　　家庭轿车

周学明:高先生,您好啊!

高先生:哟,学明啊,你哪天回来的?

周学明:前天。

高先生:你在外国学习了好几年,得休息一段时间再上班吧?

周学明:休息一个月。高先生,这辆蓝色轿车是谁家的?昨天夜里警报器突然
　　　　响了起来,把我给吵醒了,一开始我还以为是狗叫呢!

高先生：这是楼上许军去年新买的，警报器常出毛病。

周学明：现在国内的私人汽车发展够快的。

高先生：前几天的报上说，1996 年全社会 1050 万辆汽车中，私人拥有的汽车已经占 23.8%。10 多万高收入者有了家庭轿车。

周学明：随着人民生活水平的提高，家庭轿车肯定会越来越多。

高先生：据专家分析，目前居民银行存款中有一部分就是用来购买汽车的。现在一些大中城市把住宅建在郊区，这也是轿车很快进入家庭的原因之一。

周学明：看来国家是鼓励私人购买轿车的。

高先生：似乎有两种不同的意见：一种认为中国目前的城市交通比较拥挤，鼓励发展私人轿车会使这种状况更加严重，应该主要发展公共交通事业。另一种意见认为随着公路建设的发展和修建地下交通设施，轿车大量进入家庭是可以实现的。

周学明：我觉得还得加强交通管理，严格遵守交通规则。

高先生：有些司机和行人不遵守交通规则，闯红灯，造成交通事故。

周学明：在许多国家违反交通规则罚得很重，人们从小就注意培养遵守交通规则的好习惯。

高先生：是这么回事，交通意识是要培养的。就拿我家养的小狗来说吧，从买来那天起我就训练它不乱过马路，特见效。有一次我拉着它过马路，我想试试它的"交通意识"，红灯亮了，我故意催它过，可它往后退，就是不过；绿灯一亮，我没拉它，它立刻就跑过去了。话说回来，你不想买辆轿车？

周学明：我还真想买。可车放在哪儿呢？放在楼下？

高先生：说的也是。有的车就是因为长期放在楼下，损坏严重，也有丢失的。还有，买得起，养得起吗？车费、养路费、保险费、汽油费，再加修理费，一个月的收入没有几千块恐怕是养不起一辆高级轿车的。

周学明：不知道车坏了修车方便不方便？

高先生：修车的地方倒是不少，不过要是遇上个"宰人"的可够你受的。刚才提到的许军，几个月前就让人"宰"了一刀。一天晚上，他开车出去，车出了毛病。两个修车的小伙子看他像个有钱的，瞎忙了两个来小时，要了他 2800 块钱。事后他才知道只是出了点小毛病，差点没把他鼻子给气歪了。打这以后，他再也不去马路边上连营业执照都没有的修车点修车了。

周学明：所以关键在管理。管理跟上了，问题就少了。

高先生：是这样。好，我该回去了，有时间咱们再聊。

（三）听力课文　　记者的宠物

　　如果要问一个问题,作为记者,最离不开的东西是什么? 要是在十年前,我会回答:笔呀,还有笔记本什么的。当然,如果是广播记者,还离不开录音机;如果是电视记者,还离不开摄像机。现在,我要说,是电话!

　　每次去参加一个新闻发布会,你就听吧,频繁的 BP 机声这儿起那儿落,热闹得很。会场外,电话机前总是围着两三个打电话的记者,记者们要靠电话进行交往,获得信息,寻找线索,传递稿件,一句话,电话就是你的千里眼、顺风耳。如果你到一家报社,觉得那里吵吵嚷嚷,其实,那是电话铃声和接电话、打电话的声音。可以这么说,如果一家报社里安安静静,一天到晚电话都不响一声,那一定是一张办得很糟的报纸。

　　记者也许是 BP 机使用率最高的一类人。记得几年前,BP 机还是一件新鲜的东西。报社也为我买了一台,刚到家 BP 机就响了,兴奋得我掏出小本查是什么意思,半天也没看懂。去向人请教后才明白:原来仅仅是一个天气预报!

　　有了 BP 机就添了很多事。如果它一天到晚响个不停,你就得东奔西跑找电话,有时还为找不到电话而着急;可它要是总不响,也让人觉得像是缺少了点什么。BP 机现在已经成了我生活中不可少的一件东西。如果有哪一天我出去忘了带它,那我一定心里很不踏实,觉得好像是丢了东西。有一次去外地办事,临行前把 BP 机放在家里,因为反正带着也没有用。刚到那个城市,走在街上听到一阵"嘟嘟"声,便习惯地往腰里一摸,这才想起没带在身上。

　　现在,随着经济的发展和社会的进步,一种更时髦的通讯工具"手机"涌现出来。我有不少记者朋友都有了这个东西,但几乎都是单位给买的。有个朋友对我说,他常常在坐公共汽车的时候突然包里的手机响起来,你说是接还是不接? 不接吧,它一声接一声,真怕误了什么事;接吧,周围的人都盯着你看,好像在说:有个手机有什么了不起! 弄得人心里怪不是滋味的。

（作者:黄艾禾。有删改。）

生　　词

1. 摄像机	（名）	shèxiàngjī	pickup camara	
			camérascope	
2. 信息	（名）	xìnxī	information	丙
			information; renseignement	
3. 顺风耳	（名）	shùnfēng'ěr	a well-informed person	
			personne bien informée	
4. 报社	（名）	bàoshè	general office of a newspaper	丙
			bureau de journal	

5. 预报	（动、名）	yùbào	forcast prévenir; prévision		丙
6. 嘟	（象声）	dū	（onomatopoeia） （onomatopé）		
7. 手机	（名）	shǒujī	mobile phone portable		
8. 误	（动）	wù	miss; fail to seize the right moment perdre; râter; manquer		丙
9. 滋味	（名）	zīwèi	taste; flavor goût		丁

六　练　习

(一)按要求给下列词语搭配上适当的词语：

　　1.(动)_____交往　　2.(状)_____申请　　3. 集中_____(补)

　　4.(状)_____询问　　5.(状)_____满足　　6.(定)_____明星

　　7. 考察_____(补)　　8.(主)_____集中　　9. 炒_____(宾)

　　10. 增长_____(宾)　11.(动)_____扑克　12. 解除_____(宾)

　　13.(主)_____属实　14.(状)_____忠实　15.(动)_____申请

(二)选词填空：

　　　　询问、解除、考察、交往、增长、申请、满足、集中、汉语热、寥寥无几、
　　　　极大、涌现、频繁、忠实、钢琴

　　1. 小晶学会了拉小提琴,又开始学弹_____。

　　2. 改革开放后,到中国来的外国人增多了,在某些国家形成了_____。

　　3. 春节后,向阳村建立了幼儿园,以_____人们的后顾之忧。

　　4. 周老汉到售票窗口_____363路长途汽车上午几点发车。

　　5. 这届全国运动会_____了许多打破全国纪录的优秀运动员。

　　6. 他们两个人来往_____,是多年的老朋友。

　　7. 十月中旬,他到各地_____了乡镇企业的发展情况。

　　8. 园园是我_____的朋友。

　　9. 因为下大雨,参观的人_____。

　　10. 今年我们厂产品的总产值比去年_____了两倍。

　　11. 小王进步很快,但他从不_____于眼前的这点成绩。

　　12. 毕业后,我_____到祖国的边疆去工作。

13. 上课时,他的注意力从没有_____过。

14. 他的讲话使我们受到了_____的鼓舞。

15. 他性格内向,不太愿意和人_____。

(三)用指定词语完成句子:

1. 每次举行运动会他都参加,_____
_____。 (可见)

2. 这部电影他都看过两遍了,今天晚上又去看了,_____
_____。 (可见)

3. _____, 人
民的生活水平提高了。 (随着)

4. _____, 人
们对演员表演水平的要求越来越高。 (随着)

5. 我们学校女学生多,男学生少,女学生_____
_____。 (占……)

6. 今年有387名公共汽车司机参加了本市春季运动会,_____
_____。 (占……)

7. 近年来上海电影制片厂_____
_____。 (相继)

8. 为了学习国外的先进技术,兴华电机厂_____
_____。 (相继)

9. 天很热,我渴得要命,_____
_____。 (一下子)

10. 那个商店刚到的苹果特别好,我奶奶_____
_____。 (一下子)

11. _____, 代
表团又参观访问了西安、南京、杭州三个城市。 (继……之后)

12. _____, 青
年作家常连喜又出版了两部长篇小说。 (继……之后)

13. 今年报考这所大学的学生成绩_____。 (……于)

14. 由于水灾,这个地区的玉米产量_____
_____。 (……于)

15. 随着交通管理的加强和交通法规的宣传,_____
_____。 (日益)

16. 随着期末考试日期临近,_____
_____。 (日益)

17. 这次考试他连特别简单的题都做错了,_____
_____。 (可见)

18. 路上结了冰,他走着走着,_____
_____。 (一下子)

(四)整理句子:

1. 在 以后 了 老张 几乎 时间 都 炒 退休 把 花 股票 上 把

2. 的 人们 以前 现在 生活 加快 比 节奏 了

3. 从 犯人 是 刚刚 他 的 监狱 里 出来

4. 电话 来 近年 了 各种 相继 热线 开通

5. 的 是 朋友 小崔 李师傅 知心

6. 忙 工作 娱乐 因为 他 时间 太 没有

7. 利用 了 被 时间 修理 堵 休息 的 他 下水道

8. 糟蹋 的 我们 种 不能 农民 辛辛苦苦 粮食

9. 买 多 现在 了 的 越来越 商品房 人

10. 是 磁卡 电话 我 打 第一次 用 方便 觉得 非常

(五)请在下面的短文中填上指定词语并复述大意:

一下子、苦于、可见、与、差点儿、倒霉、不管、于是、不知道……好

老朱____没人跟他聊天,所以见到人____认识不认识,都要问几句。一天,他去参加一个人的婚礼,吃饭时,他____一个姓钱的小姐同桌,便主动问钱小姐:"请问这位小姐,你结婚了吗?"钱小姐的脸____红了,回答说:"还没有。"他

145

又问:"有几个孩子了?"钱小姐一听,大怒:"真_____,我今天遇见了一个颠三倒四的人!"老朱碰了一鼻子灰,_____怎么向钱小姐道歉_____。他心想:她说我颠三倒四,一定是我问的次序不对。_____转身又问一个姓刘的小姐:"请问这位小姐,你有孩子了吗?"刘小姐笑着回答:"有一个男孩。"他又问:"你结婚了吗?"刘小姐一听,_____把鼻子气歪了,瞪了他一眼,站起来就走了。_____一个人无论说什么做什么都要讲究方法。

(六)语段练习:

1. 熟读课文中影迷和明星的对话并把对话内容改写成一段话(100字左右)。

2. 把课文中关于中国电话业发展前景的那部分压缩成短文(100字左右)。

(七)根据阅读课文内容回答下列问题:

1. 为什么说现在中国出现了电话消费热?

2. 为什么人们急于安装电话?

3. 现在电话的通话方式有了什么变化?

4. 姜琦为什么能从监狱给母亲打电话拜年? 母亲当时的心情怎样?

5. 那位影迷向明星提了哪些问题? 明星是怎么回答的?

6. 中国电话业的发展前景如何?

(八)阅读练习:

1. 根据阅读课文内容,选择一个最恰当的答案:

(1)"我"把同事的孩子接到自己家里,是因为:

    A. 同事去世时把孩子托付给了"我"。

    B. 对同事怀有深厚的感情,非常同情这孩子。

    C. 这孩子主动提出到"我"家里来生活。

    D. "我"觉得这孩子足球踢得好,有发展前途。

(2)"我"不当工人了,改行开起了出租车,是因为:

    A. 当工人太辛苦,没有开出租车轻松。

    B. 开出租车比当工人挣钱多,可以给孩子加强营养。

    C. 开出租车非常自由,可以随便歇班。

    D. 有个车接送孩子方便。

2. 根据阅读课文内容回答:

(1)司机为什么把同事的孩子称做"儿子"?

(2)司机为什么干起了开出租车的职业?

(3)司机的妻子和五岁的儿子对这个同事的孩子怎么样?

(九)口语练习:

1. 分角色进行对话练习,注意语音语调。

2. 根据课文内容回答:

(1)轿车的报警器为什么晚上响了起来?

(2)现在中国买轿车的主要是哪些人。

(3)中国鼓励人们买轿车吗?

(4)为什么要培养人们的交通意识?

(5)高先生对买轿车是什么态度?

(6)修车的"宰"了许军一刀是什么意思?

(7)许军修完车后为什么对修车的很不满意?

(十)听力练习:

1. 听录音判断正误并说明理由:

(   )(1)记者最离不开的是笔呀、笔记本什么的。

(   )(2)"电话就是你的千里眼、顺风耳",意思是说电话对记者来说太重要了。

(   )(3)如果有一家报社一天到晚没人打电话,那就说明这家报社的报纸办得不好。

(   )(4)"我"刚有一台 BP 机时觉得它特别新鲜。

(   )(5)"我"时刻离不开 BP 机,即使去外地也一定会带着它。

(   )(6)"我"的记者朋友用的手机都是自己买的。

(   )(7)有一次,"我"坐公共汽车时,包里的手机响起来,乘客都羡慕地看着我。

2. 根据录音内容用自己的话完成下列语段:

(1)现在,记者最离不开的是什么? 要是_____

_____当然,如果_____

_____。

(2)电话是记者的千里眼,顺风耳,记者要靠_____

_____如果报社里__

_____。

(3)报社也为"我"买了一台 BP 机,_____

_____原来是一个天气预报。有

了 BP 机就添了很多事_____

_____。

有一次_____

_____。

(4)现在更时髦的手机又涌现出来,有个朋友_____

_____怪不是滋味的。

(十一)交际训练:

1. 自由讨论:

(1)在你们国家有电话的家庭多不多?安装电话难不难?电话坏了怎么办?

(2)在你们国家有没有"热线电话"?请介绍一下。

(3)在中国你外出办事是骑车还是乘车?常乘什么车?遇到过什么麻烦没有?

2. 完成下面的名人热线电话:

A(女歌迷):喂,你是谢先生吗?我叫毛丹。

B(男歌星):对。你好,毛丹小姐。

A:我最爱听你唱的歌了,特别是《笑脸》这首歌。怎么最近你在电视台很少露面了?

B:……

A:……

下列词语可以帮助你表达:

满足、占……(分数或百分数)、可见、随着、一下子、好于、交往、娱乐、知心、苦于、名人、近年、……热、住宅、钢琴、祝福

3. 按着提示写或说一段话(200字左右):

提示:安装电话的好处

下列词语帮助你表达:

节奏、询问、竞争、祝福、燃眉之急、满足、需求、磁卡、传真、无线寻呼、交往、解除、沟通、知心、苦于、频繁、工薪阶层、亲情

4. 语言游戏:

(1)发给每个学生一张卡片,每个人写上带"车"字的成语和俗语,然后读给大家听,并讲讲它的含义。比一比。看谁写得最多。

(2)比一比,看谁在三分钟之内写的关于交通方面的词语最多。少于 10 个的罚说下面的绕口令:

小庞(Páng)和小黄

小庞和小黄,同乡又同行。

小庞住在长胡同,小黄住的胡同长。

小黄驾驶黄"面的",小黄开的"面的"黄。

小庞助人心肠热,小黄助人热心肠。

小庞常接表扬信,小黄常受信表扬。

(祖振扣)

5.看一看,说一说,写一写。

有"冷"面　崔凌玉

第二十三课

一　课文　中国人的姓和名

世界上大多数民族的姓出现得都比较晚,长则几百年,短则数十年。在公元前几千年的历史长河中,西方人很晚才有姓,其他民族姓氏[1]的历史则更短,甚至有些民族至今还没结束有名无姓的历史。而中国则具有世界上最悠久的姓氏文化传统:中国现存的姓氏,大多在三千年前的商、周时期便已经产生了。正因为如此,悠久的中国文化里包含[2]着灿烂的姓氏文化。如成语"张冠李戴[3]""毛遂自荐[4]"、"徐娘半老[5]",歇后语[6]"王婆卖瓜——自卖自夸"、"王小二过年——一年不如一年",惯用语[7]"张家长,李家短"、"三个臭皮匠,顶个诸葛亮"等等,在这些词语中都包含有姓氏,其含义[8]也都和姓氏有关。如果去掉姓氏,这些成语、俗语[9]也就不存在了。

在汉字中,"姓"字左边是"女",右边是"生",合在一起,最初的意思是:女人生孩子。在母系[10]氏族[11]社会,母亲是氏族的代表,孩子只知道自己的母亲,而不知道父亲是谁,所以孩子是随母亲的。当时,人们对很多事物还不了解,例如风、雨、雷、电等自然现象和森林大火、地震[12]、洪水[13]这些自然灾害到底是怎么产生的,人们都无法科学地加以解释,于是产生了一种既神秘又恐惧、既惊喜又崇拜的心理。他们带着这种心理到大自然中去寻找答案,错误地认为每一个氏族都跟一种动物、植物或一种无生命的东西,像山、水、石、云什么的,有着亲属[14]关系,或者其他什么特殊的关系,于是他们就把这种东西当做崇拜对象,希望能得到它的保护,这个东西就叫图腾[15]。这个图腾加上"女"字旁,就成了这个氏族的称号,这就是最初的姓。据专家们考证[16],中国最古老的"姜"(Jiāng)姓的图腾是羊,"妘"(Yún)姓的图腾是云。《诗经》一开始就说是有个叫"姜嫄"的女子,因为没有孩子,就到野外[17]去求上天赏[18]给她一个孩子。她踏上巨人[19]的脚印[20],心灵受到感动,怀了孕,生下一个男孩,这个男孩就是周人的祖先。周人姓"姬"(Jī),"姬"字左边是"女",右边是"卪"(yí),"女"表示是女人姜嫄所生,"卪"字最初的形状就像熊[21]的脚印,因为周人的图腾是熊。

在父系[22]氏族社会,一般实行一夫一妻的制度,一个男人只跟一个女人结婚。这时候生出来的孩子不仅知道母亲是谁,而且知道父亲是谁,孩子跟父亲的血缘[23]变得很明确、很清楚了。后来,那些同一父亲所生的男孩长大了,结了婚,生儿育[24]女,又组成了自己的家庭。当家族变得越来越大的时候,那些儿子们组成的新家庭,有的不得不分出去,到新的地方去生产、生活。一般情况下,大儿子留下来继承[25]父亲的财产[26]和父亲的姓。其他的儿子分出去以后,尽管他们仍然保留原来氏族的姓,但为了跟其他分出去的家族有所区别,就给自己的家族另一个称号,这就是"氏"。很明显,"氏"原是从属于[27]"姓"的,后来才慢慢独立出来,所以往往几代人"同姓不同氏"。在奴隶社会,只有贵族[28]才有姓和氏。在古代,"姓"和"氏"的作用是不一样的:姓的作用是标明[29]血缘,限制婚姻,如果男女同姓不同氏是不能结婚的,而同氏不同姓则可以通婚。最初的氏往往取自封地[30]名、官职[31]名,所以,氏成了社会地位的一种标志[32]。

我国现存的汉字姓氏中,凡是带右耳刀旁[33]的,绝大部分都是国名、封地名或城市名,如邓(Dèng)、邢(Xíng)、郎(Láng)、郭(Guō)、郑(Zhèng)等等。再如华(Huà)、蒋(Jiǎng)、蒙(Méng)、盖(Gě)、苏(Sū)、陈(Chén)、阳(Yáng)……这些姓氏过去也都是地名,算起来大约有上千个。我国古代负责工程建设的官称为"司空",负责管理军队和军队财务[34]的官称为"司马",负责公安、法律、监狱的官称为"司寇(kòu)",负责教育培养公务[35]人员的官称为"司徒"……,后来这些官名都变成了姓,这是复姓[36]的部分来源。提起诸葛亮这个名字,几乎无人不知,无人不晓,那么,"诸葛"这个复姓是怎么来的呢?历史书上说,诸葛有两支来源,他们的祖先都姓葛:一支姓葛的原先住在现在山东省的诸城,后来搬到了阳都这个地方,因为当地已经有姓葛的了,就把后搬来的称为"诸葛";另外一支出现在秦朝末年,当时农民起义[37]军中有个著名的将军[38],名叫葛婴,立下了许多功劳[39],汉朝建立以后,皇帝就把他的孙子封[40]为诸城的王,这一家人随后也改姓诸葛了。

秦代以后,奴隶都得到了解放,成为自由民,从此人人都有了姓,在日常生活用语中,"姓"和"氏"也就慢慢地不再区分[41]了。

新的姓氏的产生往往随意[42]性比较大，有的人是做陶器[43]的工人，便用"陶"作为姓；有的人职业是巫师[44]，就用"巫"作为姓；有的人住在池塘[45]、园子附近，于是就姓"池"、姓"园"了。中国东汉有位著名的文学家名叫东方朔，父亲原来姓张，在他出生前就去世了，他母亲在他出生三天后也离开了人间。他家的一位邻居看他可怜，就把他抱回家，抚养成人。据说他出生时，东方刚刚发亮，就以"东方"为姓，起名叫东方朔。这种改姓的现象也常常发生，特别是在封建社会，人们是不允许直接称呼[46]帝王和长辈的本名的，称呼他们时必须用另外一个词来代替，不然就是"不尊敬"，说不定还要杀头呢。一个新皇帝上台[47]以后，如果他的名字中有的字眼跟老百姓的姓是一样的，那么，老百姓的这个姓就得改，改成另一个意思相同、发音相同或者相近的字，也可以改为另一个字形相近的字。例如东汉时的明帝，姓刘名庄，当时姓"庄"的人家都改用跟"庄"字意义相近的"严"字作为姓，就连明帝父亲的同学庄子陵也不得不改叫严子陵了。直到汉朝灭亡[48]以后，有的人才恢复姓"庄"，有的人则一直保留"严"姓至今。

汉字"名"这个字上面是个"夕（xī）"，就是"晚上"的意思，下面是个"口"。"名"的本义就是"晚上开口打招呼"。古代人在没有名字的时候，见面只能点点头，或者做个打招呼的手势。这在白天问题不大，可是到了晚上谁也看不清谁，怎么办呢？只好用"口"来打招呼了。于是就慢慢有了名字。最初，人的名字比较简单，常常是根据一个人的生理[49]特点来称呼。比如说，一个人比较胖，就叫他"胖子"；另一个人个子高，就叫他"大个子"。

以前，中国人的名字，特别是农村人的名字也有很大的随意性，给女孩子取名，总离不开"花、草、香、淑（shū）、琴（qín）、菊（jú）"之类的词；给男孩子起名大多是"铁柱、铁蛋、金锁、银锁、铜锁、大山、石头、牛娃"之类的词，无非是想让女孩子长得漂亮点儿、文静[50]点儿，让男孩子们身体结实，平平安安，长大了能干活，有吃有穿。后来，特别是读书人家，名字越来越讲究，往往有很深的含义。我国著名画家徐悲鸿，幼年家贫如洗，不能上学，感到十分孤独，就像一只离群的孤雁[51]那么痛苦、悲哀，所以改名叫悲鸿。鸿就是大雁。中国已故的地质[52]学家李四光，原来的名字叫李仲揆。他从小聪明好学，十四岁便报名参加公费留学日本的考试，并获得了第一名。他在填写[53]登记表时，错把"姓名"一项填成年龄，于是姓名成了"十四"，这可怎么办？当时又没有钱另买一张表，他急中生智[54]，把"十"改成了"李"。但又觉得"李四"不好听，便又加了个"光"字。"四光"含有"四面光明"的意思。这样，原来的李仲揆就成了后来名扬天下的李四光。中国国歌[55]的作者聂耳，原名叫聂守信，后来，人家发现他耳朵特别灵，对各种声音反应十分灵敏[56]，因此他母亲给他改名为"聂耳"，似乎他全身都长满了耳朵，难怪后来他在音乐方面取得了那么大的成就！

二 生 词

1. 姓氏 （名） xìngshì surname
nom; nom de famille

2. 包含 （动） bāohán contain 丙
contenir; comprendre

3. 张冠李戴 Zhāng guān Lǐ dài put Zhang's hat on Li's head; attribute sth. to the wrong person or confuse one thing with another
coiffer Li du chapeau de Zhang; se tromper de place pour qch.

4. 毛遂自荐 Máo Suì zì jiàn offer one's service as Mao Sui did; volunteer one's services
se commander

5. 徐娘半老 Xúniáng bàn lǎo a middle-aged woman retaining her youthful appearance and vigor, or spirit
femme charmante entre deux âges

6. 歇后语 （名） xiēhòuyǔ a two-part allegorical saying of which the first part, always stated, is descriptive, while the second part, sometimes unstated, carries the message
phrase à sous-entendu

7. 惯用语 （名） guànyòngyǔ idiom 丁
locutions et expressions courantes

8. 含义 （名） hányì meaning; denotation 丁
sens

9. 俗语 （名） súyǔ common saying; folk adage
dicton; proverbe

10. 母系 （名） mǔxì maternal side
lignée maternelle; matriarcal

11. 氏族 （名） shìzú clan
famille; clan

12. 地震 （名） dìzhèn earthquake 丙

153

				tremblement de terre; séisme	
13. 洪水	（名）	hóngshuǐ	flood		丙
			déluge; crue; inondation		
14. 亲属	（名）	qīnshǔ	relatives		
			parents; parenté		
15. 图腾	（名）	túténg	totem		
			totem		
16. 考证	（动）	kǎozhèng	textual research or probe		
			étudier; vérification		
17. 野外	（名）	yěwài	open field		
			(en)plein air		
18. 赏	（动）	shǎng	grant a reward; award		丁
			accorder; récompenser		
19. 巨人	（名）	jùrén	giant		
			géant; colosse		
20. 脚印	（名）	jiǎoyìn	footprint		
			empreinte de pas		
21. 熊	（名）	xióng	bear		丁
			ours		
22. 父系	（名）	fùxì	the paternal side		
			lignée paternelle		
23. 血缘	（名）	xuèyuán	blood-line		
			consanguinité; lien du sang		
24. 生育	（动）	shēngyù	give birth to		丁
			élever; donner naissance à		
25. 继承	（动）	jìchéng	inherit		丙
			succéder; hériter		
26. 财产	（名）	cáichǎn	property		丙
			biens; propriété		
27. 从属于		cóngshǔyú	subordinate		
			subordonné à		
28. 贵族	（名）	guìzú	noble; aristocrat; blue blood		丁
			aristocrate; noble		
29. 标明	（动）	biāomíng	mark; indicate		
			marquer		
30. 封地	（名）	fēngdì	fief; feud; manor		
			fief; apanage		
31. 官职	（名）	guānzhí	official position		
			fonction publique		
32. 标志	（名）	biāozhì	sign; mark; symbol		丙
			marque; signe; indice		

33. 耳刀旁	（名）	ěrdāopáng	one of the Chinese radicals（阝），it is called "ear radical"	
			partie pictographique d'un caractère chinois（radical 阝）	
34. 财务	（名）	cáiwù	financial affairs	丁
			finances；affaires financières	
35. 公务	（名）	gōngwù	public affairs；official business	丁
			affaires publiques	
36. 复姓	（名）	fùxìng	compound surname；two-character surname	
			nom de famille dissyllabique	
37. 起义	（动、名）	qǐyì	uprising；revolt	丙
			insurection；s'insurger	
38. 将军	（名）	jiāngjūn	general	丙
			général	
39. 功劳	（名）	gōngláo	contribution；merit	丙
			exploit；mérite；contribution	
40. 封	（动）	fēng	offer official posts	丙
			conférer（un titre）	
41. 区分	（动）	qūfēn	differentiate；distinguish	丁
			distinguer	
42. 随意	（形）	suíyì	at will；as one pleases	丁
			à son gré	
43. 陶器	（名）	táoqì	pottery	
			poterie	
44. 巫师	（名）	wūshī	wizard；sorcerer	
			sorcier；magicien	
45. 池塘	（名）	chítáng	pond；pool	丁
			étang；bassin；mare	
46. 称呼	（动、名）	chēnghu	call；adress；form of adress	丙
			appeler；appellation	
47. 上台		shàng tái	assume to power；come to power	丁
			accéder au pouvoir	
48. 灭亡	（动）	mièwáng	be destroyed；become extinct；die out	丙
			exterminer；extinction	
49. 生理	（名）	shēnglǐ	physiology	丙
			physiologie	
50. 文静	（形）	wénjìng	gentle and quiet	
			tranquille；calme	
51. 雁	（名）	yàn	wild goose	
			oie sauvage	

52. 地质	（名）	dìzhì	geology géologie	丙
53. 填写	（动）	tiánxiě	fill in; write remplir; écrire	丁
54. 急中生智		jí zhōng shēng zhì	suddenly hit upon a way out of a predicament; show resourcefulness in a emergency faire preuve de présence d'esprit à un moment critique	
55. 国歌	（名）	guógē	national anthem hymne national	
56. 灵敏	（形）	língmǐn	sensitive sensible; fin; délicat	丁

专 名

1. 商		Shāng	a dynasty in Chinese history dynastie des Shang（17ᵉs—11ᵉs av.）
2. 周		Zhōu	a dynasty in Chinese history dynastie des Zhou（11ᵉs—256 av.）
3. 诸葛亮		Zhūgě Liàng	name of a person nom de pesonne
4.《诗经》		《Shījīng》	*The Book of Songs* *" Recueil des chants"*
5. 姜嫄		Jiāng Yuán	name of a person nom de personne
6. 诸城		Zhūchéng	place name nom de lieu
7. 阳都		Yángdū	place name nom de lieu
8. 秦朝		Qíncháo	Qin Dynasty dynastie des Qin（221—206 av.J.-C.）
9. 葛婴		Gě Yīng	name of a person nom de personne
10. 汉朝		Hàncháo	Han Dynasty dynastie des Han（206av.J.-C—220）
11. 东汉		Dōnghàn	Donghan Dynasty dynastie des Han de l'est（25—220）
12. 东方朔		Dōngfāng Shuò	name of a person nom de personne
13. 明帝		Míngdì	the posthumous title of an emperor in Han Dynasty titre d'un empereur de la dynastie des Han de l'est
14. 刘庄		Liú Zhuāng	name of a person

15. 庄子陵	Zhuāng Zǐlíng	nom de personne name of a person
16. 严子陵	Yán Zǐlíng	nom de personne name of a person
17. 徐悲鸿	Xú Bēihóng	nom de personne name of a person
18. 李四光	Lǐ Sìguāng	nom de personne name of a person
19. 李仲揆	Lǐ Zhòngkuí	nom de personne name of a person
20. 聂耳	Niè Ěr	nom de personne name of a person
21. 聂守信	Niè Shǒuxìn	nom de personne name of a person

三　词语搭配与扩展

(一)具有

[～宾]～(丰富的)学识|～(独特的)魅力|～(光荣)传统|～(坚定的)信念

[状～]可能～|明显地～|已经～|不～

[～中]～的意义|～的风格|～的特点

(1)这篇论文具有很高的学术价值。

(2)战士应具有大公无私的品质。

(二)继承

[～宾]～遗产|～(光荣)传统|～(优良)作风|～(革命)精神

[～补]～不了|～下来|～下去

[～中]～的理由|～的方式|～的遗产|～的条件

(1)我们的事业由谁来继承呢?

(2)他的妻子继承了他的大部分遗产。

(三)区别

[动～]研究(两种方式的)～|分析……～|发现(他们的)～|有～

[～宾]～(不同的)情况|～(不同性质的)矛盾|～(各自的)特点|～(矛盾的)性质

[定～]明显的～|本质的～|颜色的～|这种～

[状～]互相～|容易～|难以～|把……～(开来)

[～补]～开来|～清楚|～不了

[～中]～的标准|～的办法|～的目的
    (1)必须把原告和被告严格区别开来。
    (2)这两本书的内容差不多,没有多大区别。

(四)标志

[动～]设立～|佩戴～|作为～|寻找～
[～形]～明显|～突出|～清楚|～醒目
[～宾]～着(发展)水平|～着(一个新的)时代|～着(美好的)未来
[定～]民族的～|学生的～|鲜明的～|成功的～|特殊的～
[状～]显著地～出……|突出地～了……|醒目地～着
    (1)失学率的降低标志着山区教育事业有了较大的发展。
    (2)礼貌语言是精神文明的标志。

(五)称呼

[动～]打听(怎么)～|确定～|换～|拒绝(这种)～
[～形]～合适|～自然|～明确|～别扭
[～宾]～同志|～名字|～职务|～长辈
[状～]亲热地～|尊敬地～|客气地～|应该～
[～补]～得不恰当|～得不得体|～得亲热|～过三次
    (1)我应该怎么称呼他呢?
    (2)我们现在称呼他经理。

(六)尊敬

[动～]受到～|赢得～|显得(很)～
[～宾]～老人|～父母|～客人|～老师|～对方
[状～]普遍地～|互相～|应该～|非常～
[～补]～起来|～得不得了|～一辈子
    (1)教师受到社会普遍的尊敬。
    (2)这孩子从小就知道尊敬老人。

(七)获得

[～动]～批准|～承认|～表扬|～信任
[～宾]～知识|～自由|～财产|～胜利|～幸福
[状～]轻易～|经常～|暂时～|多次～
[～中]～的资料|～的信息|～的情报
    (1)希望工程获得了全社会的广泛支持。
    (2)大自然应该获得人类的保护。

(八)登记

[动～]停止～|允许～|开始～|进行～

158

[~动]~开始了|~结束了|~停止了

[~宾]~选民|~财产|~人数|~自行车

[状~]主动~|正式~|临时~|正在~|必须~

[~补]~得及时|~完|~不了|~了一上午|~过一回|~一下

[~中]~的条件|~的要求|~的程序|~的时间

    (1)党员即将重新进行登记。

    (2)办理必要的登记手续是很正常的。

(九)反应

[动~]有~|没有~|观察(病人的)~|起~

[~形]~(很)好|~强烈|~不大

[定~]化学~|过敏~|强烈的~|这种~|药物~

    (1)怀孕的妇女爱吃酸东西是一种生理反应。

    (2)他的讲话群众反应很强烈。

四 语 法 例 释

(一)有的不得不分出去,到新的地方去生产、生活

    "不得不"有"只好、只能"的意思,表示由于种种条件的限制或情况的变化,不这样做不行。作状语。例如:

    (1)计算机的零件坏了,不得不换个新的。

    (2)由于事故非常严重,我们不得不暂时停止生产。

    (3)主要负责人都病了,这件事不得不改日再讨论。

    (4)他的病情始终没有好转,不得不住院治疗。

    (5)我的自行车出了毛病,我不得不步行去上班。

    (6)今天停电停水,做不成饭了,我不得不到外边去吃。

(二)为了跟其他分出去的家庭有所区别,就给自己的家族另一个称号

    "所",助词。常跟某些双音节动词一起作"有"或"无"的宾语。作"有"的宾语,如:"有~提高"、"有~发展"、"有~顾虑"、"有~启发"等等,表示动作、行为在程度上稍有加深;作"无"的宾语,如:"无~准备"、"无~考虑"、"无~安排"、"无~差别"等等,表示动作、行为在程度上没有任何变化。例如:

    (1)她对问题已有所认识,就不要再批评她了。

    (2)随着生产的发展,人民生活水平也有所提高。

    (3)这几年贫困地区的经济有所好转。

    (4)比赛日期突然提前了,我们无所准备,所以没有打出水平。

(5)他对困难的这种无所畏惧的态度值得大家学习。

"所"和某些单音节动词的否定式连在一起,一般只能作"无"的宾语,如:"无～不问"、"无～不知"、"无～不谈"、"无～不看"、"无～不听"等等。例如:

(6)他好学好问,知识非常丰富,真是个无所不知、无所不晓的万事通。

(7)他的百宝箱里样样都有,无所不包。

(三)……算起来大约有上千个("起来₃")

"……起来",趋向补语的引申义。主要表示时间上或数量上的一种推算、推测。例如:

(1)算起来他来中国差不多已经十年了。

(2)算起来这已是她第五次举办画展了。

(3)他在银行里的存款算起来也有一百万了。

(4)这家商店的顾客算起来每天大约不少于五六万。

"算起来"中的"起"一般可以省略。如:

(5)算来还不到八点,商店怎么已经关门了?

(6)她是六点出发的,算来也该到家了。

"看(起)来"跟"算(起)来"意义相近,但"看(起)来"是根据客观情况作出的估计、评价,一般并不表示时间和数量上的推算。例如:

(7)看起来这件事还没有结束。

(8)这事看来他不会反对。

(9)看起来这项计划至少还要一年的时间才能完成。

(四)这一家人随后也改姓诸葛了

"随后",副词。表示一件事情紧跟着另一件事情发生,后面常跟"就"配合。例如:

(1)你们先走一步,我随后就到。

(2)大家先说吧,我随后再补充。

(3)起初他断断续续地在一些单位打工,随后又到银行求职,慢慢发了财。

(4)明天下午两点咱们先照个相,随后再举行茶话会。

(5)我上了汽车,随后父亲也赶来了。

"随后"跟副词"随即"有时意义比较接近。但"随即"所表示的时间非常短促,有强调"立刻"的意思,所以能跟"一"搭配使用;而"随后"强调的是时间上前后的承接。下面例句中的"随即"不能用"随后"代替:

(6)小王一发现小李,随即就不说话了。

(7)他的话刚一出口,随即后悔起来。

(五)这种改姓的现象也常常发生,特别是在封建社会……

"特别是",连接两个小句,从上文所指的人或同类事物中单独提出某人或某一事物加以说明,表示这些人和事物对所说的情况是更需要的或更有意义的。"特别是"有"尤其"的意思,一般用在后一小句的句首。例如:

(1)这儿的污染十分严重,特别是水污染和空气污染。

(2)他非常喜爱文学作品,特别是鲁迅的作品。

(3)应该注意节约水电,特别是像上海、北京这样的大城市,更应该注意节约水电。

(4)市场上水果种类很丰富,特别是苹果、橘子、香蕉之类的水果,很受欢迎。

"特别是"引进的小句,其中的谓语如果与前面小句的谓语相同,可以省去。例如:

(5)我们班的女同学都爱打扮,特别是兰兰(更爱打扮)。

(6)应该关怀那些失学儿童,特别是贫困地区的儿童(更应该受到关怀)。

(7)游客都喜欢游览长城,特别是初次来华的外国游客(更喜欢游览长城)。

(六)……称呼他们时必须用另外一个词来代替,不然就是"不尊敬"……

1."不然",连词。跟"否则"相同,起假设转折的作用,有"如果不这样"的意思。引进表示结果或结论的小句,表示对前边所说的事实作假设的否定,并由此推出假设的结论。为了加强假设的语气,前边常有"要"或后边有"的话"跟它搭配。例如:

(1)可惜路上出了事,不然早就到家了。

(2)你再也不能旷课了,要不然就要被取消参加考试的资格。

(3)我每个月都给家里写信,不然的话他们一定会不放心。

(4)他一定有什么重要的事,要不然不会这么晚还没来。

(5)幸亏我们来得早,要不然这本书就买不上了。

2."不然",连词。引进跟上文交替的情况,表示选择。"不然"前常加"再",后面常用"就"呼应。例如:

(6)我叫他"王兄",再不然就叫"老王"。

(7)你可以打电话找他,再不然就亲自去一趟。

(8)用这笔钱买一批书送给山区儿童,再不然就把它捐给"希望工程"。

161

(七)……说不定还要杀头呢

"说不定",动补结构。主要意思和用法有:

1. 表示有很大的可能性,有"也许、或许"的意思。它一般放在主语前,在句中作状语,也可放在主语后。例如:

(1)好久没见他了,他说不定已经回国了。

(2)看这天气,说不定今天要下雨。

(3)这事你去问老王,说不定他知道。

(4)这书说不定以后还用得着,你还是保存起来好。

(5)要买东西就快点去,说不定商店马上就关门了。

(6)你现在去找他,他说不定在家。

2. 表示估计不准,不敢肯定。在句中主要作谓语。例如:

(7)会议能不能准时开始,谁也说不定。

(8)她什么时候回来,我也说不定。

(八)……无非是想让女孩子长得漂亮点儿……

"无非",副词。常用在判断句里,加强肯定的语气,表示所说的事物不会超出说话人所说的范围。意思相当于"不外乎"、"只不过"。常与"是"连用,后面常有"罢了"。

(1)他喜欢旅游,无非是为了散散心,长长见识罢了。

(2)我批评你,无非是为你好,难道还有其他目的?

(3)我这样努力地学习,无非是想多掌握一些知识罢了。

(4)小王无非有点调皮罢了,其他方面都挺不错。

(5)他学习无非是为了一张文凭,所以并不努力。

"无非"常跟"……之流"、"……之类"连用,说明不会超出某一类,表示说话人对某类事物有看不起的意味。例如:

(6)他喜欢的电影很有限,无非是武打、爱情之类的电影。

(7)他的所谓朋友无非是小偷、流氓之流的人。

(8)他爱吃的无非是面条、馒头之类的家常饭。

五 副 课 文

(一)阅读课文　起名儿

起名儿,对农家人来说,本来并不重要。"歪名好养活。"孩子一落地,根据当时当地的情景随便一想,就是个名儿。比如二小、三丫,很少有人去想名字的

162

含义。

多年前,有次回家过年,我到儿时的一个伙伴家去拜访。见到他高大结实的儿子,一问居然还没个大名。

"你是个文化人,给起个大名吧。"当父亲的说。

我便认真起来,找了一本字典,总算翻出个"启程"的名字。当时正是改革开放初期,取的意思是:国家人民踏上了新的路程。

说也巧,当年这孩子便考入县重点中学,三年后又上了大学。人有了出息,名字也响亮了。于是村里人每到有孩子出生,就常求我给起个名字,那种迫切期待的劲儿,就像为孩子找个好前途似的。

今年春节在家,启程的父亲去找我。原来启程已从大学毕了业,分到南方工作了。谈笑之间,他突然对我说:"也给我起个名字吧。"

我吃了一惊,直盯着他的眼睛发呆。他叫云蝶,村里人都叫他蝶子。他开了个家具厂,赚了不少钱。

"走南闯北的,名字太难听。"他低下头,不好意思起来,"什么碟子盘子的,叫人心里笑咱。"

就是嘛,如今的村里人,经济上翻了身,还能让一个过了时的名字压得抬不起头来?

我兴奋地翻了好几天字典,还加上一堆参考资料,起了个名字:"志远"。

没过一星期,老同学进城来,递给我一张名片儿,上面印着:河北省深州市光明家具公司王志远总经理。

"换了名儿才敢大大方方地递名片儿。"他说。哦,原来他还是个有头有脑的总经理呢!

不错,名字是个标志。它标志着农民内心世界的变化,精神面貌的改变。

(二)会话课文　　同名同姓

李宁:小张,你看过最近报纸的报导吗? 一些专家对我国同名同姓的问题展开了讨论,很有意思。

张彬:是呀,我也很注意这些报导。我国汉族有 11 亿人口,可大约只有 3000 个姓氏,而且大多数都集中在几十个大姓上,所以同名同姓的特别多,据说在北京市,叫王淑珍的就有 13000 多个,叫张淑珍的有 11000 多个,叫王淑英的有 12000 多个……

李宁:同名同姓给许多部门的工作带来了不必要的麻烦,例如某市公安局要抓一名叫萧军的杀人犯,可同一条街上却住着四个名叫"萧军"的人,公安人员抓住的那个"萧军"并不是真正的罪犯。他们一连找到三个萧军都跟本案无关,而地道的杀人犯早已得到消息,悄悄溜走了。更糟糕的是第一个被错抓的萧军当时正准备结婚,他的未婚妻一听说未婚夫是杀人犯,竟服毒自杀了,幸亏抢救及时,否则后果难以想像。

张彬:我也听说过:有的医院因为同名同姓发错了药,差点儿没闹出人命;有的银行因此发错了钱;甚至有个别人利用同名同姓到处骗钱,不仅给国家财产造成了巨大损失,而且给好人的名誉带来了很大的伤害。

李宁:同名同姓也闹出不少笑话,我自己就是例子。大家都知道,中国有个体操王子也叫李宁,他不仅名扬天下,而且市场上还有很多用他的名字命名的运动服、运动鞋什么的,可了不起了!一次,跟一位初次相识的朋友见面,我很自然地递过一张名片。你猜对方怎么说?

张彬:怎么说?

李宁:他说:"哇,大名鼎鼎,世界冠军!"弄得我真不好意思!连忙解释:"同名同姓! 同名同姓!"

张彬:我的名字同名同姓的也不少。据报纸报导:一天,一位王先生问家里人:"你们知道张彬是谁?"他母亲说:"我想可能是个演员的名字。"正在厨房里忙着的妻子说:"不! 这好像是一个著名运动员的名字。"老王又问正在上中学的儿子。"我们学过,他似乎是近代史上的大人物,但名字的音您说得不大对。"儿子说。这时,刚参加工作不久的女儿推门进了屋。老王突然问:"你说,张彬到底是谁?"女儿的脸色由红变白,说:"虽然上学时我和他好了很长一段时间,可是我们早就吹了。"

李宁:这是哪儿跟哪儿啊!

张彬:看样子,同名同姓的问题到了非解决不可的时候了。

(三)听力课文　　改名字的故事

她是一个聪明可爱的女孩子,名叫李丽萍。在她五岁那年,妈妈生病去世了。家里只有爸爸和一个姑姑。他们都不喜欢她,因为她有严重的心脏病,无钱医治。

一天,狠心的父亲把她丢在了街头。她在街上整整睡了两天,一个好心的老太太把她抱到了派出所。当时,一位姓刘的先生把她领到了自己家里。

刘先生家里已经有个儿子了,个子比他母亲还高。可是刘先生的妻子特别喜欢女孩。说来也很奇怪:前两天,刘先生的妻子做了一个梦,梦见她和丈夫上街的时候,遇见了一个女孩,名字叫娜娜。今天,丈夫真的给她捡回一个女孩,她怎么能不高兴呢? 于是,他们就成了孩子的父母。得给孩子起个名字呀,梦中的女孩叫娜娜,现在随刘家姓,就叫刘娜吧!

她们给小刘娜换上了新衣服,还给她买了很多好吃的东西。一家人都很喜欢小刘娜。十几天后,他们发现刘娜心脏不好,带到医院去检查,医生说,如果不做手术,孩子肯定活不长。手术费至少要一万元。刘先生一家收入不高,尤论如何也付不起这笔钱。他们含着泪把孩子送到了福利院。

小刘娜是个懂事的孩子,小小年纪便知道帮助大人做事。吃饭的时候,她帮助手脚有毛病的小朋友洗手、端饭;分水果的时候,她把大的分给别的小朋友;有了什么好吃的,她都是先拿给别的孩子;晚上睡觉,她帮小朋友脱衣服……。小刘娜成了人人都喜爱的孩子,她的身体、精神也越来越好。可是,她的病仍然威胁着她的生命。

这座城市有座军队医院,很早就跟福利院结下了深厚的友谊,常常给福利院送医送药。当他们知道了刘娜的不幸经历以后,立刻决定把孩子带到医院做手术,一切费用由医院负担。

1993年11月27日,灿烂的阳光照亮了大地。虽然冬天已早早地来到了这座北方的城市,可人们的心里却像春天似的温暖。小刘娜被轻轻地推进了手术室。医院里有经验的大夫几乎都来了。经过大约两个小时,手术终于结束了。在场的一位领导第一个冲出了手术室,激动地告诉大家:"成功了,手术成功了!"

人们都感动地说:"是解放军救了小刘娜,就给她改名叫军娜吧!"名字改了,连她的生日也改成11月27日了。

一个不幸的女孩儿再一次获得了新的生命。

生　　词

1. 狠心	(形)	hěnxīn	crue-hearted dur; cruel; sans coeur	丁
2. 无论如何		wúlùn rúhé	in any case; at any rate what ever happens de toute façon; quoi qu'il advienne	丙
3. 福利	(名)	fúlì	welfare bien-être	丁
4. 威胁	(动)	wēixié	threaten menacer	丙
5. 解放军	(名)	jiěfàngjūn	the Chinese People's Liberation Army; the PLA man Armée Populaire de Libération	丙

专　　名

1. 李丽萍	Lǐ Lìpíng	name of a person nom de personne
2. 娜娜	Nàna	name of a person

165

3. 刘娜	Liú Nà	non de personne
		name of a person
		nom de personne
4. 军娜	Jūn Nà	name of a person
		nom de personne

六　练　习

(一)熟读下列词组：

全力加以支持　　　　　　认真加以解决
大力加以培养　　　　　　努力加以改进
反复加以考虑　　　　　　决心加以克服

具有吃苦耐劳的精神　　　具有大公无私的品德
具有丰富的知识　　　　　具有巨大的潜力
具有坚定的信念　　　　　具有诗人的气质

把大夫称为白衣战士　　　把干部称为人民的公仆
把下地干活称为修理地球　把祖国称为母亲
把留学生称为海外学子　　把教师称为人类灵魂的工程师

(二)给下列动词搭配上宾语：

1. 尊敬_____、_____、_____、_____

2. 有所_____、_____、_____、_____

3. 无所_____、_____、_____、_____

4. 称呼_____、_____、_____、_____

5. 继承_____、_____、_____、_____

(三)用指定词语回答问题：

1. 这次会议你打算怎么进行？需要哪些人参加？

_____。(有所　特别是)

2. 李院长,我的住房问题什么时候能解决呢？

_____。(尽管　加以)

3. 你什么时候做完作业呀？大家等着你打球呢!

_____。(随后　不然)

4. 你估计出国签证什么时候能下来?

　　＿＿＿＿＿＿＿＿＿＿＿＿＿＿＿＿＿＿＿＿＿＿＿。（说不定　看起来）

5. 这件事让别人去办就行了,为什么你要亲自跑一趟?

　　＿＿＿＿＿＿＿＿＿＿＿＿＿＿＿＿＿＿＿＿。（不得不　再说　顺便）

(四)选择下列词语填空:

　　　看起来、有所、要不然、不得不、从此、特别是、无非、随后、无所
　　　获得、算起来、说不定

1. 今天你要出门就早点儿起床,＿＿＿＿＿干脆别出去了。

2. 说来说去,＿＿＿＿＿是让你好好学习,没有别的意思。

3. 从 A 城到 B 城,＿＿＿＿＿至少有三百公里。

4. 很多老人对中国的传统节日都很重视,＿＿＿＿＿春节。

5. 今天天气这么好,＿＿＿＿＿明天也不会下雨。

6. 歌舞团的表演在晚会上＿＿＿＿＿了巨大的成功。

7. 这个案件领导已＿＿＿＿＿了解,正在进一步进行调查。

8. 这件事对他打击太大,＿＿＿＿＿他对前途失去了信心。

9. 他们俩关系极好,在一起几乎＿＿＿＿＿不谈。

10. 她随身带了 1000 元,＿＿＿＿＿她母亲又给她寄去 2000 元。

11. 你这么晚才去,＿＿＿＿＿电影早散了。

12. 事情已经到了这种地步,我们＿＿＿＿＿另想办法。

(五)用指定词语完成句子:

1. 我劝你报考研究生,＿＿＿＿＿＿＿＿＿＿＿＿＿＿＿＿＿＿＿＿＿＿。　（不然）

2. 我们去吃西餐吧,＿＿＿＿＿＿＿＿＿＿＿＿＿＿＿＿＿＿＿＿＿＿。　（不然）

3. 大家首先对戒毒的重要性发表了意见,＿＿＿＿＿＿＿＿＿＿＿＿＿＿＿

　　＿＿＿＿＿＿＿＿＿＿＿＿＿＿＿＿＿＿＿＿＿。　（随后）

4. 只要有空她就去跳舞,＿＿＿＿＿＿＿＿＿＿＿＿＿＿＿＿＿。　（特别是）

5. 这儿展销的家具质量都不太合格,＿＿＿＿＿＿＿＿＿＿＿＿。　（特别是）

6. 她生了一场大病,＿＿＿＿＿＿＿＿＿＿＿＿＿＿＿＿＿＿。　（从此）

7. 小李受到老师和同学的严厉批评，_____。（从此）

8. 你学习成绩虽然不错，但清华大学要求的条件很高，而且考的人很多，
_____。（有所）

9. 他样子很年轻，_____。（看起来）

10. 小王的亲戚朋友都来参加她的婚礼了，_____
_____。（算起来）

11. 小梅一连跑了十几家商店，_____。（无非）

12. 安娜没早没晚地打工，星期天也很少休息，_____
_____。（无非）

13. 还是带上雨衣吧，_____。（说不定）

14. 要不是老师和同学们帮助他，_____。（说不定）

15. 家里刚寄来的钱就丢了，_____。（不得不）

16. 爸爸来电话说，妈妈病得很重，_____。（不得不）

(六)模仿造句：

1. 世界上大多数民族的姓出现得都比较晚，长则几百年，短则数十年。
（……则……则……）

2. 如果去掉姓氏，这些成语、俗语等也就不存在了。
（如果……，也就……）

3. 在母系氏族社会，母亲是氏族的代表，孩子只知道自己的母亲，而不知道
父亲是谁，所以孩子是随母亲的。
（只……而……所以……）

4. 这些自然灾害到底是怎么产生的，人们都无法科学地加以解释，于是产
生了一种既神秘又恐惧、既惊喜又崇拜的心理。
（到底……都……于是……）

5. 尽管他们仍然保留原来氏族的姓，但为了跟其他分出去的家族有所区
别，就给自己的家族另一个称呼，这就是"氏"。
（尽管……但……就……）

(七)根据阅读课文内容回答下列问题：

1. 为什么说中国具有世界最悠久的姓氏文化传统？

168

2. 姓氏在中国文化中有哪些反映？举例说明。

3. 最初的"姓"是怎么产生的？

4. "氏"是怎么产生的？跟"姓"有什么区别？

5. "姓"和"氏"是怎么合而为一的？

6. 复姓诸葛有几个来源？是怎么产生的？

7. 改姓是怎么产生的？举例说明古时候为什么改姓？

8. 汉字"名"是什么意思？

9. 中国人名的随意性是怎么表现的？举例说明。

10. 李四光的名字是怎么得来的？

11. 聂耳的名字是怎么得来的？

(八)阅读练习：

1. 根据阅读课文内容,选择一个最恰当的答案。

(1)村里人常求"我"给孩子起名,是因为：

   A. 村里人自已不会起名。

   B. "我"是个文化人,起名起得好。

   C. "我"给儿时伙伴的儿子起了个名字,后来这孩子有出息了。

   D. 改革开放了,村里人希望要个好名字。

(2)启程的父亲找"我"也给他起个名字,是因为：

   A. 启程的父亲原来没有大名。

   B. 他原来的名字太难听,现在经济上翻身了,不愿让过时的名字压得抬不起头来。

   C. 儿子有了好听的名字,父亲也要一个好听的名字。

   D. 他当了有头有脑的总经理,需要一个更好听的名字。

2. 根据阅读课文内容回答：

(1)为什么农家人以前很少想名字的含义？

(2)"我"儿时的伙伴为什么让"我"给儿子起名？

(3)"启程"这个名字是什么含义？

(4)启程有什么变化？

(5)启程父亲原来的名字为什么不好听？

(6)名字的变化反映了什么问题？

(九)口语练习：

1. 分角色进行对话练习,注意语音语调。

2. 根据下列问题进行讨论：

(1)造成同名同姓的主要原因是什么？

(2)同名同姓惹出了哪些麻烦？

3. 对话：

甲："王子"原来的意思是什么？"体操王子"又是什么意思？

乙：_____。男的叫"体操王子"，如果李宁是个女的，那该怎么称呼呢？

甲：_____。

乙："我们早就吹了"里的"吹"是指关系断了吗？还有哪些场合可以用"吹"这个词？

甲：_____。那么，"哪儿跟哪儿"的确切意思是什么呢？

乙：_____。

4. 设计一段对话，用上"哪儿跟哪儿"。

(十)听力练习：

1. 听录音判断正误，并说明理由。

( ) (1)李丽萍生下来就没有了母亲。

( ) (2)李丽萍的爸爸和姑姑不喜欢她。

( ) (3)是一个好心的老太太发现了她。

( ) (4)刘先生家没有孩子，所以收下了她。

( ) (5)刘家给小姑娘起名叫刘娜，因为刘先生的妻子梦中遇见的女孩叫刘娜。

( ) (6)刘家又把小姑娘送回了派出所。

( ) (7)最后是福利院留下了小姑娘。

( ) (8)小姑娘在福利院表现得很好。

( ) (9)小姑娘在福利院因为有病，精神很不好。

( )(10)福利院花了一万元请军队医院给小姑娘做了手术。

( )(11)军队医院的领导和医生对这次手术很重现。

( )(12)小姑娘改名叫军娜，是因为解放军救了她。

( )(13)小军娜的生日原来就是 11 月 27 日。

2. 根据录音内容复述大意。

(十一)交际训练：

1. 自由对话：

下面这几组真实的姓名，每组名字放在一起都有特殊的意义，请同学们看后发表自己的意见：

(1)一家姓刘的父子，父亲叫刘声东，儿子叫刘击西，父子两人的名字加在一起是什么意思？〔提示："声东"可以理解为什么？"击西"可以理解为什么？成语"声东击西"的本义是什么？(可查词典)它的引申义又是什么？〕

(2)一家姓叶的，父亲叫叶茂盛，三个女儿分别叫叶青、叶涛、叶林。为此，女主人写了一副对联。上联："叶儿青青"，下联："林海涛涛"，横批："叶茂盛"。你能说出这副对联的妙处所在吗？

2. 讨论：

(1)你们国家也有同名同姓的现象吗？举几个同名同姓的笑话。

(2)你认为避免同名同姓的最好办法是什么？

(3)你所接触到的中国人名中，哪个姓名最有意思？为什么？

3. 语言游戏：

(1)姓名搭配。

这是从报刊杂志上记录下来的姓名，教师把这些姓和名分开、打乱，让同学们重新组合，并指出这些姓名的含义：

①姓：宇(Yǔ)、路、柴、田、阎(Yán)、江、常、司、关、甄(Zhēn)、郝(Hǎo)、洪、印、安

②名：野、令、肃、江、人、妙、旗、静、宙(Zhòu)、爽(Shuǎng)、山美、键(Jiàn)、娜、妮(Ní)

(2)取外号。

根据本班同学姓名的中文译音，他们的性格、爱好、特长等，相互取一个善意的外号。注意：取外号前，先要得到他本人的同意。

(3)下列真实的姓名是什么意思？它可能引起你什么样的联想？

　　白丁、曾有情、杨化童、操风琴、别鸣、田密、过敏

4. 看一看，说一说，写一写(见172页)。

huà

化

古文字形是一正一倒的两个人的形象。变化之大莫过于颠倒,所以用人形正倒来表示变化的意思。

选自《汉字的故事》,施正宇编著

第二十四课

一　课文　陕北姑娘

　　我看你还年轻,结了婚没有? 没有。好,那我跟你说说这夫妻之道。我结过两次婚,可以说有那么一点经验。

　　我的第一个妻子是个陕北姑娘,因为家乡生活太苦,到新疆来投靠[1]姨妈。这姨妈只想把她早点推出去。我看这姑娘一脸正气[2],不是个轻狂[3]的样子,就和她结了婚。

　　这陕北姑娘是个好姑娘,人勤快[4],针线锅灶[5]都能拿得起、放得下,跟邻居没有一句闲话[6],从不惹是生非[7]。每个月交给她的钱,怎么花的,一五一十[8]她都记在小本子上。我收车回去,热饭热菜总在桌上等着我;衣裳[9]脏了、破了,不等我说话,早给我拾掇[10]好了。可要说感情呢,那是绝对地没有!

　　我也学着培养感情。那些年,你也知道,外头乱哄哄[11]的,想为国家多出力都出不上,只好一心[12]建设自己的小家庭。我打了不少家具,什么大衣柜、酒柜、沙发等等。反正我出车巴基斯坦的时候攒[13]了一笔钱,每个月的工资也足够两口人花的。

　　可是,她对我的态度,却始终像一个仆人[14]对主人的态度,甚至比这还不如。雇[15]来的保姆有时还跟主人笑一笑,她脸上连一丝丝的笑容都看不出来。打的这些家具,她从来不认为是她的,我在家不在家,她都不坐坐沙发;我给她买的衣裳,她一件也不穿。我看得出,这不是为了节约,她是有意[16]要跟我拉开距离。碰上我休假,或是[17]收了车回来,两口子在房里的时候,她不是想方设法[18]地干些不必要干的事,就是像受气包[19]一样,一个人搬个小凳子[20]坐得远远的;两个大眼睛里空荡荡[21]的,把一声叹息匀[22]成很长很长的呼吸,悄悄地吐出去。我拉她出去看个电影,她就把脊背[23]对着我:"看啥[24]? 老是《沙家浜》《威虎山》!"这话也对,那咱们就聊天吧。可除了家务上必要的事,她跟我别说有一句带点感情的话,连一句多余[25]的话都不说。

就这样,我们过了小半年。后来,我慢慢发觉[26],街坊[27]邻里的大嫂、大婶[28]见了我,老是带着一脸怜惜[29]我的样子,神情都有点特别。刚结婚的时候,我收车回来,进了家属大院,妇女们经常拦住我,拿我们小两口的事开玩笑。这些老娘儿们[30],什么见不得人的事都能说得出口。现在,跟我打起招呼来却是吞吞吐吐[31]的,在我面前连提都不提我老婆[32]了。这是什么原因呢?我们虽然感情冷淡[33],可从来没吵过一句呀!

后来,几个司机把大家知道的情况告诉了我。原来,三个多月前,从陕北来了个小伙子到我家里找她,邻居不知道他们是什么关系,光听见他们俩在屋里哭,声音很低,但挺伤心。不久司机们就又收集了不少情报[34]:这小伙子是跟她同一个村的,刚复员[35]的义务兵,这次特地千里迢迢[36]来寻她,他们之间原先[37]准有什么瓜葛[38]。现在小伙子在家属大院斜对门[39]的畜产[40]公司找了个烧锅炉[41]的临时工干,我不在家的时候经常到我家。一去,两个人就关起门来说悄悄话。我知道这件事之后,又痛苦、又烦恼,可始终没想好应该怎么办。

后来,因为车要检修[42],我在家待了几天。一天中午,我提着扳子[43]回到家,一进门,她正跟那小伙子在一起!

她坐在床上,小伙子坐在她旁边的小凳子上,两个人都低着脑袋,愁眉苦脸地好像在想什么办法。见我突然进来,他们连忙站起来。小伙子一脸惊慌失措[44]的样子;她倒显得很镇静,一步跨到我跟小伙子中间,与其[45]说她用她的身子挡住小伙子,倒不如说她用她脸上的表情[46]向我表示:"你看着办吧!要打要骂都冲我来!"

小伙子趁我愣神[47]的时候,嗖[48]地从她身后跑了。她这才朝床上一坐,一脸横下一条心的坚决劲儿。

我牙齿打着牙齿,连连[49]问她:"他是谁?这小伙子是谁?"

她先是不说一句话,慢慢地,两行眼泪从她一对大眼睛里簌簌[50]地往下直流,滴滴答答[51]掉在她前襟[52]上。她也不低头,也不转过脸去,也不出声,就这么坐着流泪。

既然她不说话,我就去找那小伙子。不管怎么样,事情总得搞清楚。我饭也没吃——这时候谁还咽得下一口饭,一甩手走了。

174

小伙子不是个窝囊[53]人。见我推开摇摇晃晃[54]的纸板门进来,好像早知道我要来找他似的,挺客气地又是让坐,又是倒茶。"伸手不打笑脸人",我能怎么样呢?总不能一进门就揍[55]人家吧,只好坐下来听他说话。

小伙子说,他们俩自小就在一个村长大,七八岁开始就一块儿上山扒[56]柴,一块儿上的学校。十七八的时候,两人订了终身,家里大人也同意的。以后他参了军,说好复员回来就结婚。可是这期间家乡闹灾荒[57],她爹又得病死了,他家也是自顾不暇[58],这姑娘只好到"口外"来投姨妈。姨妈明[59]知道他们有这档[60]事儿,可是看我的工作好、工资高,又能报上户口[61],就硬[62]逼着她嫁给我。姑娘呢,眼看姨妈家呆不成了,未婚夫[63]又远在千里之外,一时失去了主张,就跟我结了婚。然而,姑娘跟他说,她无时无刻不在想念他。

小伙子说:"咱们都是年轻人,我坦白[64]地跟你说吧,我来是要她跟你离婚,把她寻回我身边的,或是回家,或是就在新疆找个工作——来了这三个月,我也看了:新疆好活人。她呢,虽然跟你没有感情,可她说你是个好人,又不忍[65]伤你,这就两头为难[66]了。最近,我也有点看开了,既然咱们仨[67]都错了,我就退出算了。可我要跟你说的是:一,我们没背着你干那见不得人的事。二,我和她订婚[68]在前,你和她结婚在后;我们俩在一起十七八年,你和她只生活了半年;你们俩是在没有感情的情况下结的婚,就现在,你们俩又有多深的感情呢?而我们俩是在有感情的情况下订的婚,在部队的三年,我每天都想着她;所以说,你要叫我一时抛[69]开她不想,也是不可能的。你要能理解这点,那就能原谅我。要不原谅,那你就揍我一顿,可我也不会不还手,因为我没做那亏心[70]事,我还觉着我挺有道理哩!"

小伙子一面说,一面还从枕头底下掏出她过去做的肚兜[71]、荷包[72]、布鞋来证明她对他的感情。大概这是他们陕北人定情[73]的信物[74]吧。我听着小伙子的话,看着这一摊[75]花花哨哨[76]的东西,心里酸溜溜[77]的——她一件也没给我做过。可知道她还认为我是个好人,心里又暖暖的——这是她背着我说的真心话。我没把她看错,她果真[78]不是个轻狂的女人,而是个有情有义[79]的正经女人。可惜的是,她的情义不在我身上。

不过,我的气[80]还没全消[81]下去。我说:"你说你们没背着我做那见不得人的事,为啥你一见我就跑?"

小伙子红着脸说:"你手上拿着头号扳子,我怕你在气头上闹出事来。"

我说:"你跑了,你就不怕我揍她?还说跟她有感情哩!"

小伙子低着脑袋嘟哝[82]说:"那阵子,我正在门外站着哩……"

正说着话,她急急忙忙地推门进来了,大概她以为两个男人打起来了吧。看见我们好端端[83]地坐着,松了一口气,可又靠着门哭了起来。这次哭出了声音,哭得挺伤心。

停了好半天,我终于说:"算了,你别哭了,事情已经搞成这个样子。现在很明白:我跟他,这两个人中间你只能跟一个。你现在就决定吧,究竟你跟谁?"

她还是哭,不说话。我看这一刻她把一辈子的眼泪都淌干了。过了一会儿,小伙子也呜呜咽咽[84]地叫着她的小名说:"你还是跟他过吧。到这里来,我看见你生活好了,也放心了。咱俩没缘分,白好了一场,过去的就过去了吧。"

小伙子的话刚说罢,她哭得更厉害了,可以说是嚎啕[85]大哭起来。这不就等于表态了?何必再折磨她呢?我心里更怜惜她了,只怪自己没这个福分[86]。我说:"她的态度很明白了。跟我过,她难受,我难受,你也难受。我跟你们一样,也是从内地[87]来的。这种事,我见的多了,只怨自己老家没搞好。可咱们中国大得很,只要你们肯下力,没有绝人之路,在这儿,你们生活会好起来的。你们俩一块儿过吧。"

我说完这话,她不嚎了,抽抽搭搭[88]地,情绪慢慢平静下来。尽管当时我有种好像卸[89]了担子[90]的轻松的感觉,可是想到自己竟然不能得到这姑娘的感情,想到自己的孤单[91],心里又委屈,又凄凉[92],也不禁流下了眼泪。我们三人,就在这小土房里一齐哭。

我跟她很快就办好了离婚手续。她收拾完自己的东西临走的那天下午,磨磨蹭蹭地不出门,给我做完最后一顿晚饭,她低声细语地说:

"要不[93],我就在这儿再睡一晚上吧。"

这是她跟我说的惟一一句带感情的话。我懂得她的意思。唉,农村的女人,只有用这个来表示她的感激。可这也仅仅是感激而已[94]。我说:"算了,你走吧。我图的是人心,不是这个。你好好跟他过吧,别再分心了。以后,咱们虽不是夫妻,还是朋友,有什么困难尽管来找我……"

这几年允许私人营业以后,两口子摆了个小吃摊,专卖陕北小吃。我看他们的生意比维族人的烤肉摊还好。

现在,我们两家经常来往[95]。我爱人每次来乌鲁木齐,都要吃他们摊上的羊肉水饺。我劝你也去尝一尝,真不错!

(选自《肖尔布拉克》,作者:张贤亮。有删节。)

二 生 词

1. 投靠	(动)	tóukào	go and seek refuge with sb. aller chercher refuge chez qn.	
2. 正气	(名)	zhèngqì	honest and decent look probitée; loyauté	
3. 轻狂	(形)	qīngkuáng	extremely frivolous léger; frivole	
4. 勤快	(形)	qínkuai	diligent; hardworking travailleur	
5. 灶	(名)	zào	kitchen range; cooking stove foyer; fourneau	丁
6. 闲话	(名)	xiánhuà	digression; gossip commérage; bavardage	丙
7. 惹是生非		rě shì shēng fēi	provoke a dispute; stir up trouble semer la discorde; exciter les querelles	
8. 一五一十		yī wǔ yī shí	systematically and in full detail (raconter) en détail	
9. 衣裳	(名)	yīshang	clothing; clothes vêtement	丁
10. 拾掇	(动)	shíduo	tidy up; fix arranger; mettre en ordre	
11. 乱哄哄	(形)	luànhōnghōng	in a hubbub; tumultuous bruyant; tumultueux	
12. 一心	(副)	yìxīn	wholeheartedly; heart and soul de tout cœur	丙
13. 攒	(动)	zǎn	save épargner; économiser	丁
14. 仆人	(名)	púrén	(domestic) servant; page domestique; servante	丁
15. 雇	(动)	gù	hire; employ embaucher; employer	丙

16. 有意	（动）	yǒuyì	intentionally; on purpose exprès; avec intention	丙
17. 或是	（连）	huòshì	or ou; ou bien	丁
18. 想方设法		xiǎng fāng shè fǎ	do everything possible chercher tous les moyens possibles	丁
19. 受气包	（名）	shòuqìbāo	a person whom anyone can vent his spite upon victime de la colère d'autrui	
20. 凳子	（名）	dèngzi	stool tabouret	丙
21. 空荡荡	（形）	kōngdàngdàng	empty vide	
22. 匀	（动、形）	yún	even up; divide evenly; even égaliser; égal	丁
23. 脊背	（名）	jǐbèi	back(of the human body) dos	
24. 啥	（代）	shá	what quoi	丁
25. 多余	（形）	duōyú	unnecessary; superfulous de trop; superflu	丙
26. 发觉	（动）	fājué	find; discover découvrir	丙
27. 街坊	（名）	jiēfang	neighbor voisin	丁
28. 婶(子)	（名）	shěn(zi)	aunt tante	丙
29. 怜惜	（动）	liánxī	have pity for sympatiser; avoir pitié	
30. 娘儿们	（名）	niángrmen	(a form of address for married women) femme	
31. 吞吞吐吐	（形）	tūntūntǔtǔ	hesitate in speech (parler)avec hésitation	
32. 老婆	（名）	lǎopo	wife femme; épouse	丙
33. 冷淡	（形）	lěngdàn	cold; indifferent froid; indifférent	丁
34. 情报	（名）	qíngbào	information information; renseignement	丙
35. 复员	（动）	fùyuán	demobilize démobiliser	

36. 千里迢迢		qiān lǐ tiáotiáo	from afar lointain	
37. 原先	(名、副)	yuánxiān	formerly; originally au début; à l'origine	丙
38. 瓜葛	(名)	guāgé	connection; association relation; liaison	
39. 对门	(名)	duìmén	(of two houses)face each other; the building or room opposite en face	丙
40. 畜产	(名)	xùchǎn	livestock products produits de l'élevage	
41. 锅炉	(名)	guōlú	boiler chaudière	丙
42. 检修	(动)	jiǎnxiū	examine and repair; overhaul réviser; remettre en état	丁
43. 扳子	(名)	bānzi	spanner; wrench clé	
44. 惊慌失措		jīnghuāng shī cuò	frightened out of one's wits; be thrown into panic and confusion être pris de panique	
45. 与其	(连)	yǔqí	It's better...than... il vaut mieux...; plutôt que...	丙
46. 表情	(名)	biǎoqíng	expression; look expression; air	丙
47. 愣神		lèng shén	stare blankly; be in a daze regarder devant soi les yeux vides	
48. 嗖	(象声)	sōu	(onomatopoeia) sifflement	
49. 连连	(副)	liánlián	repeatedly; again and again à plusieurs reprises	丁
50. 簌簌	(象声)	sùsù	(tears)streaming down (onomatopée)	
51. 滴答	(象声)	dīdā	(onomatopoeia) tic-tac (onomatopée)	
52. 前襟	(名)	qiánjīn	the front part of a Chinese robe or jacket les deux pans de devant d'une veste	
53. 窝囊	(形)	wōnang	stupid; good-for-nothing bon à rien; stupide	丁
54. 摇晃	(动)	yáohuàng	sway; shake secouer	丙
55. 揍	(动)	zòu	beat	丁

			battre; frapper	
56. 扒	(动)	pá	rake up râteler; ramasser	丁
57. 灾荒	(名)	zāihuāng	famine due to crop failures famine; disette	丁
58. 自顾不暇		zì gù bù xiá	be unable even to fend for oneself (much less look after others); be busy enough with one's own affairs être incapable de s'occuper de ses propres affaires	
59. 明(明)	(副)	míng(míng)	clearly clairement	丙
60. 档	(量)	dàng	(a classifier; a measure word) (spécificatif)	
61. 户口	(名)	hùkǒu	registered permanant residence registre d'état civil	丁
62. 硬	(副)	yìng	obstinately obstinément	丙
63. 未婚夫	(名)	wèihūnfū	fiancé fiancé	
64. 坦白	(形)	tǎnbái	frank franc	丁
65. 不忍	(形)	bùrěn	cannot bear to ne pas pouvoir supporter	
66. 为难	(形、动)	wéinán	awkward; feel awkward embarassé; se trouver dans l'embaras	丙
67. 仨	(数)	sā	three trois	
68. 订婚		dìng hūn	be engaged to se fiancer	丙
69. 抛	(动)	pāo	cast aside; throw abandonner	丙
70. 亏心	(形)	kuīxīn	have a guilty conscience se sentir coupable	
71. 肚兜	(名)	dùdōu	an undergarment covering the chest and abdomen sous-vêtement couvrant la poitrine et le ventre	
72. 荷包	(名)	hébāo	small bag bourse	
73. 定情		dìng qíng	pledge in love se fiancer avec	

180

74. 信物	（名）	xìnwù	keepsake	
			témoignage; souvenir	
75. 摊	（量、名）	tān	(a measure word for thick liquid,	丙
			etc.) vendor's stand; stall	
			étalage (spécificatif)	
76. 花哨	（形）	huāshao	flowery	
			bariolé; multicolore	
77. 酸溜溜	（形）	suānliūliū	sour; sad	
			acide; aigre; jaloux	
78. 果真	（副）	guǒzhēn	if indeed; if really; truly	
			en effet	
79. 有情有义		yǒu qíng yǒu yì	have the true feeling between...	
			avoir de l'affection	
80. 气	（名）	qì	spirit; morale(esp. low spirit or	丙
			anger)	
			colère	
81. 消	（动）	xiāo	cool down	丁
			apaiser; disparaître	
82. 嘟哝	（动）	dūnong	mutter	
			murmurer; marmonner	
83. 好端端	（形）	hǎoduānduān	in perfectly good condition	
			tout va bien	
84. 呜咽	（动、形）	wūyè	sob; sobbing	
			sangloter; gemissant-e	
85. 嚎啕	（形）	háotáo	cry loudly	
			pleurer à chaudes larmes	
86. 福分	（名）	fúfen	good fortune	
			chance; bonheur	
87. 内地	（名）	nèidì	inland; interior; hinterland	丁
			intérieur; arrière-pays	
88. 抽搭	（动）	chōuda	sob	
			sangloter; gemir	
89. 卸	（动）	xiè	unload	丙
			décharger	
90. 担子	（名）	dànzi	a carrying pole and the loads on it;	丁
			load; burden	
			fardeau; charge	
91. 孤单	（形）	gūdān	lonely; alone	丁
			seul	
92. 凄凉	（形）	qīliáng	dreary; desolate; miserable	丁
			triste; mélancolique	

181

93. 要不	（连）	yàobù	otherwise; or else; or	丙
			sinon; autrement	
94. 而已	（助）	éryǐ	that is all	丙
			seulement; c'est tout	
95. 来往	（动、名）	láiwǎng	contact; intercourse	丙
			se fréquenter; relation; fréquentation	

专　名

1. 陕北		Shǎnběi	the northern part of Shanxi province
			nord de la province du Shanxi
2. 巴基斯坦		Bājīsītǎn	Pakistan
			Pakistan
3. 《沙家浜》		《Shājiābāng》	Shajiabang(name of a Beijing Opera)
			nom d'un opéra de Beijing
4. 《威虎山》		《Wēihǔshān》	Tiger Mountain(name of a Beijing Opera)
			nom d'un opéra de Beijing
5. 口外		Kǒuwài	name of an area
			au-delà des passes de la Grande Muraille
6. 乌鲁木齐		Wūlǔmùqí	name of a city
			nom de ville

三　词语搭配与扩展

(一)培养

[~宾]~青年|~作家|~技术员|~感情|~人才

[状~]尽快~|已经~|把……~(成)|应该~|一心~

[~补]~得及时|~起来|~了一年|~一下

[~中]~的科学家|~的期限|~的过程|~的方法

　　(1)培养青年是我们义不容辞的责任。

　　(2)几年来,我们单位培养了十几个农业技术员。

(二)节约

[~宾]~粮食|~水电|~时间|~汽油|~资金

[状~]自觉地~|每年~|已经~|一定要~|不~

[~补]~一点|(你也)~起来了|~得多|~不了(那么多)

[~中]~的方法|~的目的

　　(1)你如果这样做,可以节约不少电。

　　(2)他们现在的安排最节约时间了。

(三)多余

[动~]认为~|觉得~|感到~

[状~]实在~|有点~|太~了

[~中]~的资金|~的人员|~的房间|~的话|~的精力

　　(1)你的担心不是多余的,今天他果然出了交通事故。

　　(2)谁有多余的电影票?

(四)冷淡

[主~]态度~|表情~|语调~|样子~

[动~]显得~|觉得~

[状~]实在~|不应该~|对……~|很~|被(朋友们)~

[~补]~极了|~得很|~起来

[~中]~的态度|~的样子

　　(1)你对顾客这么冷淡,怎么能当好售货员呢?

　　(2)见她那副冷淡的样子,我的心一下子凉了。

(五)情报

[动~]收集~|得到~|需要(这方面的)~|分析~

[~动]~搞(到)了|~送(出去)了|~减少了|~翻译(完)了

[定~]军事~|经济~|重要~|这些~|收集到的~

[~中]~中心|~的来源|~的价值|~的性质

　　(1)他这次去的任务是收集那里的经济情报。

　　(2)我们花了很长时间才搞到这些科技情报。

(六)义务

[动~]尽~|有~|履行……的~|……是公民的~|承担~

[~动]~劳动|~种树|~培训|~献血|~看病

[定~]父母的~|公民的~|神圣的~|教师的~

　　(1)保卫祖国是每个公民应尽的义务。

　　(2)明天下午,我参加学校组织的义务劳动。

(七)检修

[~宾]~收录机|~空调|~摄像机|~抽油烟机|~设备

[状~]仔细~|立即~|刚~(完)|把……~(一下)|应该~

[~补]~得快|~完|~起来|~一下|~了一次

[~中]~的车辆|~的原因|~的方法|~的结果

　　(1)这辆轿车刚刚检修完,你可以用了。

　　(2)小马,这些设备都检修过了吗?

(八)坦白

[主～]胸怀～|态度～|心胸～|为人～

[～动]～(地)说|～(地)告诉(你)|～(地)承认

[～宾]～错误|～罪行|～问题|～……的经过

[状～]十分～|如此～|只好～|主动～

[～补]～极了|～得很

[～中]～的人|～的表现|～的时间|～的地点|～的过程

  (1)我们要做一个胸怀坦白的人。

  (2)我坦白地告诉你:你再这样下去,总有一天要进监狱的。

(九)为难

[动～]显得(很)～|感到～|觉得(十分)～

[状～]确实～|太～了|不必～|有点～

[～补]～得不得了|～极了|～死了|～起来|～了一会儿

[～中]～的样子|～的神情|～的原因

  (1)他提出的要求使我们感到很为难。

  (2)小陈为难地说:"今天晚上我跟朋友有个约会,能不能不加班?"

(十)卸

[～宾]～货|～车|～零件|～锁|～(下)思想包袱|～担子

[状～]尽快～(下来)|把……～(下来)|已经～(完)|不要～|连续～|在哪儿～

[～补]～得慢|～下来|(你把货)～一下|(没工具)～不了

[～中]～的时间|～的地点|～的过程

  (1)你把门上的锁卸下来,换上新的。

  (2)我们刚把车上的货卸下来,就下起雨来了。

(十一)来往

[动～]继续～|停止～|开始～|保持～|坚持～|有～

[～动]～增加|～减少|～中断

[状～]长期～|跟他～|可以～|不要～

[～补]～起来|～不多|～下去|～过几次|～了一段时间

[～中]～的朋友|～的时间|～的目的|～的方式

  (1)我早跟你说过了,你为什么直到现在还跟他来往?

  (2)我跟刘先生来往不多,对他不太了解。

四 语 法 例 释

(一)她不是想方设法地干些不必要干的事,就是像受气包一样,一个人搬个小凳子坐得远远的

"不是……就是……",连接两个并列成分,组成并列复句。

1. 表示选择。有"二者必居其一"的意思。例如:

  (1)这个时间,老王不是在图书馆就是在办公室,肯定不会在家里。

  (2)她根本不会骑车,所以不是坐车去就是走着去。

  (3)现在家里就两个人,不是哥哥去接妈妈,就是姐姐去。

  (4)后天就开学了,安娜不是今天到就是明天到。

  (5)他那点儿病我都知道,不是牙疼就是头疼,其他什么毛病都没有。

2. 表面上是选择,实际上是借用两个例子来概括说明某种情况,表示列举。有"或者……或者……"的意思。例如:

  (6)晚饭后,她一般不是散散步就是聊聊天,或是看看电视。

  (7)春节前,不是打扫卫生就是买年货,忙着准备过年。

  (8)李师傅节假日也不休息,不是帮人修电视就是帮人安天线、装空调,
    没闲过。

(二)与其说她用她的身子挡住小伙子,倒不如说她用她脸上的表情向我表示……

"与其……不如……",所构成的复句表示在比较之后的选择。"与其"后面是说话人认为应该舍弃的,而"不如"后面则是应该选取的。"不如"前可以用"倒"、"还",加强选取方面的语气。例如:

  (1)我的胃不好,与其吃药,不如打针。

  (2)颐和园不远,与其坐公共汽车去,不如骑自行车。

  (3)我认为质量是最重要的,与其买这个便宜的,不如买那个价钱贵的、
    质量好的。

  (4)与其没完没了地修理这辆车,倒不如去买一辆新的。

  (5)与其匆匆忙忙地开始干,倒不如把准备工作做得更充分一些好。

"与其说……不如说……",表示对客观情况的判断。在说话人看来,后一种说法更准确些。例如:

  (6)这次比赛失败,与其说是因为技术水平不高,倒不如说是因为心理
    素质差。

  (7)与其说我是你们的老师,倒不如说你们是我的老师,因为你们教会
    了我很多东西。

(8)他的那些话与其说是批评,倒不如说是鼓励。

(三)我牙齿打着牙齿,连连问她

"连连",副词。表示在较短的时间里动作、行为连续地反复进行。例如:

(1)告别时,嫂子连连嘱咐我:"千万要注意安全。"

(2)我看到坐在台下的老师连连点头,这才放了心。

(3)船开了,虎子连连挥手,叫大家不要送了。

(4)奶奶连连叹息道:"这孩子太苦了,从小就没有父母。"

(5)岳父看完报导,连连称赞程志这孩子有出息。

(6)义务演出非常成功,山区领导连连表示:"太感谢了,你们辛苦啦!"

(四)不管怎么样,事情总得搞清楚

"不管",连词。有"不论"的意思。表示某种情况或行为的出现,不受任何条件的限制或影响。在使用上有两种格式。

1."不管"与"多么"、"怎么样"、"谁"等疑问代词连用,后边与"总"、"都"、"也"等呼应,构成条件复句。例如:

(1)不管情况多么复杂,你都要想办法跟我们取得联系。

(2)这个试验是秘密的,不管是谁,你都不要告诉他。

(3)不管条件多么困难,她都能给我们弄来吃的。

(4)她不管心里多么痛苦,脸上还总是带着笑容。

(5)不管每天工作多么紧张,他都坚持读两个小时的报纸。

2."不管"与选择式的并列结构连用,有些并列结构的各项之间有连词"还是"、"或者"、"和"等,后面也常与"总"、"都"、"也"呼应,构成条件复句。例如:

(6)这是工作,不管你喜欢不喜欢,都应该努力去完成。

(7)不管冬天还是夏天,他都用凉水洗澡。

(8)不管是领导还是普通工人,都应按规定办事。

(五)姨妈明知道他们有这档事儿

"明",副词。表示"很明显地、清清楚楚地、确实地",作状语。下文的意思往往有转折。例如:

(1)他明知道我不喜欢这种颜色,为什么还买这种颜色的窗帘?

(2)安娜明知道父亲不同意,但还是偷偷地报了名。

(3)李坚明知道今天的会很重要,可他还是没来参加。

(4)工人们明知道困难很大,但还是把任务接受了下来。

"明明"与"明",意思、用法基本相同,但"明明"用得更广泛,而且有强调的

意味。下面的句子,不可用"明"替换。例如:

(5)刚才我明明看见他上车了,怎么会没有他呢?

(6)他明明报名了,怎么名单上没有他的名字?

(7)这个句子明明错了,但宋老师没看出来。

(8)他这个人就是这样,明明不懂却要装懂。

(9)刚才他明明表示赞成,怎么转眼就又变了。

(六)或是回家,或是就在新疆找个工作

"或是……或是……"中的"或是"是连词,"或者是"的意思。"或是"可连用多次。表示的意思如下:

1. 表示选择,提出两种或两种以上的可能性,结果必居其一。例如:

(1)你或是找张经理,或是找李经理,不管有他俩谁的签字都行。

(2)你或是报春季班,或是报夏季班,冬季班已经没有名额了。

(3)你或是出国,或是去外企,或是自己开公司,反正不能这么闲呆着。

2. 表示两种或两种以上的情况同时存在。例如:

(4)周六最轻松,或是睡懒觉,或是去找朋友,或是看看电视,反正不学习了。

(5)这个暑假她最紧张,或是查资料,或是搞调查,或是写教案,忙着准备下学期的新课。

(6)你或是打电话问,或是写信去问,怎么都可以。

(七)要不,我就在这儿再睡一晚上吧

"要不",连词。"如果不这样"的意思。有以下两种用法。

1. 表示对两件事情的选择关系,跟"或者"相近。例如:

(1)你打电话叫他来,要不,我去一趟也行。

(2)你就在家安心等他吧,要不,你就去上海找他。

(3)先进大公司干两年也可以,要不,就钻进图书馆,准备考研究生。

2. 表示对前边提到的情况的假设否定,有"如果不这样"的意思,并引出可能出现的结论或结果。例如:

(4)你快给家里写信吧,要不家里该不放心了。

(5)他一定是遇到麻烦了,要不,他早该到了。

(6)我们应该把每门课程的教学内容、要求讲清楚,要不,同学们不知道选哪门课好。

(7)你应该锻炼孩子的独立能力,要不,他什么都依靠你。

(八)可这也仅仅是感激而已

"而已",助词。用在陈述句末尾。意思和用法与口语中的"罢了"基本一样。有把事情往小里说的意味,对整个句子的意思起减轻的作用。它前面常与"不过"、"仅仅"、"无非"、"只"等连用。例如:

(1)我不认为他是什么天才,他只不过比别人更肯钻研而已。

(2)这仅仅是我个人的一点看法而已,谈不上什么指导。

(3)他们仅仅是一般接触而已,并没有更深的了解。

(4)我们无非是想得到一个公正的评价而已。

(5)张先生只是举了几个例子而已,并没有做详细的说明。

(6)送给你这件小小的礼物,只是表示大家的一点心意而已。

五 副 课 文

(一)阅读课文 丈夫的下落

赵航的妻子打电话给赵航的单位,问赵航怎么上班上得连家都忘了回。赵航单位的孙局长接电话说:"怎么会呢,我们也正想问问,赵航今天为什么没来上班?"双方把电话放下以后,不禁全都吓出了一身汗,赵航哪里去了?

赶紧找。赵航的妻子问遍了亲朋好友,赵航的单位找遍了所有的工作关系,回答都是一个样:没看见。五天、十天过去了,还是不见人影。赵航的妻子急得要发疯,单位的孙局长也跟热锅上的蚂蚁似的。这时有人建议说,快向公安局报个案吧。

公安局接到报案,立刻派了姜平、郑岳两位警察来到赵航的单位。孙局长向他俩介绍完赵航的情况,姜平想了一会说,无非有几种可能吧:他杀,自杀,被人绑架或是自己出走。

孙局长说:"自杀和出走绝对不可能。赵航是我们外贸局最年轻的科长,并且已经被列为局领导的后备力量,他有什么理由要自杀,要出走呢?"

姜平无言。郑岳接着问:"他在单位有没有受过什么刺激?"孙局长说:"也谈不上什么刺激,无非是有些人嫉妒他,说了一些怪话,可我们没发现赵航同志情绪有什么变化。"

告别了孙局长出来,姜平、郑岳都认为出走、自杀的可能性不大,被绑架的可能性也不大,因为赵航也不是什么有钱人。

他俩进一步思考:或许是情杀? 郑岳说:"我们还是跟赵航的妻子正面接触一下吧。"

赵航的妻子被叫到公安局,哭得像泪人儿似的。姜平问:"你是什么时候发

188

现赵航不见了的?""那天下午5点30分。""你怎么这么肯定?"

妻子回答:"赵航的单位是5点下班,从他单位到家里,骑自行车大约要25分钟,所以我要求他5点30分以前回到家。他一向都是很准时的。"

"他有什么仇人吗?"

"没有。"

"那天他身上带了多少钱?"

"一共是9块8毛7分。"

送走了赵航的妻子,姜平对郑岳说:"看来我们有必要调查一下这个女人的情况。"郑岳同意了。

在赵航妻子的单位里,人们都说她是如何如何地好。姜平特意问了一句:"她同其他男同事关系怎么样?"大家又说:"这是她惟一的缺点,对男同志总是爱理不理的。"

他俩又调查了赵航的邻居,邻居们说,赵航的媳妇对赵航可没说的,家务活儿全由她包了不算,赵航有时胃口不好,不想吃东西,她就想办法给他换着样儿地做,让他多吃,吃好,不然,赵航能有这么胖?

调查越深入,人们就越糊涂,最后也没有结果。这个案子便被搁了起来。

半年后,赵航单位几个同事到千里之外的南山去游玩。他们发现一个打猎的人很像赵航,走近一看,果然是。一喊他的名字,他马上跑了。赵航的同事、领导、妻子都不明白:好端端的一个人干嘛要跑到深山老林里去?!

（作者:戴涛。有删改。）

(二)会话课文　　试离婚是怎么回事

(李兰和娜塔莎是一对互帮互学的好朋友。)

李　兰:娜塔莎,你那篇《中国当代婚姻面面观》的论文写得怎么样了?

娜塔莎:材料收集得差不多了,提纲也列出来了。就是关于"离婚"那部分,有些问题还不太清楚。

李　兰:离婚可不是个新话题了,你都有哪些方面不清楚呢?

娜塔莎:比方说,据材料表明,在中国,80年代中期以前,离婚方面的主要问题是"离婚难"。

李　兰:对,这主要是由于社会舆论歧视离婚,到了法院,也是以调解为主。现在没问题了,《婚姻法》明文规定,双方感情破裂,经过调解无效的,可以判离婚。

娜塔莎:所以,到90年代前期,中国的"总人口离婚率"(就是在总人口中,这一年有多少人离婚),从1990年的5.9%上升到1994年的7.1%,其中辽宁、吉林、北京、上海等省市已经超过了 10%。

李　兰：所以现在对离婚的就不那么歧视了。至少在大城市里，离婚已不再是什么丢人的事儿了。但是现在因离婚造成的悲剧还是不少。

娜塔莎：好，我的难题就在这儿。从"离婚难"到"好离好散"，到离婚后有了什么"困难"还要找前夫前妻帮忙，这都是一种进步、一种成熟。但是，为什么还会出现很多悲剧呢？

李　兰：什么都不能一概而论。我个人看，这里还是因为有的中国式的离婚缺少一个重要环节，那就是"试离婚"。

娜塔莎：什么？试离婚？我还是第一次听到，试离婚是怎么回事？是不是就是分居呀？

李　兰：实质就是分居，离婚前的自愿分居。

娜塔莎：这没有什么新鲜的，在我们国家，不少离婚的人在离婚前就已经分居好长时间了，这是很自然的。就好像结婚前需要同居一段那么自然。

李　兰：娜塔莎，咱俩今天的讨论，问题要集中，你现在不是在"离婚"问题上不清楚吗，今天只谈离婚。

娜塔莎：好。如果你说的试离婚就是分居的话，那么，我很赞成。试离婚是正式离婚前的一个准备阶段。

李　兰：在这个阶段中，双方并不真正地分居两处，因为我们现在的住房条件还有限。

娜塔莎：是不是真正住在两个地方，那只是形式。分居的实质是，双方自觉自愿地把各种婚姻义务和责任减少到最少最小，尽可能像两个一般朋友那样生活。

李　兰：这样的话，双方可以从这种拉开的距离中进一步体验、选择：离还是不离。

娜塔莎：是这么回事。有的离婚悲剧可能就是因为，其中一方总觉得现在的婚姻无法忍受，却忘了离婚后可能更难受。如果分居一段，噢，你刚才说是"试离婚"，双方都可以体验一下离婚后独自生活的滋味。

李　兰：有的人可能发现，这是一种更好的生活方式，那么他（她）的离婚决心就会更加坚定，为达到离婚目的也会作出让步，使双方"和平分手"、"友好离婚"。

娜塔莎：另一种情况是，通过分居，拉开距离后，双方反而看清了对方的长处，从而愿意凑合着过，也可能感情反而更好了。这样一来，就会减少一些不必要的离婚。

李　兰：你这不是挺清楚的吗？

娜塔莎：不，还是跟你讨论讨论才清楚的。今天先谈到这儿，不过，到论文答辩前我还得找你。

李　兰:没问题。

(三)听力课文　　中年得子

38岁,同龄人的孩子有的都上中学了,我才想着户口本上应该增加一口了。

兄弟四个,除我以外每人一个大儿子,所以大家一齐说:来个女儿吧,换换花样儿。

我坚决地说:"不行,还是要儿子! 不凑个四大金刚还成!"

大家一齐笑:"想法不错,可你做得了这个主吗?"

说归说,其实,我早已是"一颗红心两种准备"了。

剖腹手术那天,我、岳父岳母,还有十几位其他产妇的亲属静候在手术室外,连大气都不敢喘。直到护士小姐掀开盖在婴儿头上的布,露出一张红红的、圆圆的小脸时,我才大声地问:"男孩儿女孩儿?"护士小姐看了我一眼:"看吓着孩子,男孩,6斤6两。"此时我好像什么都没听见,一个劲儿地盯着孩子那漂亮的小脸看。护士又问:"纪念册、纪念照要不要?"

我连连喊着:"要,全要!"

安排好他们母子,我骑车去给老爸老妈报喜。天儿那叫好,心里那叫痛快! 中国女排三连冠也不过如此。

开始"坐月子",按照老规矩,产妇不能沾凉水,也不能受风。所以,这刷刷洗洗、跑里跑外的活儿,全都义务地历史性地落在我肩上。没儿子的时候,我和爱妻常为争夺家庭领导权而斗争;现在有了儿子,战斗双方都主动地退了下来,紧密地团结在儿子周围。

儿子开始吃饭了,桌子上便堆满了《婴幼儿营养学》之类的书。岳父母、老爸老妈也全被动员起来了。

儿子长到一岁半时,智力发展速度惊人。与同龄孩子相比,我儿子有惊人的分辨颜色的能力和兴趣。站在电梯里,他能对着指示灯说:红的! 走在大街上,冲着交通指示灯大喊:绿的! 红的! 仰起小脸,望着天空说:蓝的! 遇到穿漂亮裙子的小姑娘,他嚷:花的! 儿子还会把"的"(de)读成"dā",声音那叫好听、响亮。

儿子就要过两周岁的生日了,他已经能在大人讲述孙悟空时插上那么一句两句的了。一说猪八戒,他就噘嘴挺肚子,逗得大家笑个不停。最近,我发现,他的话越来越多了,有时自己一个人在那儿大讲特讲,好多都是我听不懂的,或半懂不懂的。但有一句话,他说得清楚而坚决:"我不!"而我,却很少跟他说"不",你说,这是不是个问题?

生　词

1. 同龄　　　（形）　　tónglíng　　of the same age
   de même âge
2. 四大金刚　　　　　sì dà jīngāng　Four Buddha's Guardian Warriors
   les quatre dieux gardiens
3. 做主　　　　　　　zuò zhǔ　　decide; take the responsibility for a decision　丁
   décider; prendre le dernier mot
4. 剖腹　　　　　　　pōu fù　　lay open the bowel; caesarean birth
   opération césarienne
5. 产妇　　　（名）　　chǎnfù　　lying-in woman; puerpera
   femme en couche; accouchée
6. 报喜　　　　　　　bào xǐ　　announce good news; report success
   annoncer une heureuse nouvelle
7. 三连冠　　　　　　sānliánguàn　win champion three times in succession
   gagner tois fois de suite le champion
8. 坐月子　　　　　　zuò yuèzi　confinement in childbirth; lying-in
   garder la chambre après l'accouche
9. 争夺　　　（动）　　zhēngduó　fight for　　　　　　　　　　丙
   disputer
10. 紧密　　　（形）　　jǐnmì　　close together; inseparable　　　丙
    étroit; inséparable
11. 智力　　　（名）　　zhìlì　　intelligence　　　　　　　　　丁
    intelligence
12. 分辨　　　（动）　　fēnbiàn　distinguish　　　　　　　　　丁
    distinguer

专　名

1. 孙悟空　　　　　　Sūn Wùkōng　the Monkey King
   le Roi des singes, nom de personnage
2. 猪八戒　　　　　　Zhū Bājiè　Pigsy
   nom de personnage

六　练　习

(一)在下列名词前后各搭配一个适当的成分：

1. 闲话＿＿＿　　2. 义务＿＿＿　　3. 保姆＿＿＿　　4. 来往＿＿＿
   ＿＿＿闲话　　　　＿＿＿义务　　　　＿＿＿保姆　　　　＿＿＿来往
5. 情报＿＿＿　　6. 表情＿＿＿　　7. 家属＿＿＿　　8. 对门＿＿＿
   ＿＿＿情报　　　　＿＿＿表情　　　　＿＿＿家属　　　　＿＿＿对门

192

9. 户口＿＿＿＿　　10. 气＿＿＿＿＿　　11. 担子＿＿＿＿　　12. 老婆＿＿＿＿
＿＿＿＿户口　　　　＿＿＿＿气　　　　　＿＿＿担子　　　　＿＿＿老婆

(二)给下列动词各搭配一个宾语一个补语:

1. 培养＿＿＿　　2. 检修＿＿＿　　3. 雇＿＿＿＿＿　　4. 为难＿＿＿
　培养＿＿＿　　　检修＿＿＿　　　雇＿＿＿＿＿　　　为难＿＿＿

5. 节约＿＿＿　　6. 攒＿＿＿＿＿　　7. 拾掇＿＿＿　　8. 卸＿＿＿＿＿
　节约＿＿＿　　　攒＿＿＿＿＿　　　拾掇＿＿＿　　　卸＿＿＿＿＿

(三)用指定词语完成下列句子:

1. 娜塔莎很有管理才能,＿＿＿＿＿＿＿＿＿＿＿＿＿＿＿＿＿＿＿
＿＿＿＿＿＿＿＿＿＿＿＿＿＿＿＿＿＿＿＿＿。(笔　节约)

2. 这个工厂受到了上级的表扬,＿＿＿＿＿＿＿＿＿＿＿＿＿＿＿＿
＿＿＿＿＿＿＿＿＿＿＿＿＿＿＿＿＿＿＿＿。(笔　节约)

3. 你明知道他舍不得花钱,＿＿＿＿＿＿＿＿＿＿＿＿＿＿＿＿＿＿
＿＿＿＿＿＿＿＿＿＿＿＿＿＿＿＿＿＿＿＿。(故意　为难)

4. 你明知道赵师傅对跳舞没兴趣,＿＿＿＿＿＿＿＿＿＿＿＿＿＿＿
＿＿＿＿＿＿＿＿＿＿＿＿＿＿＿＿＿＿＿＿。(故意　为难)

5. 自从上次我给他提了意见以后,＿＿＿＿＿＿＿＿＿＿＿＿＿＿＿
＿＿＿＿＿＿＿＿＿＿＿＿＿＿＿＿＿＿＿＿。(冷淡　多余)

6. 过去他对阿里很热情,不知为什么＿＿＿＿＿＿＿＿＿＿＿＿＿＿
＿＿＿＿＿＿＿＿＿＿＿＿＿＿＿＿＿＿＿＿。(冷淡　多余)

7. 这辆摩托车不知什么地方出了毛病,＿＿＿＿＿＿＿＿＿＿＿＿＿
＿＿＿＿＿＿＿＿＿＿＿＿＿＿＿＿＿＿＿＿。(检修　卸)

8. 张师傅开了三十多年车,你去找他＿＿＿＿＿＿＿＿＿＿＿＿＿＿
＿＿＿＿＿＿＿＿＿＿＿＿＿＿＿＿＿＿＿＿。(检修　卸)

9. 我明天上午要去办手续,＿＿＿＿＿＿＿＿＿＿＿＿＿＿＿＿＿＿
＿＿＿＿＿＿＿＿＿＿＿＿＿＿＿＿＿＿＿＿。(要不)

10. 你应该请李红给你当翻译,＿＿＿＿＿＿＿＿＿＿＿＿＿＿＿＿＿
＿＿＿＿＿＿＿＿＿＿＿＿＿＿＿＿＿＿＿＿。(要不)

11. 你千万不要紧张,＿＿＿＿＿＿＿＿＿＿＿＿＿＿＿。(而已)

12. 我并没有批评他们,＿＿＿＿＿＿＿＿＿＿＿＿＿＿＿。(而已)

(四)用指定词语回答下列问题：

1. 听说中央歌舞团去你们山区演出了？（特地　义务）

　　_____。

2. 听说你们村来了很多城里的大夫？（特地　义务）

　　_____。

3. 你们暑假去什么地方搞调查？（或是……或是……）

　　_____。

4. 你们一般怎么安排业余生活？（或是……或是……）

　　_____。

5. 你知道安娜为什么辞职吗？（与其……不如……）

　　_____。

6. 你是因为那家公司工资高才去面试吗？（与其……不如……）

　　_____。

7. 娜塔莎要收集哪方面的资料？（不是……就是……）

　　_____。

8. 你这两天为什么有意躲着小王？（不是……就是……）

　　_____。

9. 张经理打算订哪一天的飞机票？（不管　反正）

　　_____。

10. 李小姐打算订什么样的房间？（不管　反正）

　　_____。

(五)把下列词语整理成完整的句子：

1. 花　时间　把　拍摄　半个月　了　他　的　情景　才　日出　下来的

2. 委屈　理解　大家　很　感到　不　阿里　是因为　都　他

3. 街坊　父亲　连……都……　瞒着　知道　何必　呢　还　了

4. 责任　子女　老人　培养　照顾　义务　是　的　父母　而　是　的　子女

5. 把　一心　儿子　父亲　培养　合格　乡村　成　教师　要　的

(六)根据课文内容,用上指定词语,进行语段表达：

1. "我"的第一个妻子是个陕北姑娘……

194

（家乡　投靠　推出去　结婚）

2. 陕北姑娘是个好姑娘……

（勤快　闲话　惹是生非　一五一十　衣裳　感情　绝对）

3. "我"也学着培养感情……

（一心　家具　反正　攒　一笔　工资　花）

4. 陕北姑娘对"我"的态度……

（始终　雇　保姆　从来　节约　有意　距离　不是……就是……不是……而是……）

5. 那个陕北小伙子……

（临时工　义务　复员　终身　闹灾荒　未婚夫　无时无刻）

（七）根据课文内容回答问题：

1. 陕北姑娘对丈夫怎么样？

2. 司机发现邻居对自己的态度有什么变化？

3. 司机碰见他妻子和小伙子在一起时，三个人各自的心情和表现是怎样的？

4. 司机为什么说自己的妻子不是个轻狂的女人，而是个有情有义的正经女人？

5. 为什么小伙子认为自己找陕北姑娘是"挺有道理"的？

6. 司机在什么情况下决定离婚的？

7. 离婚以后，他们的关系怎么样？

（八）阅读练习：

1. 根据阅读课文内容，在 A、B、C、D 中选择一个最恰当的答案：

(1) 不禁全都吓出了一身汗

这里"不禁"的意思是：

A. 不禁止　B. 不仅　C. 不由得　D. 不止

(2) 单位孙局长也像热锅上的蚂蚁似的

"热锅上的蚂蚁"是比喻：

A. 太热了　　　　　　　B. 着急得要命

C. 非常害怕　　　　　　D. 不知躲到什么地方好

(3) 无非有几种可能吧

这里"无非"的意思是：

A. 并非　B. 不过　C. 没有　D. 无法

(4)也谈不上有什么刺激

这句话的意思是：

A. 没有谈到什么刺激　　B. 说不出来什么刺激

C. 没有说什么刺激话　　D. 没有什么刺激

(5)我们还是跟赵航的妻子正面接触一下吧

这里"正面"的意思是：

A. 前面　　B. 好的一面　　C. 直接　　D. 正式

(6)我们是否跟赵航的妻子正面接触一下

这里"接触一下"的意思是：

A. 摸摸　　B. 碰一下　　C. 联系联系　　D. 见见面

(7)对男同志总是爱理不理的

这里"爱理不理的"意思是：

A. 不愿意理睬　　B. 爱理但是不理

C. 不爱不理　　　D. 非常讨厌

(8)赵航的媳妇对赵航可没说的

这里"没说的"的意思是：

A. 没有话说　　B. 太好了

C. 不用说什么　　D. 说不出什么

2. 根据阅读课文内容回答问题：

(1)赵航失踪以后,他的妻子和单位是怎么做的呢?

(2)这个案子是他杀、自杀还是情杀? 为什么?

(3)最后赵航有下落了吗? 这与他的妻子有关系吗? 为什么?

(九)口语练习：

1. 分角色进行对话练习,注意语音语调。

2. 根据会话内容回答问题：

(1)"试离婚"到底是怎么回事?

(2)"试离婚"对减少家庭悲剧有什么作用?

(十)听力练习：

1. 根据录音内容复述大意。

2. 听录音填空：

(1)兄弟四个,_____每个人一个大儿子,所以大家____说:来个女儿吧,
____花样儿。

(2)说____说,____,我早已是"一颗红心两种准备"了。

196

(3)_____我好像什么都没听见,_____盯着孩子那漂亮的小脸看。

(4)____老规矩,产妇____沾凉水,_____受风。

(5)现在有了儿子,战斗____都主动地退了____,紧密地团结在儿子_____。

(6)____说猪八戒,他____噘嘴挺肚子,逗得大家_____。

(7)好多都是我听_____的,或____懂____懂的。

(8)你说,这_____个问题?

(十一)交际训练:

1. 根据提示说一段或写一段话
   提示:(1)介绍一个幸福家庭……
   　　　(2)他(她)恋爱过三次……
   　　　(3)他(她)事业上很成功,但家庭生活……

下面的词语可以帮助你表达:

相貌、感情、缘分、接触、彼此、被……所、相处、融洽、始终、一心、不禁、温和、理解、委屈、订婚、结婚、离婚、不是……就是……、与其……不如……、或是……或是……、(订)终身、嫁、娶、未婚妻

2. 自由讨论:

(1)你对陕北姑娘的婚姻有什么看法?

(2)他们三个人在婚姻上的不幸是怎样造成的?

(3)如果你是他们之中的一员,你怎么处理这桩婚事?

(4)在你们国家,人们对恋爱、婚姻、家庭的看法与中国人有什么异同?

(5)订婚、结婚、离婚、复婚等等,在你们国家是否需要办各种手续?有哪些风俗习惯?

(6)试离婚的利与弊?

3. 语言游戏:

(1)打电话:介绍对象
   甲、乙双方既要各自描述所介绍对象的基本情况又要向对方提出希望和要求。

(2)比赛说成语或俗语(要和婚姻、家庭有关的)。
   五人一组,累积计分;每五分钟一个回合。看哪组说得多而准确。

(3)学说绕口令:

　　　　　小庞和小黄

今日是个吉祥日,日子今天很吉祥。

小庞成新郎,新娘是小黄。

新郎新娘拜花堂,亲朋好友闹洞房:
祝小庞生活甜如蜜,愿小黄生活赛蜜糖!

(祖振扣)

(4)你知道下面这两句成语的意思吗? 请给大家讲一讲。

情人眼里出西施　　(qíngrén yǎn lǐ chū Xīshī)

嫁鸡随鸡,嫁狗随狗 (jià jī suí jī, jià gǒu suí gǒu)

4. 看一看,说一说,写一写。

顾 此 失 彼

刘小青

第二十五课

一　课文　重读西藏

　　说是重读西藏，只是一种感觉。在赴[1]西藏参加中国红十字总会和西藏红十字会的合作项目考察前，我查阅[2]了不少有关西藏的资料，心里装着从小在电影里看过的"百万农奴[3]"，因此，一到拉萨，那种心理上的感觉就如同[4]重读，既熟悉亲切又陌生新奇[5]。

　　毫不夸张[6]地说，西藏所具有的特殊的魅力，无论是谁都是不能抗拒[7]的。只要到了西藏，哪怕只住上三天，都会留下终生[8]难忘的印象。

　　从雾蒙蒙[9]的成都，飞到晴空万里、海拔[10]3500多米的拉萨，迎接你的是灿烂的阳光和一片高原。没有到过西藏的人，谈起"世界屋脊[11]"的高度，总是把它想像得十分恐怖，其实，并没有那么可怕。当然，空气稀薄[12]、高山反应对每一个初访者都是一个考验[13]。据说，身体弱的比身体强壮的更容易适应，女性[14]又比男性[15]适应得快。大概因为我是个不太强壮的女同志吧，我觉得高山反应还是可以忍受[16]的。最初的体验[17]便是心跳加速[18]，仿佛有一只小锤[19]不停地锤打你的喉咙[20]。不吃饭时，这种感觉是轻悠悠[21]的，吃了饭，这个小锤便从喉咙升到头顶，产生轻微[22]的震动[23]，震得头有些疼。不知为什么，我觉得这是一种生命的体验。在这样的反应中，生命好像听得见摸得着了。

　　西藏的气候是难以想像的反复无常[24]。上午还是阳光灿烂，下午就可能是狂风[25]暴雨[26]，那是决不提前打招呼[27]的。一天之内的气温有时相差[28]30多度，你时刻都得加以注意和警惕[29]。太阳十分灼热[30]（保护眼睛的墨[31]镜是必不可少的），即使在寒冷的日子，你也能感觉到太阳在烧烤你的皮肤。西藏人之所以能适应这样的环境，是因为他们从小父母就要用牛油[32]（据说，这种东西可以有一千零一种用处）给他们擦身，并想方设法让他们接受烈日[33]和狂风的锻炼。

　　布达拉宫位于拉萨市中央的布达拉山上。站在我们所住的宾馆窗前，白天,可以看到宫殿[34]红白相间[35]的石墙和金灿灿[36]的宫顶;夜晚,这雄伟建筑的一扇[37]扇小窗户里,小油灯的灯光忽明忽暗地闪烁[38]着,显得格外神秘。在布达拉宫,我们欣赏到了藏族文化的精华[39]。布达拉宫里的一千多间房子,是西藏佛教[40]中最神圣的珍品[41]。它初建于一千三百年前,以后历代[42]都有所扩充[43]。红衣喇嘛[44]们整天在庙里虔诚[45]地打坐[46],或伴着有节奏的鼓声朗朗[47]地念经[48]。从小小的窗口透进的那一线阳光,穿过弥漫的香火[49]烟雾,照到了一个个喇嘛的脸上。眼前的情景会使你觉得好像与世隔绝[50]了。

大昭寺离我们的住处也很近,步行不过十几分钟。大昭寺门前有一块劝人种牛痘[51]的石碑,据记载[52],这块碑石是清朝乾隆二十九年所立,距[53]今已有二百多年。当时西藏流行天花[54],传染得很快,死的人不计其数[55]。清朝的驻[56]藏大臣[57]松筠为了推行[58]内地种牛痘预防[59]天花的措施,建立了这座碑。藏族同胞由此接受了种牛痘,收到了很好的效果。多少年来,藏族兄弟对这座古碑感激、崇敬,用藏族特有[60]的方式来表达他们的感情。一天,我见到一位长者,嘴里一边念叨[61]着,一边往碑石上抹酥油[62],我赶忙上前问道:"请问老人家[63],您在祈祷[64]什么?"老人用混合[65]着藏语的汉语告诉我:"家里有孩子生病了,来这里给石碑抹些酥油,再磕[66]上几个头,孩子的病就会好的。"老人还说,也有的是家里的病人好了,来表示感谢的。不少人临走时还要往碑石上沾[67]几个硬币。

人们常用"孤独[68]如碑"来形容人生的凄凉和碑石的孤独。可西藏的古碑却并不孤独,这里的人们为了健康、幸福,天天来到它身边磕头祈祷。如果红十字会能在藏民心中树立起这样一座丰碑[69],我们的事业在西藏会有一个什么样的前景[70]呢?我久久地站在石碑前,心里沉[71]沉的。

像许多人所了解的,一些人为了来拉萨祈祷,要一步一磕地走上几个月。一些人要卖掉财产,步行千里、搭过路卡车,或者骑着毛驴到达目的地。之后,他们一般都住在附近自己搭起的帐篷里。朝拜[72]以后,有的人则要讨饭[73]归去。

西藏的宗教礼仪[74]真是数不清,甚至经过宗教之地怎么走路都有讲究。必须记住,路过寺庙、宝塔[75]或宗教纪念碑时,你一定要按顺时针[76]方向前进。如果是反时针方向,会被认为是对宗教的不尊重,甚至是一种罪恶[77]。

来到西藏才知道,这里有唱不尽的藏族民歌,歌里有许许多多美好的祝愿[78]。我从小就会唱藏族民歌:"不敬青稞酒[79],不打酥油茶,也不献哈达[80],唱上一支心中的歌儿献给亲人金珠玛米[81]……"今天,在西藏高原上,酒尝了,茶喝了,脖子上挂了三条哈达,我也要唱上一支心中的歌儿来表达我的祝愿。我亲眼看到很多地方都有金珠玛米在修路。为了保护道路,总有战士在公路上清除[82]那些不打招呼就闯来的飞沙走石。他们还不停地为牧民维修[83]放牧[84]牦牛[85]的小道。

说起第一次喝酥油茶,又有了重读的感觉。那天,我们去日喀则野外考察,和我同行的有藏族司机兼翻译扎西顿珠、合作伙伴[86]瑞士姑娘钟瑞。快到中午时,我们碰见了一群放牧牦牛的人正在地里吃午饭。他们身穿传统的藏族服装,头上的帽子和脚下的靴子都绣[87]满了花,就连牦牛也打扮得漂漂亮亮。开始时,他们对我们想和他们共进午餐并没有什么表示,显得有些冷淡。当扎西顿珠向他们介绍时,我把照片、相机递给我身边的一位长者。他很有兴趣地看着,又传给其他人看。一个接一个,都举起相机仔仔细细地往里瞧。这时候,气氛开始缓和[88]了。

于是,他们当中的一位递给我们每人一个碗,并倒上酥油茶。他做了个手势,请我们喝。扎西顿珠当然没有问题。我虽然从小就会唱酥油茶的歌,也从书本上知道酥油茶是藏族人民不可缺少的饮料[89],可第一次喝,多少有些犹豫,但还是勇敢地喝了。钟瑞姑娘可为难了,她向我表示:"在国外对于我不熟悉的东西是不敢随便喝的。这种陌生的黄色液体[90],我怕喝了会得病的。"她用最有礼貌的声音和表情表示了谢绝[91]。我发现,围火而坐的每一个人都盯着她,看她是否接受他们自制的酥油茶。直到此时,我才明白,我想钟瑞姑娘也读懂了一双双眼睛里的热情期待[92]:这并不是一个简单的礼貌问题,而是对我们的接受。我看到这时的钟瑞表现出了"一不怕苦,二不怕死"的精神,端起酥油茶,把头一仰,脸朝太阳,一口气喝了下去。

牧民们高兴得鼓起掌来。从那一刻起,我们之间有了一种理解。牧民们热情地告诉我们,为了友谊的天长地久[93],酥油茶是不能只喝一碗的。青稞酒也不能喝单数,要按二、四、六计算。按规矩,藏族姑娘唱歌,你就得喝酒,她们不停地唱,你就得不停地喝。好在这酒如同汽水,甜甜的、香香的,并不醉人,倒是藏族姑娘的歌会让你醉倒的。这真是酒不醉人,人自醉啊!

  告别拉萨的前一天,藏族朋友陪我去拉萨的"王府井"——八角街买纪念品。八角街有一公里长,是一条椭圆[94]形的环城路,按藏民的规矩只能转一圈,要不然就得走三圈,绝不可以只转两圈。我跟在藏族朋友身后,装着很内行[95]的样子,一件件认真地讨价还价,满意地买了一大包"珍品"。走出八角街,顺便到停车场附近的一家大商店看看。啊,同样的一把藏刀要比八角街里面便宜20元,一串牛骨[96]项链[97]要便宜一半多。我和藏族朋友互相望着开心地大笑起来,而且笑了很久……我心里想着:"什么时候还能再来呢?"

(选自《重读拉萨》,作者:胡殷红。有删改。)

二 生 词

1. 赴	(动)	fù	go to; set off aller à; partir pour	丁
2. 查阅	(动)	cháyuè	consult; look up consulter; parcourir	丁
3. 农奴	(名)	nóngnú	serf; slave serf	
4. 如同	(动)	rútóng	like; as comme	丙
5. 新奇	(形)	xīnqí	strange; novel; new original; nouveau	
6. 夸张	(形)	kuāzhāng	exaggerated exagéré	
7. 抗拒	(动)	kàngjù	resist; defy résister	
8. 终生	(名)	zhōngshēng	all one's life toute la vie	
9. 雾蒙蒙	(形)	wùméngméng	foggy brumeux	
10. 海拔	(名)	hǎibá	height above sea level altitude; niveau de lamer	丙
11. 世界屋脊		shìjiè wūjǐ	the roof of the world toit du monde	
12. 稀薄	(形)	xībó	thin; rare rare; raréfié	
13. 考验	(动)	kǎoyàn	test; trial	丙

202

			éprouver	
14. 女性	（名）	nǚxìng	the female sex; woman	丁
			le sexe féminin; femme	
15. 男性	（名）	nánxìng	the male sex; man	丁
			le sexe masculin; homme	
16. 忍受	（动）	rěnshòu	bear; endure; stand	丙
			souffrir	
17. 体验	（动）	tǐyàn	learn through one's personal experience	丁
			éprouver; vivre	
18. 加速	（动）	jiāsù	speed up; accelerate	丙
			accélérer	
19. 锤	（名、动）	chuí	hammer; knock with a hammer	丙
			marteau; frapper avec un marteau	
20. 喉咙	（名）	hóulóng	throat	
			gorge	
21. 轻悠悠	（形）	qīngyōuyōu	light; gentle	
			léger; souple; alerte	
22. 轻微	（形）	qīngwēi	light; slight	丁
			léger; petit	
23. 震动	（动）	zhèndòng	shake	丙
			secouer; vibrer	
24. 反复无常		fǎnfù wúcháng	changeable; tickle; capricious	
			être inconstant	
25. 狂风	（名）	kuángfēng	fierce wind; wild wind	丙
			vent violent	
26. 暴雨	（名）	bàoyǔ	torrential rain; rainstorm	丙
			averse; pluie torrentielle	
27. 打招呼		dǎ zhāohu	give a previous notice; warn	丙
			saluer	
28. 相差	（动）	xiāngchà	differ; there's difference between...	丁
			différer	
29. 警惕	（动）	jǐngtì	be vigilant; be on guard against	丙
			être vigilant	
30. 灼热	（形）	zhuórè	scorching; burning hot	
			brûlant; ardent	
31. 墨	（名）	mò	China ink; ink stick; black	丙
			encre de Chine	
32. 牛油	（名）	niúyóu	yak grease	
			beurre	
33. 烈日	（名）	lièrì	burning sun; scorching sun	
			soleil ardent	

34. 宫殿	（名）	gōngdiàn	palace palais	丙
35. 相间	（动）	xiāngjiàn	alternate with alterner avec	
36. 金灿灿	（形）	jīncàncàn	golden；glittering；glistening doré；étincelant	
37. 扇	（量）	shàn	(a measure word for doors, windows, etc.) (spécificatif)battant	
38. 闪烁	（动）	shǎnshuò	glimmer étinceler	丙
39. 精华	（名）	jīnghuá	cream；essence essence	丁
40. 佛教	（名）	Fójiào	Buddhism bouddhisme	丙
41. 珍品	（名）	zhēnpǐn	treasure objet précieux；trésor	
42. 历代	（名）	lìdài	successive dynasties les dynasties passées	丁
43. 扩充	（动）	kuòchōng	expand；strengthen agrandir；amplifier	丁
44. 喇嘛	（名）	lǎma	lama lama	
45. 虔诚	（形）	qiánchéng	pious；devout pieux；fervent	
46. 打坐		dǎ zuò	(of a Buddhist or Taoist monk)sit in meditation être assis en tailleur pour pratiquer la méditation	
47. 朗朗	（象声）	lǎnglǎng	(onomatopoeia) rumeur de celui qui lit à haute voix	
48. 念经		niàn jīng	recite or chant scriptures réciter les canons bouddhistes	
49. 香火	（名）	xiānghuǒ	burning incense encens et cierges que l'on brûle	
50. 隔绝	（动）	géjué	completely cut off；isolated isoler；séparer	丁
51. 牛痘	（名）	niúdòu	cowpox；vaccinia vaccine	
52. 记载	（动）	jìzǎi	put down in writing；record noter	丙
53. 距	（介）	jù	be apart from	丙

54. 天花	（名）	tiānhuā	il y a smallpox variole	
55. 不计其数		bú jì qí shù	countless; innumerable innombrable	
56. 驻	（动）	zhù	be stationed stationner	丙
57. 大臣	（名）	dàchén	minister(of a monarchy) ministre	丁
58. 推行	（动）	tuīxíng	carry out; pursue pratiquer	丁
59. 预防	（动）	yùfáng	prevent prévenir	丙
60. 特有	（形）	tèyǒu	peculiar; characteristic particulier; caractéristique	
61. 念叨	（动）	niàndao	talk about again and again in recollection or anticipation parler souvent de	
62. 酥油	（名）	sūyóu	butter beurre	
63. 老人家	（名）	lǎorénjiā	old man or woman; the aged vénérable personne; personne âgée	丙
64. 祈祷	（动）	qídǎo	pray prier	
65. 混合	（动）	hùnhé	mix mélanger; mixer	丙
66. 磕	（动）	kē	knock; kowtow frapper(la terre)du front	丁
67. 沾	（动）	zhān	paste; stick coller	丙
68. 孤独	（形）	gūdú	lonely; solitary solitaire	丁
69. 丰碑	（名）	fēngbēi	monument monument	
70. 前景	（名）	qiánjǐng	prospect; future avenir; perspective	丁
71. 沉	（形、动）	chén	heavy; sink lourd; alourdir	丙
72. 朝拜	（动）	cháobài	pay respect to(a sovereign); worship faire un pèlerinage	
73. 讨饭		tǎo fàn	beg for food	

mendier

74. 礼仪	（名）	lǐyí	etiquette; rite; ceremony rites	
75. 宝塔	（名）	bǎotǎ	pagoda pagode	
76. 时针	（名）	shízhēn	hands of a clock or watch aiguille des heures	
77. 罪恶	（名）	zuì'è	crime; evil crime; péché	丙
78. 祝愿	（动）	zhùyuàn	wish souhaiter	丙
79. 青稞酒	（名）	qīngkējiǔ	wine made of highland barley vin d'orge du Tibet	
80. 哈达	（名）	hǎdá	hada hada	
81. 金珠玛米	（名）	jīnzhūmǎmǐ	(in Tibetan) PLA man A.P.L. dans la langue tibétaine	
82. 清除	（动）	qīngchú	clear away éliminer; expulser	丙
83. 维修	（动）	wéixiū	keep in good repair; maintain entretenir	丁
84. 放牧	（动）	fàngmù	put out to pasture; herd faire paître	
85. 牦牛	（名）	máoniú	yak yack	
86. 伙伴	（名）	huǒbàn	partner copain; partenaire	丙
87. 绣	（动）	xiù	embroider broder	丙
88. 缓和	（动、形）	huǎnhé	relax; ease up détendre; détendu	丙
89. 饮料	（名）	yǐnliào	drink; beverage boisson	丙
90. 液体	（名）	yètǐ	liquid liquide	丙
91. 谢绝	（动）	xièjué	refuse refuser avec politesse	丁
92. 期待	（动）	qīdài	expect; look forword to attendre	丁
93. 天长地久		tiān cháng dì jiǔ	enduring as the universe; everlasting and unchanging	丁

			pour toujours; éternel	
94. 椭圆	（形）	tuǒyuán	ellipse; oval	丁
			ovale; ellipse	
95. 内行	（名）	nèiháng	expert; adept	丁
			expert	
96. 骨	（名）	gǔ	bone	丁
			os	
97. 项链	（名）	xiàngliàn	necklace	丁
			collier	

专 名

1. 西藏	Xīzàng	Tibet	
		Tibet	
2. 中国红十字总会	Zhōngguó Hóngshízì Zǒnghuì	the Red Cross Society of China	
		Société de la Croix-Rouge de Chine	
3. 西藏红十字会	Xīzàng Hóngshízì Huì	the Red Cross Society of Tibet	
		La Croix-Rouge tibétaine	
4. 成都	Chéngdū	name of a city	
		nom de ville	
5. 拉萨	Lāsà	capital of Tibet	
		nom de ville; Lhassa	
6. 日喀则	Rìkāzé	name of a city in Tibet	
		nom de ville	
7. 布达拉宫	Bùdálā Gōng	Potala Palace	
		Palais Potala	
8. 布达拉山	Bùdálā Shān	Potala Mountain	
		Mont Potala	
9. 大昭寺	Dàzhāo Sì	Dazhao Temple	
		le monastère Zuglakang	
10. 清朝	Qīngcháo	Qing Dynasty	
		dynastie des Qing	
11. 乾隆	Qiánlóng	the posthumous title of an emperor in Qing dynasty	
		titre d'un empereur des Qing	
12. 松筠	Sōng Yún	name of a person	
		nom de personne	
13. 扎西顿珠	Zhāxīdùnzhū	name of a person	
		nom de personne	
14. 瑞士	Ruìshì	Switzerland	
		Suisse	
15. 钟瑞	Zhōng Ruì	name of a person	
		nom de personne	

16. 王府井	Wángfǔjǐng	name of a street in Beijing
		nom d'une rue à Beijing
17. 八角街	Bājiǎo Jiē	name of a street in Lasa
		nom d'une rue à Lasa

三 词语搭配与扩展

(一)考验

[动~]接受~|进行~|经受~|害怕~

[~宾]~着(每一个)人|~干部|~(人的)思想|~(人的)意志

[定~]战争的~|时间的~|组织的~|艰苦的~

[状~]长期地~|全面地~|严格地~|彻底地~

[~补]~下去|~一番|~了一年

[~中]~的时期|~的过程|~的目的|~的结果

(1)他们的友谊经受了时间的考验。

(2)经过战争的考验,他们的意志更加坚强了。

(二)体验

[动~]需要~|进行~|开始~|没有~

[~形]~深刻|~(很)多

[~宾]~……痛苦|~(家庭)幸福|~(劳动人民的)感情|~生活

[状~]亲身~|深刻地~|充分地~|好好地~(一下)

[~补]~到(生活的艰难)|~过(家庭的温暖)|~得(很)深刻|~一番|~
  一下|~了一年

(1)对于高山反应,我没有亲身体验过。

(2)没有真正的生活体验,怎么能写出好作品?

(三)警惕

[动~]提高~|加强~|引起(大家的)~|丧失~|放松~

[~宾]~走私犯|~坏人|~(敌人的)阴谋诡计|~(敌人的)破坏

[状~]高度地~着|紧张地~着|经常~着|时刻~|对……要~

[~补]~起来|~得很

[~中]~的心情|~的目光|~的心理|~的神情

(1)什么时候都不能放松对敌人的警惕。

(2)对男人她总有一种警惕的心理。

(四)传染

[动~]受到(细菌的)~|担心~|注意(别)~|防止~

[~宾]~疾病|~肝炎|~别人|~孩子

[状~]迅速地~|直接~|间接~|被……~了

[~补]~得很快|~严重|~上|~起来|~过一阵

[~中]~途径|~的渠道|~的方式|~媒介

    (1)这种病是空气传染,屋子要彻底消毒。

    (2)她担心被传染,所以总戴着口罩。

(五)预防

[~宾]~疾病|~传染病|~中毒|~流感|~肝炎|~火灾

[状~]提前~|积极~|全面地~|及时地~

[~补]~得早|~得及时|~得好|~得了|~一下|~过一阵

[~中]~工作|~措施|~的步骤|~的结果

    (1)他们坚持预防,所以肝炎的发病率一直很低。

    (2)对可能发生的自然灾害,要及时采取预防措施。

(六)祝愿

[动~]表示~|转达(他们的)~|接受~

[~动/形]~……成功|~胜利|~……幸福|~……顺利

[定~]美好的~|父母的~|亲朋好友的~|我们的~

[状~]衷心地~|热情地~|亲自~|共同~|正式~|默默地~

[~中]~的话|~的信|~的人群

    (1)感谢大家美好的祝愿,我会努力去做的。

    (2)我们祝愿你获得好成绩。

(七)清除

[~宾]~垃圾|~积雪|~障碍|~坏人|~旧思想

[状~]逐渐地~|彻底地~|迅速地~|及时地~|想方设法~

[~补]~完|~干净|~掉|~得(很)及时|~得(很)顺利|~得(很)彻底

[~中]~的原因|~的范围|~的工具|~的情况|~的结果

    (1)他们负责清除垃圾、污水,我们负责消毒。

    (2)如果我们的集体里混进了坏人,那就要坚决清除掉。

(八)缓和

[主~]态度~|语调~|关系~

[动~]开始~|希望~|继续~|赞成~|得到~

[~宾]~关系|~矛盾|~气氛|~(紧张)局面

[定~]表面的~|真正的~|暂时的~

[状~]逐渐地~|明显地~|迅速地~|想方设法~

[~补]~多了|~下来|~一下|~过一阵|~了一些|~了一年

[～中]～的局势|～的标志|～的程度|～的前景

(1)双方的紧张局势得到了缓和。

(2)张先生参加讨论以后,气氛缓和多了。

四 语法例释

(一)那是决不提前打招呼的

"打招呼"是一个惯用语。"打"和"招呼"之间可以插入其他成分,如:"打个招呼、打了招呼、打一下招呼、打过招呼",等等。具体表示的意思是问候或事前事后就某件事、某个问题告诉一下。例如:

(1)他每次看见我,老远地就打招呼。

(2)我们没什么交往,只是见面时打个招呼而已。

(3)放心吧,那件事我已经跟他们领导打过招呼了。

(4)你如果哪天不能来,一定要事先打个招呼。

(5)我今天不能去训练了,你替我跟教练打一下招呼。

(6)等事情办妥以后,你再跟他们打个招呼。

(二)西藏人之所以能适应这样的环境,是因为他们……

"之所以……是因为……"这一格式所构成的因果复句,先用"之所以"引出结果或结论,再用"是因为"说出原因或理由。这种先提出结果后说明原因的格式,更加强调突出了原因或理由。"之所以"一般放在前一分句的主语和谓语之间,"之所以"前边的主语不能省去。例如:

(1)阿里之所以学汉语,完全是因为工作的需要。

(2)安娜之所以取得这么优秀的成绩,是因为她平时努力学习。

(3)这块金牌之所以特别有意义,是因为它是香港的第一块奥运会金牌。

(4)这件毛衣之所以特别珍贵,是因为它是妈妈亲手织的。

(5)这篇课文之所以特别难懂,是因为有很多半文半白的句子。

(6)他之所以受得了委屈,能吃苦,有毅力,是因为他从小生活在苦难中。

(三)小油灯的灯光忽明忽暗地闪烁着

"忽……忽……"这一格式,由副词"忽"连用构成。在此格式里可嵌入相对的单音节动词、形容词,表示动作、状态、情况在较短的时间里交替、更迭,有"一会儿这样、一会儿那样"的意思。多用于书面。例如:

(1)他坐在那儿玩电灯开关,忽开忽关,忽关忽开,一会儿电灯就不亮了。

(2)他早上起来就觉得身上忽冷忽热的,好像发烧了。

(3)风筝在空中忽上忽下,忽左忽右,好不自由。

(4)这个录音机的声音忽大忽小,忽高忽低,可能有毛病了。

(5)老王的脾气忽好忽坏,谁也摸不准。

(6)忽严忽松是教育不好孩子的。

(四)……距今已有二百多年

"距",介词。"离"的意思。由"距"组成的介词结构表示时间或空间上的距离。用"距"时,要有两点作比较。一般用于书面。例如:

(1)博物馆距我们的住处约有20公里。

(2)这里距拉萨尚有400公里。

(3)辛亥革命距今已有80余年的历史了。

(4)第一次奥运会距今已有一百年了。

(5)他现在所举的重量距他过去的最好成绩还差3公斤。

(6)距终点还有500米时,安娜开始加速了。

"距"还可以表示两个抽象事物之间的差距。例如:

(7)我们所取得的进步距时代的要求还差得很远。

(8)我们深知距理想的目标还有较大的差距。

(五)我赶忙上前问道

"赶忙",副词。表示动作行为迅速而急迫。作状语,修饰动词。一般只用于陈述句,不能用于祈使句。可以和"连忙"互换。例如:

(1)电话铃刚一响,桂兰就赶忙去接了。

(2)看到他俩要吵架,我赶忙过去把他们劝开了。

(3)丈夫看我有些犹豫,赶忙笑着对售货员说:"请您收起来,我们以后再买。"

(4)丈夫一进门,小妹就赶忙接过他手里的东西,忙着给他拿毛巾擦汗。

(5)张师傅晕倒了,大家赶忙跑过去,把他抬到车上。

(6)听到父亲回来的声音,小海赶忙把电视关了。

(六)一口气喝了下去

"一口气",副词。表示不间断地做某件事,多作状语。例如:

(1)拿到这本书后,我一口气看到夜里3点。

(2)他饿极了,一口气吃了两个大馒头。

(3)他欠了很多信,今天一口气写了十几封。

(4)老王不管干什么,都是要一口气干完,从不拖拉。

(5)自从那次犯了心脏病以后,他不敢一口气干很长时间了,而是一天干一点儿。

有时"一口气"也可以说"一气"。例如:

(6)他们不顾疲劳,一气把车卸完了。

(7)小红今天一气买了好几百块钱的书。

(七)好在这酒如同汽水

"好在",副词。表示具有某种有利的条件或情况。"好在"多用在分句的开头。例如:

(1)小王把开会的时间通知错了,好在大家还没走,赶快再去通知一下。

(2)他们这次考察的环境确实很艰苦,好在他们的身体都很棒,完成任务是没有问题的。

(3)扎一个灯笼要花很多时间,好在没有几个了,春节前一定能扎完。

(4)这件事只有张先生能帮上忙,好在我们是老朋友,我去请他。

(5)路上千万要小心,好在张大夫跟着去,药也准备得比较齐全。

(6)时候不早了,赶紧出发吧,好在这儿什么时候都能叫到车。

(八)按藏民的规矩只能转一圈,要不然就得走三圈

"要不然",连词。和前面学过的"要不"、"不然"一个意思,更加强了假设的语气。例如:

(1)一定要尽早动手术,要不然后果是很可怕的。

(2)好在咱们带的衣服比较多,要不然非冻感冒不可。

(3)这本书明天再给你,要不然你一看就放不下,今晚就别睡觉了。

(4)你还是早一点通知老王好,要不然就派身边的小李去。

(5)这个暑假咱俩可以回老家看姥姥,要不然就去西藏找你爸爸。

(6)现在企业面临危机,我们应该尽全力整顿,要不然就只好让它倒闭。

五 副 课 文

(一)阅读课文　　神秘的西部高原历险记

笔者和三位好友怀着"探险"的心理,闯入了神秘的西部高原。几经生死,亲身经历了一系列的"高原怪事",今天先讲两件,也许能给旅游者提供一点小小的经验。

令男人"大肚子"的水

吉普车在海拔五千多米的巴颜喀拉山上艰难地开着,我们来到《西游记》里讲述的"子母河"边。

据说,当年唐僧到西天取经,路过这里时,因为和猪八戒误喝了子母河的水,肚子马上就大起来。一位老妇人解释说,这里是女儿国,无论是谁,只要喝了子母河的水就会怀孕。

又饥又渴的我们,就在子母河边一边大口吃着方便面,一边"咕嘟嘟"灌了半肚子的子母河水。当时谁也没把这当回事。

出人意料的是,当天晚上我们的肚子竟然真地"大"了起来。不仅感到胸闷,呼吸困难,四个大男人个个像孕妇一般,肚子胀得圆鼓鼓的,喘气、说话、走路都很困难,那滋味真比死还难受!

四个人挣扎着爬起来,忙找司机送我们去医院抢救。大家推测:子母河水里肯定含有有毒的矿物质!

还是司机有经验。他听了我们的讲述,解释说,"大肚子"跟子母河水没关系,这是高原缺氧引起的。因为我们跑了一天的车,又饥又渴又累,吃饱喝足后,倒头大睡。由于氧气不足影响肠胃消化,肚子就胀起来了!肚子一大,就更感到呼吸困难,异常难受。不用去医院,更不需要治疗,活动活动,好好休息一下就行了。临走司机还连连嘱咐:"在高原上,再好的食物也不能多吃,再饿也只能吃六七分饱。记住了吗?"

和大狗熊较量

因为空气稀薄,汽油燃烧缺氧,车子经常熄火,故障不断。当翻越喀拉昆仑山时,它终于趴在那儿不动了。

趁司机修车的功夫,我们就在附近的小山上转转。当时做梦也没想到,我们几个人已经被一群大狗熊悄悄包围了。等大家反应过来时,人与大狗熊相距不到四十米。

冲在最前面的那只熊,突然腾地一下站立起来,嚯(huò)!比我们谁都高,少说也有三四百斤重!只听它一声吼叫,扬起肥大的熊掌朝路边的山石击去,一声巨响,山石碎裂,乱石横飞。我们几个人一商量,马上跟着碎石一起向山下滚去。原想这样可以脱险,没想到,那些狗熊也跟着我们滚了下来。

站稳后,人熊各在一方。危难中,我们想起了带着的猎枪。"叭"地一声枪响,这枪是朝天空放的,是为了吓退"熊兵"。它们惊呆了,果然停止前进。不料,几分钟后,它们就明白过来,继续向我们逼近。"叭",又是一枪,这次效果更差,它们只稍稍退了几步,便继续向我们逼来。就在这危急时刻,几名边防军战士听到枪声,骑马赶来,这时人多势众,小伙子们在马上一阵喊叫,熊群才极不情愿地慢慢离去。

边防军说,他们经常和狗熊打交道。有一天晚上,一头大黑熊突然闯进了住处。因为不能开枪,一位战士就拿起脸盆乱敲起来,黑熊还真害怕了,逃到隔壁的厨房里。它看见锅灶上的一笼馒头,高兴地大吃起来。直到吃饱喝足,才在敲脸盆的"欢送"声中离去。

(作者:雪城。有删改。)

(二)会话课文　　您做人的原则是什么

(陈先生是上海的著名画家,他的油画曾多次在国内外引起过轰动。现在他正投资拍摄电影,记者在他拍片期间采访了他。)

记者:请问,您做人的原则是什么?

画家:善良,荣辱不惊。还有……我想这两个够了,不要太多。

记者:交朋友的原则呢?

画家:"忠"字。人家对我忠,我对别人也要忠,以心相待,不欺骗别人。

记者:您穿衣服的原则——

画家:大方。我想"大方"两个字足够了。

记者:吃饭有没有原则?

画家:爱吃什么就吃什么,别想得太多。

记者:用钱的原则呢?

画家:爱买什么就买什么,该用的时候就用。

记者:如果您看见一样非常好的东西,您特别喜欢,可您没钱,没能力购买,这时,您是把这个愿望搁在心里,还是向朋友借钱去买?

画家:不借钱,看过就算了。等有钱的时候,有能力的时候,那就毫不犹豫地去买。

记者:一个穷朋友来借钱,并且很可能不还你了,你会不会借钱给他?

画家:那要看他拿这个钱做什么用了。如果他非常需要,帮助别人摆脱困境,我会帮助。一般情况下,没必要去做这样的事。

记者:您说您待朋友是一个"忠"字,如果您的朋友骗了您,对您不忠,您会有什么反应?

画家:是我接近的朋友,我会非常生气,一定要和他讲清楚;是一般朋友的话,就避开。

记者:对讨厌的人,您怎么办?

画家:离得远一点。

记者:要是这种人不请自来呢,您会把他关在门外吗?

画家:做人起码的态度是客气,要给人家面子。对这样的人,不必太认真,不必开门见山,只需要礼貌就行了。

记者：朋友请您赴宴，在一盘菜里，您发现了一根头发，这时，您会怎么办呢？

画家：要给主人面子，不声不响算了。

记者：您有做儿子和做父亲的双重体验，当您的长辈要求您去做您不愿做的事，您会怎么办呢？

画家：孝顺要放在第一位。天下的父母都是为了孩子好。如果不愿意做，可以去思考，可以跟父母商量。

记者：在您的记忆中，您打过孩子吗？

画家：打过的。

记者：后悔吗？

画家：有一点后悔。

记者：道歉吗？

画家：道歉不必了。

记者：一位漂亮女子爱上了您，可您不爱她，您会怎么处理这件事？

画家：我会很客气地讲清楚，会很尊重她。对这样的人，一定要尊重。

记者：如果您爱上了一个女子，但不知道她的心意，您会用什么方式让她知道您的感情呢？

画家：我会去了解她，知道她的想法，在适当的时候向她表白。

记者：您看见一只皮箱，会联想到什么？

画家：重要的东西。

记者：如果您看见一条漂亮的裙子呢？

画家：会想到一双女孩子的鞋子。

记者：看到旗袍呢？

画家：会想到线条，女人的线条。艺术家总是以自己职业的眼光去看待生活。

记者：您最喜欢的口头禅——

画家：性格决定命运。我经常说这句话，这是我生活经历的总结。

（作者：淳子。有删改。）

（三）听力课文　　放回猫头鹰

春节期间，我和妻子回农村家乡过年。

大年初二那天，我和妻子，还有哥哥的孩子小健，沿着村后的一条小路散步。忽然，小健高兴地叫了起来："猫头鹰！猫头鹰！"我们抬头向周围的树上找时，小健已经抱着一只猫头鹰跑过来了。那小东西正在发抖，样子很可怜。小健把它放在地上，它竟蹲在地上一动不动。我们这时才发现，它的身上有好多血,显然是被人打伤的。

妻子是个环境保护主义者,看到猫头鹰受了伤,伤心得流下了眼泪,难过地说:"把它抱回家去吧,不然,它会死的。回去好好照顾它,也许还有希望。"

回到家,小东西的眼睛紧紧地闭着,身体也是凉的。妻子赶紧找来药水,给它洗伤口,上药。一会儿,小东西慢慢地睁开了眼睛,又圆又大,身上也不那么凉了。妻子高兴得手舞足蹈,一家人也都笑了。

第二天,小猫头鹰开始活动了。一个劲儿地往黑暗处钻。我们怕它再次受到伤害,就把它放进一只纸箱里。此后的几天,我们都按时给它洗伤口,换药。妻子每次吃饭,都挑出最好的肉片给它吃。小东西一天比一天活跃,伤口也一点点长好了。

一个星期之后,小猫头鹰伤完全好了。一双大眼睛闪着光,拍打着翅膀在屋里飞来跳去,样子十分可爱。我们都舍不得离开它。但我们十分清楚,大自然才是它真正的家,应该把它放回大自然。

放它的那天,一家人站在门口跟它照相,好像在举行告别仪式。妻子更是舍不得,抱着它跟它说话;那小东西也懂事似地不停地用脑袋蹭妻子的手,把大家都逗笑了。我们把它抛向天空,它在空中转了两圈,竟没有离去,又落到妻子的肩上。我们都被感动了,难怪有人说动物是通人性的。我们再一次把它抛向天空,它才恋恋不舍地飞走了。

第二天我们要回城了。临出门,一只猫头鹰又落在了我家门前的大树上。我和妻子一眼就认出了它,妻子又兴奋又激动。善良的邻居们却不太高兴,说大白天飞来一只猫头鹰不吉祥,都劝我们晚几天再走。有人甚至要去拿枪来打它。吓得妻子赶快把小猫头鹰赶跑了。

我们到今天仍然惦记着那只猫头鹰,担心人们对它的误解。但我们深信,善良的人们逐渐会明白:保护动物就是保护我们人类自己。而且我们还要说,为了生存,请放下你手中的武器!

[猜一猜答案:早(枣) 离(梨) 江(姜) 西(西瓜)]

生   词

1. 猫头鹰	(名)	māotóuyīng	owl hibou; chouette	
2. 药水	(名)	yàoshuǐ	liquid medicine lotion; sirop	丙
3. 伤口	(名)	shāngkǒu	wound; cut plaie	丙
4. 仪式	(名)	yíshì	ceremony; rite cérémonie	丙
5. 人性	(名)	rénxìng	normal human feelings	丁

216

| 6. 恋恋不舍 | liànliàn bù shě | nature humaine
be reluctant to part with
se séparer à contre-cœur |
| 7. 误解 （动） | wùjiě | misunderstand
mal comprendre | 丁 |

六　练　习

(一)给下列名词各搭配一个适当的成分：

1. ____气温　2. ____宫殿　3. ____佛教　4. ____老人家　5. ____液体
气温____　　宫殿____　　佛教____　　老人家____　　液体____

6. ____罪恶　7. ____伙伴　8. ____饮料　9. ____喉咙　10. ____牧民
罪恶____　　伙伴____　　饮料____　　喉咙____　　牧民____

(二)给下列动词搭配一个宾语和一个补语：

1. 忍受____　　2. 维修____　　3. 预防____　　4. 考验____
忍受____　　　维修____　　　预防____　　　考验____

5. 警惕____　　6. 沾____　　　7. 清除____　　8. 绣____
警惕____　　　沾____　　　　清除____　　　绣____

(三)选择适当词语填空：

距今、赶紧、绣、扇、赶忙、要不然、缓和、佛教、毫不、想方设法、如同、赶快、无怨无悔、青春、忽高忽低、查阅

1. 这屋子里的烟味太大了,你____把那____窗户打开吧!

2. 那件旗袍上的牡丹花,是她自己____的。

3. 我____感到陌生,____回到了自己的家里一样。

4. 在这里,他____到有关西藏____的珍贵资料。

5. 我_____说些玩笑话,尽量使气氛____下来。

6. 听到敲门声,她____放下手里的活儿去开门。

7. _____出发吧,_____就来不及了。

8. 这里的天气变化无常,气温_____。

9. 五四运动_____已有七十余年了。

10. 为了建设新西藏,他们献出了宝贵的____,但他们_____。

(四)用指定词语回答问题：

1. 你找安娜有事吗?（跟……打个招呼）

2．赵老师为什么批评小王？（打招呼）

3．小王为什么没参加周六的义务劳动？（考察　要不然）

4．明天下午的辩论会你参加吗？（考察　要不然）

5．你对张强获得了两块金牌有什么感想？（之所以……是因为……）

6．小王为什么被取消了考试资格？（之所以……是因为……）

7．阿里最近身体不太好，他还能参加比赛吗？（好在）

8．这次考试，你准备得怎么样？（好在）

9．太晚了，你不要再干了，你明天再来不好吗？（一口气）

10．安娜，你的胃怎么又疼了？（一口气）

11．对待这种传染病，你们是怎么做的？（一系列　预防）

12．这次流感很厉害，为什么你们还能保持这么高的出勤率？（一系列　预防）

（五）根据课文内容判断正误，并说明理由：
（　　）(1)一谈起"世界屋脊"的高度，"我"就十分恐怖。
（　　）(2)高山反应对每一个初访者都是逃避不了的考验。
（　　）(3)大昭寺门前那块劝人种牛痘的石碑，是清朝乾隆皇帝所立。
（　　）(4)路过寺庙、宝塔或宗教纪念碑时，不能按反时针方向走。
（　　）(5)很多人告诉我，这里的解放军经常清除公路上的飞沙走石。
（　　）(6)日喀则野外的牧民初次见面便热情地欢迎我们与他们共进午餐。
（　　）(7)我们喝了酥油茶后，互相才有了理解，气氛也热烈起来。
（　　）(8)经过多次讨价还价，我们才买到了便宜的纪念品。

（　　）(9)西藏的魅力是无法抗拒的，"我"希望还能再来。

(六)根据课文内容回答问题：

1. "重读西藏"是什么意思？

2. 高山反应可怕不可怕？"我"为什么说高山反应是一种生命的体验？

3. 西藏的气候怎么样？有什么特点？

4. 布达拉宫为什么会给人一种神秘的感觉？

5. 大昭寺门前的石碑是怎么回事？藏族同胞对石碑的感情怎么样？

6. 西藏有哪些风俗习惯？

(七)阅读练习：

1. 根据阅读课文内容判断正误，并说明理由：

（　　）(1)我们喝了子母河的水后，肚子真的"大"起来了。

（　　）(2)子母河水里果然有有毒的矿物质。

（　　）(3)司机赶忙送我们去医院抢救。

（　　）(4)大夫告诉我们肚子胀与子母河水没有关系。

（　　）(5)在高原上，再好的东西、再饿都不能多吃。

（　　）(6)我们坐了一辆好久没检修的车子，所以一路上故障不断。

（　　）(7)一群大狗熊趁我们不注意把我们包围了。

（　　）(8)最前面的狗熊站起来有一人多高。

（　　）(9)为了脱险，我们跟着碎石滚下了山。

（　　）(10)滚下山后我们才脱了险。

（　　）(11)用力敲脸盆、众人大声喊叫都能让狗熊害怕。

（　　）(12)最后，还是枪声吓跑了大狗熊。

2. 讲一讲这两个小故事。

(八)口语练习：

1. 分角色进行对话练习，注意语音语调。

2. 根据课文内容回答下列问题：

(1)记者向画家提出了哪几个方面的问题？

(2)画家认为做人、交朋友最重要的是什么？

(3)在生活中，画家的眼光、思考与一般人一样吗？举例说明。

(九)听力练习：

1. 听录音，复述大意。

2. 根据录音内容,用自己的话进行语段表达:

(1)那只小猫头鹰正在发抖,_____。_____
_____,显然是被人打伤的。

(2)妻子看到受伤的猫头鹰很难过,_____,_____
_____,不然_____。

(3)为了不让猫头鹰感到害怕,_____。_____
_____,它的伤口也一点点长好了。

(4)我们决定把小猫头鹰放回大自然,临放飞以前_____
_____,_____。

(5)第二天,猫头鹰又回来了,_____。_____
_____,但是邻居们_____。

(6)我们至今还惦记那只猫头鹰,我们希望_____
_____。

(十)交际训练:

1. 请告诉你的朋友:(说一段话或写一段话)

(1)我去过西藏……

(2)我想去西藏……

(3)我去过中国的……

(4)我知道那个地方的文化、宗教、风俗习惯……

下面的词语可以帮助你表达:

> 旅游、考察、入乡随俗、被……所……、吸引、体验、亲身、反应、适应、之
> 所以……是因为……、打招呼、忽……忽……、赶忙、要不然、感兴趣、
> 佛教、伙伴

2. 自由讨论:

(1)为什么人们都说西藏具有不可抗拒的魅力? 谈谈你的看法。

(2)到一个地方去考察或旅游,你都要做哪些方面的准备?

(3)你们国家在保护大自然、保护动物方面采取了哪些有力措施?

(4)你对画家陈先生的一系列原则有什么看法? 介绍介绍你做人的原则。

3. 语言游戏

(1)猜一猜:礼品盒里的秘密

明朝末年,清兵占领北京后,准备南下。当时远在江西的官员郭都贤不知道这一消息。他的一位在北京的同事打算通知他,但又不敢明说,就派了两个家人准备好一个大礼品盒,急急忙忙赶往江西。郭都贤收到礼品盒后,打

开一看,盒子里第一格是红枣,第二格是梨子,第三格是生姜,第四格是西瓜。郭都贤想了半天,终于明白了礼品盒里的秘密。你现在知道这里的秘密了吗?(见听力课文后答案)

　　(2)你知道下面这两句俗语的意思吗?请给大家讲一讲。

　　　　到什么山上唱什么歌

　　　　不看僧面看佛面

4. 看一看,说一说,写一写。

喜 相 逢　王 里

第二十六课

一　课文　试试吸毒[1]

他叫方增，今年二十三岁，出生于西南边疆[2]的云南。他家庭条件十分优越，头脑[3]聪明，外表[4]又英俊[5]，因此，深得同伴[6]们的羡慕和赞赏[7]。

高中毕业以后，他进了当地一家大型国营[8]工厂，成了一名工人。然而，在商品大潮的猛烈[9]冲击[10]下，他的心怎么也静不下来了。于是，他向工厂提出辞职[11]，北上石家庄，开了一家饭馆。虽说[12]饭馆不算大，但因他善于经营，倒也顾客盈[13]门。这样，两年下来，除了各项开支，居然攒下了数万元。

生意场上的一帆风顺[14]，使他更加自信。他卖掉了石家庄的饭馆，来到北京，以寻求更大的发展。他先是在某旅游中心工作，后又到某现代办公用品[15]公司做起了广告生意。这一来，他又赚了一笔钱。这山望着那山高。时隔不久，他又在一家远近闻名[16]的大饭店找到工作。由于他聪明能干，很快就被提升[17]为副经理。在上上下下一片赞扬[18]声中，他说："人往高处走，水往低处流。我没有满足的时候。没见识过的东西还多着呢。我什么都想试试，这样才不白来世上一回。"

事也凑巧[19]，今年七月，老板要从云南购[20]进一批货物[21]，并且需要派专人把货运回来。方增自然被选中了。凭着他的才能和经验，他在云南事情办得很顺利。

一天晚上，有个老板请他到一家歌舞厅[22]娱乐。歌舞厅的小姐一听他是北京来的副经理，便伺候[23]得格外周到。酒喝了一杯又一杯。小姐见他脸色通红[24]，已有七八分醉，就趴向他耳边问："吸粉[25]吗?"

小姐见他有点儿犹豫，便有声有色[26]地向他介绍吸粉的妙处。这时，他想起了"在社会上混，什么都得尝试[27]尝试"这句常挂在嘴边上的话，便点点头答应了。

那位小姐拿出一个小纸包，很快打开。方增一看，是白色的粉末[28]。小姐

222

耐心地教他吸粉的方法。可方增吸过以后却怎么也没有她说的那种想什么就有什么的美妙[29]感觉,只觉得有点恶心[30]。心想,可能是因为酒喝多了的缘故。回到住处,还没来得及躺下,就忍不住吐了一地。

第二天醒来,他心想,小姐把吸粉说得那么美妙,可自己竟一点感觉也没有,无论如何也得再试一次。

好容易盼到了晚上,他很快来到那家歌舞厅。那位小姐见他又来了,高兴得不得了。不过这次给他的海洛因[31]可不是免费[32]的了。就那么一点点粉末,竟花了一百多元。

回到住处,他迫不及待[33]地吸起来。这次吸后的感觉大不一样了:晕晕乎乎[34]的,仿佛进入了一个虚幻迷离[35]的世界。

就这样,在云南的一个月里,他不时[36]地往那家歌舞厅跑,很快就吸上瘾了。他意识到如此下去会毁[37]了自己。可毒瘾一发作[38],他就不停地流眼泪,流口水[39],哈欠[40]连天,接着便浑身[41]冒冷汗,颤抖,肌肉疼,骨头疼,心呀、肝呀、肺呀什么的,全都翻了个儿,真是求生不得,求死无门。

回到北京后,他把吸毒的事告诉了老板,要求老板给他两个月的时间戒毒,他说:"如果戒了,我还来上班;如果戒不了,你们就别管我了。"

老板对他很好,给他开了两个月工资,劝他无论如何要把毒瘾戒掉。

在家只呆了两天,他的毒瘾就犯了。在实在受不了的情况下,他去一家医院找大夫开药。他告诉那个大夫,说自己染上了吸毒的坏毛病,虽然想戒,可现在难受得简直无法忍受,请求大夫先给他开几支杜冷丁[42]。经过再三[43]恳求,大夫只好给他开了八支。他从药房买好杜冷丁,急忙找到一家药店,买了注射器[44]和针头[45],回到家里,自己注射[46]起来。

第一次去医院没出事,只花了二百元钱就搞到了毒品。以后他就常找那个大夫,给他好处费,有时五十元,有时一百元。那个大夫给他填写假病历[47],病症是癌,姓名也是假的。

仅两个来月,为买毒品和贿赂[48]大夫,他就花了近万元。钱花光了,就卖彩电等家里的东西。值钱的东西卖光了,就向邻居和朋友们借,骗他们说自己得了肾炎[49]需要钱。这下,毒瘾没戒成,倒欠了一身债,体重[50]减了五十多斤。一天到晚什么事也不想干,扎完针就昏沉沉[51]地躺着。

一天晚上,药用完了,他拖着沉重[52]的身子又去了那家医院。他从药房窗口往里一看,里面的值班大夫是个女的,正在睡觉。恰好[53]门没上锁。他溜进药房,翻遍了柜子,终于找到七十支杜冷丁和十支吗啡[54]。当他把药品放进兜里正要离开时,女大夫突然惊醒[55],刚要喊叫,被他用身边的一条手巾堵住了嘴。他迅速割下一米多长的电话线,捆住女大夫的手脚,然后匆匆地逃出了医院。

没过几天,那些东西用完了,他不由得又去了那家医院。他正往楼上走,不料正碰见那位女大夫。女大夫很快认出他来。就这样,他被扭送到派出所。

一位记者采访[56]了他。见他的脸色灰里带黄,眼睛充血[57],目光发呆,瘦得皮包着骨头。由于吸毒,内脏[58]遭到严重损害[59],一只手总得按着肚子,连腰都直不起来。他哆哆嗦嗦[60]地伸手向记者要了一支香烟点上,眯[61]着眼睛深深地吸了一大口。

"你现在被拘留[62],此时此刻有什么想法?"记者问道。

"我进来后,毒瘾犯了,真想死了算了……我特想我儿子,我儿子长得漂亮,可好玩了……"

"你这次进来知道后果吗?"

"知道。说不定我得判[63]五年。我媳妇儿[64]可能跟我离婚。可我儿子……"他说不下去了。

"你后悔吗?"记者问。

"那还用说。这都是我自己找的,只怨我自己。"

"现在你只有一条路——下决心戒毒。"

"我是想戒,可不知怎么,只要我看见那东西,就控制不住自己。现在如果桌子上放着一包粉,我拼了命也要去抢的……"

毒品太可怕了。它使人丧失[65]理智[66],丧失人格[67],丧失人生的一切美好愿望和追求。记得有人曾说过这样一句话:"戒毒最有效的办法就是——别沾它。"

毒品是试不得的!

(选自《北京晚报》,作者:席立民。有删改。)

二 生 词

1. 吸毒   xī dú   take drugs   丁
   droguer(se)

2. 边疆 （名） biānjiāng border area; frontier   丙
   frontières; zone frontière

3. 头脑 （名） tóunǎo brains; mind   丙
   esprit; tête

4. 外表 （名） wàibiǎo outward appearance   丁
   apparence

5. 英俊 （形） yīngjùn handsome and spirited; smart   丁
   beau, élégant

6. 同伴 （名） tóngbàn companion   丙
   copain

7. 赞赏 （动） zànshǎng appreciate; admire; praise   丁
   apprécier; admirer

8. 国营 （形） guóyíng state-operated; state-run   丙
   d'Etat

9. 猛烈 （形） měngliè fierce; violent   丙
   violent

10. 冲击 （动） chōngjī lash; pound   丙
    fouetter, battre, battement

11. 辞职 cí zhí resign   丁
    donner sa démission

12. 虽说 （连） suīshuō though   丙
    bien que, quoique

13. 盈 （动） yíng be full of
    être rempli de

14. 一帆风顺 yì fān plain sailing   丁
    fēng shùn avoir le vent en poupe

15. 用品 （名） yòngpǐn appliance; articles   丙
    objets(articles)de (bureau)

16. 闻名 （动） wénmíng be well-known   丙
    être connu

17. 提升 （动） tíshēng promote   丁
    promouvoir

18. 赞扬 （动） zànyáng speak highly of; praise   丙
    faire l'éloge

19. 凑巧 （形） còuqiǎo luckily; fortunately   丁
    par une coïncidence

20. 购	(动)	gòu	purchase; buy acheter	丙
21. 货物	(名)	huòwù	goods; commodity marchandises	丙
22. 厅	(名)	tīng	hall salle	丙
23. 伺候	(动)	cìhou	wait upon; serve attendre; servir	丙
24. 通红	(形)	tōnghóng	very red; red through and through tout rouge	丁
25. 粉	(名)	fěn	powder poudre	丙
26. 有声有色		yǒu shēng yǒu sè	vivid and dramatic vivant et coloré	丁
27. 尝试	(动、名)	chángshì	attempt; try essayer; essai	丁
28. 粉末	(名)	fěnmò	powder poudre	丁
29. 美妙	(形)	měimiào	beautiful; splendid merveilleux	丁
30. 恶心	(动、形)	ěxin	feel like vomiting; feel sick avoir des nausées; écœurant	丙
31. 海洛因	(名)	hǎiluòyīn	heroin héroïne	
32. 免费		miǎn fèi	free of charge gratuit	丁
33. 迫不及待		pò bù jí dài	too impatient to wait s'empresser de qch	
34. 晕晕乎乎		yūnyunhūhū	dizzy; giddy avoir la tête qui tourne	
35. 虚幻迷离		xūhuàn mílí	unreal; illusory; visionary illusoire et confus	
36. 不时	(副)	bùshí	frequently; often souvent	丁
37. 毁	(动)	huǐ	destroy; ruin; damage détruire; ruiner	丙
38. 发作	(动)	fāzuò	start avoir une crise de	
39. 口水	(名)	kǒushuǐ	saliva salive	
40. 哈欠	(名)	hāqian	yawn	

			hâillement	
41. 浑身	（名）	húnshēn	from head to foot; all over	丙
			des pieds à la tête être couvert de	
42. 杜冷丁	（名）	dùlěngdīng	dolanting	
			dolanting（un type d'analgésique）	
43. 再三	（副）	zàisān	over and over again	丙
			à plusieurs reprises	
44. 注射器	（名）	zhùshèqì	injector; syringe	丁
			seringue; injecteur	
45. 针头	（名）	zhēntóu	needle	
			aiguille	
46. 注射	（动）	zhùshè	inject	丙
			injecter; seringuer	
47. 病历	（名）	bìnglì	medical record; case history	
			dossier médical	
48. 贿赂	（动）	huìlù	bribe	丁
			corrompre; graisser la patte à	
49. 肾炎	（名）	shènyán	nephritis	丁
			néphrite	
50. 体重	（名）	tǐzhòng	（body）weight	丁
			poids（du corps）	
51. 昏沉沉	（形）	hūnchénchén	dazed; drowsy	
			（avoir la tête）troublée; pesante	
52. 沉重	（形）	chénzhòng	heavy	丙
			lourd	
53. 恰好	（副）	qiàhǎo	just right; as luck would have it	丙
			juste; justement	
54. 吗啡	（名）	mǎfēi	morphine	
			morphine	
55. 惊醒	（动）	jīngxǐng	wake up with a start	
			se réveiller en sursant	
56. 采访	（动）	cǎifǎng	interview	丁
			interviewer	
57. 充血	（动）	chōngxuè	hyperemia; congestion	
			se congestionner	
58. 内脏	（名）	nèizàng	internal organs	丁
			organes internes	
59. 损害	（动）	sǔnhài	harm; damage	丙
			nuire; endommager	
60. 哆嗦	（动）	duōsuō	tremble; shiver	丙
			trembler; grelotter	

61. 眯	（动）	mī	narrow one's eyes	丙
			fermer à demi les yeux	
62. 拘留	（动）	jūliú	detain	丁
			détenir; interner	
63. 判	（动）	pàn	sentence	
			juger; rendre un verdict	
64. 媳妇儿	（名）	xífur	wife	丙
			femme; épouse	
65. 丧失	（动）	sàngshī	lose	丙
			perdre	
66. 理智	（名、形）	lǐzhì	nerve; reason	
			raison; raisonnable	
67. 人格	（名）	réngé	character; human dignity	丁
			dignité; caractère; personnalité	

专　　名

1. 方增	Fāng Zēng	name of a person
		nom de personne
2. 云南	Yúnnán	name of a province
		province de Yunnan
3. 石家庄	Shíjiāzhuāng	name of a city
		nom de ville

三　词语搭配与扩展

(一)赞扬

[动~]受到~|加以~

[~宾]~医生|~(本厂的)产品|~(他们的)友谊

[状~]热烈地~|应该~|被(群众)~|不要~

[~补]~得太过分了|~起来|~了半天|~一番|~了一次

[~中]~的原因|~的目的|~的目光|~的话

(1)他们这种做法受到了群众的拥护和赞扬。

(2)今天上课的时候,李老师赞扬了那些刻苦学习的学生。

(二)伺候

[~宾]~老人|~病人(吃饭)|~主人

[状~]专门~|耐心地~|(这个人)难~|没~(过)|应该~|被(人)~

[~补]~得好|~下去|~了三天|(只)~了一回|~下去

[~中]~的方法|~的时间|~的人

(1)爷爷前不久去世了,奶奶整整伺候了他五年。

(2)再这样日日夜夜伺候下去,他非累坏不可。

(三)尝试

[～动]～着做|～着安装|～着制造|～着修理

[～宾]～了各种方法

[状～]主动～|亲自～|大胆～|正在～|可以～(一下)|没～(过)

[～补]～一下|～了几次|～过了

[～中]～的原因|～的目的|～的过程|～的结果

(1)为了提高产品质量,工人们曾尝试过各种方法。

(2)他今天也尝试了一回当"皇帝"的滋味。

(四)戒

[～宾]～烟|～酒|～毒

[～补]～得早|～掉(毒瘾)|～不了|～(不)下去|～了一个多月|～了三次

[～中]～(烟)的原因|～的结果|～的决心|～的过程

(1)他没有决心戒烟,戒了些日子,现在又抽上了。

(2)叔叔一到冬天就喘,大夫劝他戒烟,他老不听。

(五)注射

[～宾]～葡萄糖|～吗啡|～青霉素|～兴奋剂

[状～]早～(过了)|及时～|正在～|必须～|慢慢～

[～补](刚)～完|～起来|～下去|～了一次

[～中]～(青霉素)的原因|～的方法|～的效果

(1)你这种病注射青霉素很快就能好。

(2)他轻易不让大夫给他注射麻药。

(六)贿赂

[动～]开始～(干部)|拒绝～|接受～|禁止～

[～宾]～老板娘|～医生|～厂长|～那个人|～(那个)公司

[状～]偶然～了(一次)|经常～|秘密～|想方设法～|(被坏人)～了|不要
～|只～了(一次)

[～补]～得少|～得巧妙|～起(干部)来|～一下|～了几回

[～中]～的干部|～的目的|～的钱物|～的手段

(1)我很了解她,她从来没有接受过贿赂。

(2)宋少华!你知道贿赂是一种什么行为吗?

(七)采访

[动～]希望～(他)|进行～|决定～|接受～|拒绝～

[～动/形]～结束|～开始|～(被)取消|～(很)顺利|～(很)及时

[～宾]～一位教师|～著名作家|～电影明星|～(他的先进)事迹|～大会

[状~]成功地~|单独~|经常~|秘密地~|没~(过)|可以~

[~补](刚)~完|~起来|~下去|~不了|~一下|(只)~了一次|~了
　　　三天

[~中]~的时间|~的作家|~的过程|~的内容

　　(1)我看过老于的采访笔记,记得非常详细。

　　(2)巴金是一位著名的老作家,经常有记者去采访他。

(八)损害

[动~]遭受~|受到~|造成~|继续~(他的名誉)

[~宾]~身体健康|~心脏|~集体利益|~……友好关系|~团结

[状~]严重地~|故意~|随便地~|已经~

[~补]~得很厉害|~不了(群众利益)|(白蚁)~起(房屋)来|~下去

[~中]~的情况|~的程度|~的后果

　　(1)你发表的那篇报道损害了我的名誉,我要去法院告你。

　　(2)既然你知道吸烟损害身体健康,为什么不戒掉呢?

(九)丧失

[动~]担心~(自己的地位)|害怕~(自理能力)|避免~(公司的信誉)

[~宾]~威信|~勇气|~原则|~警惕性|~信心|~领土

[状~]完全~了(记忆力)|早就~|已经~|不要~……

[~补]~完|~尽|~掉|~不了|~了一会(知觉)

　　(1)我哥哥已经丧失过一次出国机会了。

　　(2)由于他的错误严重,他的威信已经丧失得一干二净。

四　语法例释

(一)虽说饭馆不算大,但因他善于经营

　　"虽说",连词。同"虽然",表示让步,后面常有"但、但是、可、可是、不过"等表示转折的连词与之呼应。常用于口语。例如:

　　(1)虽说老杨不算老,可毕竟也有五十多岁了。

　　(2)虽说那间屋子小了点儿,可阳光倒挺充足的。

　　(3)虽说这个事故不是我造成的,但我心里还是很不好受。

　　(4)虽说那里的环境不错,我还是不愿意搬过去住。

　　(5)虽说他们夫妻俩常吵架,不过离婚的可能性不大。

　　(6)虽说你的工资不高,不过一年攒二三千块钱应该是不成问题的。

（二）小姐见他有点儿犹豫，便有声有色地向他介绍吸粉的妙处

动词"有"连用，构成"有……有……"格式，其意义和用法是：

1. 连接两个意思相同或相近的名词或动词，表示强调。如"有名有姓、有吃有喝、有说有笑"等，在句中可作谓语、定语、状语和补语。例如：

（1）几个人有说有笑，一直聊到深夜才睡。

（2）那两个演员有声有色的表演，赢得了观众热烈的掌声。

（3）弟弟刚从新疆回来，他有声有色地给我们讲述那里有趣的事情。

（4）我做的菜不怎么好，没想到他却吃得有滋有味。

2. 嵌入两个意思相反或相对的名词、动词或形容词，表示既有这方面，又有那方面，如"有男有女、有头有尾、有得有失、有问有答、有长有短、有厚有薄"等。在句中可作谓语、定语、状语和补语。例如：

（5）屋子里有男有女，有老有少，一共二十多个人。

（6）爷爷，今天晚上你不忙了，得给我讲个有头有尾的故事了。

（7）你要有始有终地把这件事做好，千万不要停下来。

（8）各种蔬菜种得有早有晚，一年四季都可以吃到新鲜蔬菜。

（三）无论如何也得再试一次

"无论如何"，表示强调不管情况如何变化，都要完成某项工作或做某件事情。作状语，有时可放在主语前。例如：

（1）今天的会很重要，你无论如何要参加。

（2）小王，我托你办的事情你无论如何别忘了。

（3）我劝了她半天，可她无论如何也不回来。

（4）你们无论如何要把丢失的文件找到。

（5）这份电报很紧急，无论如何要在12点以前送到。

（6）明天上午，你无论如何得来一趟。

（四）好容易盼到了晚上

"好容易"，副词。意思是很不容易地完成某种动作、办成某件事情或出现某种情况。用在动词谓语前作状语，后边常有"才"搭配并带有感叹语气。"好容易"也可说成"好不容易"，意思不变。例如：

（1）我去了好几个书店，好容易才买到这本词典。

（2）这几天老下雨，今天好容易才晴了天，咱们去公园玩一天吧。

（3）好容易才得到这么个好机会，他怎么会轻易放弃呢？

（4）我好不容易钓到几条鱼，都叫猫给吃了。

（5）我好容易修好了录音机，又让他给弄坏了。

(6)我们好不容易才找到他家,可他偏偏出差了。

(五)他不时地往那家歌舞厅跑

"不时",副词。表示行为、动作或情况连续地(有间断)多次发生。作状语。多用于书面。例如:

(1)老人听着我的话,不时地点头。

(2)她不时向四处张望,看看大哥来了没有。

(3)远处不时传来枪声,战斗还在进行着。

(4)四周很安静,窗外不时吹来阵阵花香,这里的环境很好。

(5)她不时地向窗外看,希望丈夫早点回来。

(6)看话剧时,中国朋友怕我听不懂,不时地给我翻译。

(六)经过再三恳求,大夫只好给他开了八支

"再三",副词。一次又一次的意思,强调为达到某种目的多次重复某一动作或行为。作状语。例如:

(1)他再三表示,一定要完成好组织上交给他的任务。

(2)经过再三恳求,母亲终于答应我去打工了。

(3)离开家时父母再三嘱咐我要注意安全。

(4)医生再三对叔叔说,要尽量少喝酒。

(5)我们经过再三研究,决定提升小徐为公司副经理。

(6)我再三劝他戒烟,可他就是听不进去。

(7)老白再三向她道歉,她才不生气了。

(七)有时五十元,有时一百元

"有时……有时……",这一格式中的"有时"是"有时候"的意思。可连用两次或两次以上,表示有时这样,有时那样,没有什么规律。"有时"后面常为某些意义相反或相对的形容词、动词或某些词组。例如:

(1)父亲的病有时轻,有时重。

(2)爷爷九十多岁了,有时明白,有时糊涂。

(3)妹妹精神受了刺激,有时哭,有时笑,我们明天就送她去医院治疗。

(4)训练时他有时跑得快,有时跑得慢,没想到,他今天比赛获得了第一名。

(5)这孩子对考试的分数有时重视,有时又不在乎,不像你们小明。

(6)他早晨跑步,有时往东边去,有时往西边去,有时就在学校操场上跑。

(八)钱花光了,就卖彩电等家里的东西(被₅)

前面讲了四种形式的带"被"字的被动句。在现代汉语里有些不能发出动作的事物作主语时,后边的动词谓语本身就带有被动的意思,汉语里如不需要特别指明主动者(或施动者),一般不用介词"被",这种句子可以叫做意义上表示被动的句子。例如:

(1)李佳,信发出去了吗?

(2)菜端上来以后,没有一个人动筷子。

(3)告诉你,电影票买到了。

(4)文章写好了吗,雷鸣?

(5)零件卸下来以后,不知放在哪儿了。

(6)摩托车该检修了,先骑自行车吧。

(九)恰好门没上锁

"恰好",副词。意思是(在时间、空间、数量等方面)正好、正合适。例如:

(1)我正要出去找老赵,恰好老赵来了。

(2)他醒来一看表,恰好六点半,比上闹钟还准。

(3)这几年我攒的钱恰好够买一辆汽车的。

(4)这个教室恰好有二十个座位。

(5)你想看的那本书,恰好我家有一本,你拿去看吧。

(6)今年夏天,我去青岛开会,我母亲恰好也要在青岛住一个月。

(7)你举的这个例子,恰好证明我的看法是正确的。

五　副　课　文

(一)阅读课文　　四把椅子的风波

天气太热了,崔奶奶扇着扇子,独自坐在大树下的椅子上乘凉。

邻居康秀英没什么事,来到崔奶奶住的院子串门。康秀英一边和崔奶奶聊家常,一边细细地打量崔奶奶坐的红木椅子,心里非常喜欢,禁不住称赞起来:"崔奶奶,您坐的这把椅子真不错,又结实又好看。"崔奶奶说:"结实是结实,就是太重了。我已经八十多岁了,搬都搬不动。"康秀英又问:"您有几把这样的椅子?"崔奶奶说:"一共有四把。这几把椅子还是我当年结婚的时候父母给买的呢。"康秀英一听,便动了心,再三恳求崔奶奶把四把椅子卖给她,再买几把轻便的椅子。崔奶奶看在邻居的面上,不好拒绝,就答应了。

第二天上午,康秀英早早地来到崔奶奶的家,按照约定,把 300 元钱和自己使用过的一把藤椅交到崔奶奶手里,然后运走了崔奶奶的四把红木椅子。

不久,崔奶奶的儿子从外地出差回来,不见四把红木椅子,便问崔奶奶红木椅子哪儿去了。崔奶奶就把卖椅子的事一五一十地告诉给了儿子。儿子一听,就责怪起母亲来:"您怎么不等我回来商量商量就把椅子卖了呢?您知道那几把椅子值多少钱吗?按眼下的行情,这四把椅子至少值2000元!"崔奶奶听了,后悔极了。

崔奶奶立即来到康秀英家,说明来意,要求康秀英补上1700元钱。康秀英却说,买卖双方自愿,不能反悔。崔奶奶一气之下,告到法院,要求康秀英补足钱数,否则就把300元钱退还给康秀英,收回自己的四把红木椅子。

法院受理了这个案件。经过法庭调查,判决撤销这桩买卖,双方各自把已取得的钱物退还给对方。法院为什么做出如此判决呢?法院依据"民法通则",认为这一民事行为是无效的。因为崔奶奶由于缺乏经验,不了解市场上同类椅子的价格,轻易地把价值上千元的椅子卖给了康秀英,因而遭受了重大损失。而康秀英获得了超出正常情况下数倍的利益。这一买卖行为违反了民法通则的公平、等价有偿原则。这一不公平的买卖行为在一年之内,可向法院请求变更。

崔奶奶对法院的判决表示满意,康秀英也未提出上诉。四把椅子的风波就这样平息了。

(作者:潘巳申。有删改。)

(二)会话课文　　老玛丽,是你呀!

吉奥姆:(忽然见到了玛丽)哎呀!老玛丽,是你呀!咱们有五年没见了吧?

玛　丽:是啊!五年了,你一点都没变,还是原来的样子。(忽然想起)哎,你刚才叫我什么来的?

吉奥姆:我叫你"老玛丽"呀!

玛　丽:老玛丽?(掏出镜子照了照)五年没见,我真的显老了吗?

吉奥姆:哪儿的话!你越长越年轻了。

玛　丽:真的吗?谢谢!可你刚才为什么叫我"老玛丽"?

吉奥姆:哦,咱们现在不是在中国吗?中国人称呼比自己大的朋友,不都是在姓前边加上一个"老"字吗?像什么"老张"啊、"老王"啊……叫你"老玛丽"不是显得亲热吗?

玛　丽:去你的!那是你们男人之间的称呼,而且对二三十岁的人无论如何不能用"老"来称呼。对姑娘更不能这么称呼。哪个姑娘愿意别人说自己老呢?

吉奥姆:我可听中国人说过"老姑娘"。

玛　丽:虽说中国人也说"老姑娘",可那是指年龄大还没有结婚的妇女。对年轻姑娘可不能这么叫。对了,这"老姑娘"也只能背地里说,可不能当着人家的面老姑娘长老姑娘短地叫。那还不把人家给气死呀!

吉奥姆:那为什么呢？上次我去我的汉语老师家,老师就指着自己的女儿对我说:"这是我的老闺女。"那姑娘挺年轻的,还朝我笑了笑,一点也没有不高兴呀？

玛　丽:这是两回事。有些地方,中国人把自己最小的女儿叫"老闺女",和年龄大小没关系。"老闺女"不等于"老姑娘"。

吉奥姆:照你这种说法,有些中国人是不是也把自己最小的儿子叫"老儿子"呢？

玛　丽:你算说对了,在中国,有些父母常把大儿子叫做"老大",把第二个儿子叫"老二"……把最小的儿子叫"老儿子"。

吉奥姆:噢,是这样。还有一件事我不明白,为什么中国人管我叫"老外"呢？

玛　丽:这还不明白？因为你不是中国人,中国人就叫你"老外"。

吉奥姆:可我查了几本词典都没发现这个词呀？

玛　丽:这是年轻人嘴里的新词。我想,"老外"是中国的年轻人对外国人的一种既随便又亲热的称呼。我的一个朋友就很喜欢这个称呼,他在自己的背心上还印了"老外"两个字,走在街上,谁见他谁叫他老外。这个词只有在新出版的词典里才能查到。

吉奥姆:你说"老外"是中国人对外国人的一种称呼,可有一次,在商店里,我见到一对中国年轻人买录音机,那男的指着上面的外文字母说:"这是外国的,咱买这个。"那女的立刻说:"这是英文,意思是'中国制造',你真是个老外!"你看,女的说男的是"老外"!

玛　丽:那是说男的外行。外行就是对某一方面的事一点也不懂。中国人把外行的人也叫老外。哎,吉奥姆,刚才你急急忙忙地要去哪儿呀？

吉奥姆:我去老郭家。老郭就是郭文先生,有名的书法家、语言学家,你听说过这个人吧？

玛　丽:那还用说。不过你见到郭先生可别叫"老郭",你得叫"郭老"。

吉奥姆:"郭老"？你怎么把"老"放在姓后边了？

玛　丽:在中国,习惯上尊称声望高的老年人"某老";如果你在姓前边加"老"就显得不严肃,没礼貌。

吉奥姆:看来,我又"老外"了,真没想到一个"老"字有这么大学问。

(作者:刘德联、高明明。有改动。)

(三)听力课文　　3号院的秘密

　　9月3日晚6点,黄村路边一个高个儿男青年和一个矮个儿男青年招手打的,很快,一辆个体出租汽车停在他们面前。"师傅,西四去不去?"高个儿问。"上车吧。"司机点头。

　　出租车拐进粉子胡同,在3号院停下。高个儿说了一句在这儿买空调,就独自进了3号院。不一会儿,他从里面出来,对矮个儿青年说,还差300元钱,问矮个儿带没带。矮个儿说没带。于是二人转向司机说:"师傅,能不能先借给我们,等我们买完空调还坐你的车回黄村,到那儿连车钱一块给你。"

　　司机听客人说得如此诚恳,就掏出300元钱给了他。高矮两青年一起下车,请司机稍等,便进了院子。

　　五分钟、十分钟、二十分钟过去了,司机左等右等也不见二人出来。他再也坐不住了,就从车上下来,进了3号院。到里面一看,一个人也没有。又见面对大街的一个小门儿半开着,才知道自己受骗了,于是开车直奔派出所。

　　派出所对案件发生的时间、地点及手段进行了分析研究,发现这件事跟前几天一个出租车司机反映的情况完全一样,决定无论如何要抓住这两个坏人,就派小王和小李到案件发生的3号院附近监视。

　　10月9号晚6点,小王发现一辆红色出租车停在3号院前,从车上下来一个男青年进了3号院。此人的外表很像被骗司机所说的那样。小王立即让小李截住这辆车,自己追到院子里,问高个儿男青年干什么来了。那高个儿显出惊慌失措的神情,回答说是买空调,说完转身就走。此时小李已问清司机是从黄村开来的。车上的矮个儿见事情不妙,刚要跑,一下子就被小李抓住。两个男青年被带到了派出所。

　　经审查,这两个男青年是本市人,没有职业,由于吸毒,没钱买海洛因,便合伙骗钱。他们认为每次骗得不多,司机不会当做一回事,所以并不害怕。没想到刚骗了两三个司机就被拘留了。

(作者:韩景童、王杰。有删改。)

　　(语言游戏:墙上的钟既然不是电子钟,已经一个月了,应该停止走动。老王和小李进屋时钟却正常地走着,又没别人来过,肯定是胖子自己上了弦它才走的。可见胖子说的是谎话,报的是假案。)

生　　词

1. 招手		zhāo shǒu	beckon; wave faire signe de la main	丙
2. 监视	(动)	jiānshì	keep watch on	丙

236

3. 截	（动）	jié	surveiller stop; check arrêter；intercepter	丙
4. 审查	（动）	shěnchá	examine；investigate examiner	丙
5. 合伙	（动）	héhuǒ	form a partnership s'associer avec qn.	丁

六　练　习

(一) 给下列动词搭配上一个宾语、一个补语、一个状语：

1. 赞扬____　2. 伺候____　3. 尝试____　4. 戒_____
　赞扬____　　伺候____　　尝试____　　戒_____
　____赞扬　　____伺候　　____尝试　　_____戒

5. 注射____　6. 贿赂____　7. 采访____　8. 损害____
　注射____　　贿赂____　　采访____　　损害____
　____注射　　____贿赂　　____采访　　____损害

(二) 给下列形容词和动词前后各搭配上一个适当的成分：

1. 英俊____　2. 美妙____　3. 猛烈____　4. 凑巧____
　____英俊　　____美妙　　____猛烈　　____凑巧

5. 哆嗦____　6. 丧失____　7. 发作____　8. 拘留____
　____哆嗦　　____丧失　　____发作　　____拘留

(三) 用指定词语回答问题：

1. 小刘,昨天参加义务植树的人多吗?(有……有……　算起来)

　_____。

2. 星期三你过生日请了很多朋友去你家,你一定很高兴吧?(有……
　有……　尤其)

　_____。

3. 你想调到我们饭店工作,你们单位的领导同意了吗?(再三　好容易)

　_____。

4. 你开玩笑时得罪了宋小华,她还生你的气吗?(再三　才)

　_____。

5. 我借给你的《红楼梦》你看完了吗？（好不容易……才……）

　　_____。

6. 你在中国学习的时候，每天晚上都干什么？（有时……有时……有时……）

　　_____。

7. 老吴的胃病治好了吗？（有时……有时……）

　　_____。

8. 我妈来了，我得陪她去玩，期中考试我参加不了怎么办？（无论如何　要不然）

　　_____。

9. 老宋，明天去长城几点发车？（无论如何　否则）

　　_____。

10. 星期六我们去石花洞玩，你愿意跟我们一起去吗？（恰好　不曾）

．_____。

11. 你有《汉英小词典》吗？借我用用。（恰好　索性）

　　_____。

12. 老白五十多岁了，他还能参加长跑比赛吗？（虽说……可是……）

　　_____。

13. 小王那么年轻，你为什么不愿意把这个任务交给他？（虽说……不过……）

　　_____。

(四)在下面的短文中填上适当的词语并复述大意：

　　有个小偷，外出去偷东西，走进了一个穷人家的屋子。他四处寻找，____没有找到可偷的东西。心想，总不能白来_____，_____也得弄点东西走。他一边想，一边用手摸，忽然摸_____了一个缸，里面_____还有一点米。他决定脱_____自己的上衣，_____米装在袖子里。其实，小偷进屋子时就_____躺在床上的老头发现了。老头_____地注意着小偷，当小偷转身搬缸时，很快_____小偷的上衣。小偷要装米时，不见了自己的上衣，很_____。这时，老头的妻子被小偷搬缸的声音_____了，忙问老头："是什么在响？是不是小偷进来了？"老头说："咱们家什么也没有，哪儿来的小偷？"小偷听了，_____说道："是有小偷，_____没有小偷，我的上衣怎么没有了呢！"

238

(五)完成下列无"被"字的被动句：

1. 今天出去玩的时候,我的照相机_____。

2. 风太大,我晒的衣服_____。

3. 小于,这本书_____,还给你吧。

4. 我的毕业论文_____。

5. 这辆自行车_____,你骑骑怎么样？

6. 啤酒_____我再去买一箱。

7. 饿死我了,妈妈,_____吗？

8. 进来吧,教室_____。

(六)根据课文内容回答问题：

1. 方增的同伴们为什么羡慕他？

2. 他当工人后为什么向工厂提出辞职？辞职后他的生意做得怎么样？

3. 老板为什么派方增去南方运货？

4. 歌舞厅的小姐劝他吸粉时,他为什么没有拒绝？

5. 方增吸粉后有什么感觉？

6. 毒瘾发作时方增感觉怎么样？

7. 回到北京后,方增为什么常去医院？

8. 方增吸毒的后果是什么？

(七)阅读练习：

1. 根据阅读课文内容判断正误并说明理由：

( )(1)康秀英到崔奶奶家是为了买崔奶奶的椅子。

( )(2)崔奶奶因为椅子太重便轻易地把椅子卖给了康秀英。

( )(3)康秀英是在双方同意的情况下取走椅子的。

( )(4)崔奶奶的儿子认为椅子卖得太便宜了,所以责怪母亲。

( )(5)崔奶奶的四把椅子很值钱,因为椅子非常漂亮。

( )(6)法院判决崔奶奶和康秀英的买卖行为无效。

( )(7)康秀英付出的钱大大低于市场同类产品的价钱,所以属于不正当
得利。

( )(8)如果是不公平的买卖行为,不管多长时间,只要你告到法院,法院
就会受理。

2. 讲一讲这个故事(300 字左右)。

（八）口语练习：

1. 分角色进行对话练习，注意语音语调。

2. 根据课文内容回答：

(1)吉奥姆为什么称玛丽为"老玛丽"？

(2)玛丽为什么不喜欢吉奥姆这么称呼她？

(3)中国人怎样运用"老姑娘"这个词语？

(4)"老姑娘"和"老闺女"意思一样吗？

(5)在中国，"老儿子"是指父母生的第一个儿子吗？

(6)在中国，人们怎样运用"老外"这个词？

(7)"老郭"和"郭老"的用法有什么不同？

（九）听力练习：

1. 根据录音内容，用自己的话完成下列语段：

(1)9月3日晚6点＿＿＿＿＿＿＿＿＿＿＿＿＿＿＿＿＿＿＿＿，司机让他
们上了车。

(2)出租车很快拐进粉子胡同，＿＿＿＿＿＿＿＿＿＿＿＿＿，不一会儿
＿＿＿＿＿＿＿＿＿＿＿，二人下了车。

(3)司机等了很长时间不见二人出来，＿＿＿＿＿＿＿＿＿，到里面一看，
＿＿＿＿＿＿＿＿＿＿＿＿＿，司机开车去派出所报案。

(4)派出所对案件进行了分析研究，＿＿＿＿＿＿＿＿＿进行监视。

(5)10月9号晚6点，小王＿＿＿＿＿＿＿＿＿＿，小王立即
＿＿＿＿＿＿＿＿＿，高个儿男青年＿＿＿＿＿＿＿＿。车上的矮
个儿青年＿＿＿＿＿＿＿＿＿＿＿＿＿＿＿。

(6)经审查，＿＿＿＿＿＿＿＿＿＿＿＿＿＿＿＿＿＿＿＿＿＿＿＿。

2. 根据录音内容复述大意(200字左右)。

（十）交际训练：

1. 根据提示写一段话或说一段话(150字左右)：

提示：(1)吸毒不能尝试……

(2)有这样一个吸毒者……

(3)有这样一个小偷……

下列词语帮助你表达：

吸毒、海洛因、发作、戒、注射、损害、理智、丧失、人格、无论如何、再三、
虽说、晕晕乎乎、哆嗦、美妙、毁、浑身、尝试、无可奈何、无济于事

240

2. 自由讨论:

(1)是什么使得方增走上了犯罪的道路?

(2)在你们国家有没有吸毒的问题? 都是哪些人吸毒? 说一说出现吸毒问题的社会原因和个人原因。

(3)在你们国家,政府对吸毒和贩毒行为是怎样惩治的?

(4)你认为吸毒的现象能杜绝吗? 为什么?

(5)你认为法院对"四把红木椅子"的判决正确吗? 为什么?

3. 根据提示内容完成下列对话:

提示内容:

刘四和王晶已办好离婚手续。共同财产中的两只木箱归王晶所有。王晶的弟弟帮她把木箱取走,暂时放在李家。王晶去李家取箱子时,发现里面是空的。在回家的路上,王晶恰好遇见刘四,于是和刘四争吵起来,指责他不该拿走箱子里的东西,足足吵了一个小时。刘四告到法院。法院认为王晶的行为已构成对刘四名誉权的损害,因而判决王晶赔偿刘四精神和名誉损失费并承担本案诉讼费共计 262 元。

王　晶:刘四,你为什么拿走箱子里的东西?

刘　四:你凭什么说我拿走了箱子里的东西?

王　晶:我问你,箱子是不是暂时放在你那儿?

刘　四:是呀。你弟弟不是取走了吗?

王　晶:是他取走了,可……

刘　四:……

法　官:根据法庭调查,法庭判决如下……

下列词语可以帮助你表达:

　　无论如何、损害、人格、判、本来、违背、固然、上诉、无效、行为、判决、道德、法院、法庭、审理、开庭、律师、诉讼、构成、告、起诉、丢失、物品、派出所、名誉权、赔偿、承担、侵犯

4. 语言游戏:

(1)猜一猜:

一个胖子跑到派出所报案说:"我独自一个人生活。一个月前,我去了香港,今天刚回来。到家一看,门被撬(qiào)了,丢了很多东西。你们无论如何要帮我把丢失的东西找回来。"老王带着小李立即来到胖子家,见门锁果然坏了。进屋里一看,箱子里的东西扔了一地,墙上的钟正常地走着。老王问:"从你发现门被撬到报案,屋子里是否有人进来过?"胖子回答:"没有。"又问:"墙上的钟是用电池的吗?"胖子回答:"不是。"老王悄悄地对小李说:"这个胖子在说谎,报的是假案。"

请问:老王为什么说胖子报假案呢? 请坐在每行的第一位同学迅速把答案写

在卡片上。凡答不出来或答错者罚说一遍这个谜语故事。（答案见听力课文后）

    (2)你知道"自讨苦吃"和"弄巧成拙(zhuó)"这两个成语吗？不知道的话请查一下词典并结合课文(包括副课文)中的人物,用用这两个成语。

5. 看一看,说一说,写一写。

丽

古文字形象两个人并肩同行,是"成双成对"的意思。后来字形加"亻"作"俪",也就是"伉俪"的"俪"。"伉俪"指称"夫妻",用的是"丽"的本义。

"丽"后来加"鹿"作"麗",表示鹿的毛色华美,是"美丽"、"华丽"的意思。简化作"丽",但已不是二人并行的初义。

选自《汉字的故事》,施正宇编著

242

第二十七课

一　课　文　价　值

　　两间大屋子里，十几个年轻人，喝着饮料，吃着零食[1]在闲聊[2]。话题[3]是文艺圈子[4]里的事，也有社会新闻。男主人路非在逗着一只狮子狗玩。

　　忽然女歌手[5]冯敏和一个男记者争论起来。争论的事情是去年一个女歌手和一个记者的一桩[6]诉讼案，两个人都站在同行[7]的立场上。冯敏说："那个记者就是歪曲[8]事实，损害别人名誉[9]。"记者说："根据消息来源[10]，报道完全属实。那位女歌手确实以不出场[11]为手段，勒索[12]高额[13]出场费。"两个人谁也不让谁，话越说越尖锐。

　　这时，门开了。进来一位三十来岁的男子[14]。路非放下怀[15]里的狗，迎过去说："你怎么才来？"

　　"手术的时间拖了，洗了手就往这儿跑。"

　　路非指着进来的男子说："给大家介绍一位新朋友，这是我高中的同学李彬，医学博士，刚从国外回来，在市医院脑外科[16]工作。"说完，又向李彬——[17]介绍屋里的人。

　　李彬在路非旁边坐下。路非接着说："我这位同学在修理人的脑袋方面可称得上是国内第一刀。国外有个医院曾——"

　　"拒绝高薪[18]聘请[19]，回来报效[20]祖国！"冯敏话里有话地紧接着高声说。

　　李彬看了她一眼。

　　过了一会儿，冯敏又同一个作家争论起来。争论的是作家和歌手报酬的合理性问题。作家说："写一部长篇至少一年，稿费也就是一两万；唱歌的上台喊三五分钟就是三五万，太不合理。"冯敏说："这体现[21]了价值规律，你辛苦干一年创造的东西就值一两万，我们上台喊三五分钟就是值三五万。"作家还是坚持认为不合理，并引用[22]社会上广为流传的两句话——造原子弹[23]的不如卖茶鸡蛋的,拿手术刀的不如拿剃[24]头刀的——作为论据[25]。冯敏也仍坚持她的价值论[26],说:"剃头刀怎么啦?剃头刀怎么就不应该比手术刀强?理发也是技术,不但是技术,还是艺术。他要几十元、几百元,顾客愿意付他那么多钱,说明他理得好,他创造了那么多价值,这有什么不合理?我唱歌,要三万,他们觉得值,同意了,我就唱。一句话,有人给,就是值;不给,就是不值。很简单的道理,到了你们这些学究那里,就弄得那么复杂。"

李彬一直在翻一本画报,似乎对这场争论不感兴趣,这时却忽然扔下画报说道:"我看并不那么简单。现在是有的能自己要价钱,有的不能。造原子弹的要是能自己要价钱,该要多少?"

冯敏正要说话,主人路非站起来拍着手说:"好啦,今天大家消耗[27]的热量[28]很多,到补充热量的时候了。争论暂时停止。"

两个多月后的一天晚上,路非下班回来,刚坐下,电话就响起来。拿起一听,是冯敏的,声音焦急,说:"你怎么才回来?我给你拨了四五次电话了。告诉你:今天下午四点多,陈亮出车祸了!右臂[29]受伤[30],严重的是头,要动手术。"

路非说:"我跟他说了多少次了,别骑那玩意儿[31],他不听,到底还是出事了。"

冯敏说:"现在说什么都没用了。他现在在市医院,手术就在这一两天。我给你打电话,是想让你跟你那位医学博士说说,请他给做这个手术。"

路非问:"在他的病房吗?"

冯敏说:"不在他的病房。不过我问了,请别的大夫做也不是不可以。"

路非立即给李彬打电话,把冯敏的意思跟他说了。

李彬说:"不行,那样不好。再说[32]我这几天手术都排满了。"

路非说:"安排的事,让她自己去跟医院里的大夫说。你排满了,就加个班[33]。"

沉默了一会儿,李彬说:"让我给做也可以,不过她得付报酬。"

这次是路非沉默了,半天才说:"这话可不像是你说的呀!"

李彬笑道:"哎,在价值规律面前人是会变的嘛。"

路非想了一下,说:"行。你说个数吧。"

李彬问:"她出一次场多少钱?"

路非说:"最多两万吧。"

李彬说:"那天她不是说三万吗?"

路非说:"那是她瞎吹。她还够不上那个份,她是跟着三万的出去的。"

李彬说:"那就三万。"

路非简直不相信自己的耳朵,说:"你疯了?"

李彬说:"就是三万。她不愿意就算,就这样。我在手术台上已经站了六个小时,饿得不行了,我得吃饭了。"

路非放下电话,坐在那里,考虑怎么跟冯敏说。电话响起来,是冯敏打来的,开口便问:"找到他没有?"

路非说:"找是找到了,就是……哎,怎么说呢……"

冯敏说:"有什么不好说的。我知道是怎么回事。我不会白求人的,我当然要表示点儿意思。"

路非想了想,下了决心:"他说,你让他给做,得拿出三万块钱来!"

冯敏一听,高声叫起来:"多少? 三万? 他这不是乘人之危进行勒索吗?"她砰[34]地一声把电话挂上了。

沉默了有一分多钟,冯敏又给路非打电话,无可奈何地说:"行,三万就三万! 不就是三万吗? 我多出一次场就有了。"

路非又给李彬打电话,说冯敏同意三万。李彬让冯敏手术前把钱送到路非那里。手术是第二天晚上做的,做了五个小时,很成功。几个助手[35]下来都说,手术做得真漂亮。

第二天早上,路非刚起床就接到李彬打来的电话。李彬问:"你把那三万块钱还给那位歌手吧,我只是想叫她知道,一个脑外科医生比她这样的歌手价值高。"

路非笑道:"哎呀,你何苦为几句闲聊那么认真呢!"

路非很高兴事情这样圆满解决,打算等陈亮出院后去看他时再把钱带去,大家一说一笑,皆[36]大欢喜。半个月后,冯敏打电话告诉路非:"陈亮恢复得很快,今天出院。"路非说:"这两天太忙,过几天就去看他。"

第二天晚上,想不到李彬打来电话,张口就问:"你把钱还给那位歌手没有?"

路非说:"还没有,过几天我去看陈亮时顺便带去。怎么,后悔了?"

李彬说:"我估计你还没有给她。我念个电话记录你听听:'李彬,我认为你是乘人之危进行勒索,你不仅没有医德[37],也违反了法律。我决定告你。我向来[38]明人不做暗事,所以我先跟你打个招呼,你好有所准备,免得[39]你感到突然。'"

路非问:"你听清了是她的声音?"

李彬说:"绝对没错。"

路非骂道:"这个女人,真得给她换个脑袋了! 你让她去告吧,我是惟一[40]的证人[41],最后让她落个诬陷[42]罪[43]。"

路非气得要命,开始他真恨不得[44]让冯敏去法院告,叫她落个诬陷罪。第二天,气消了些,觉得毕竟都是朋友,还是不要把事闹大了。他给冯敏打电话,说:"是不是因为陈亮的车祸,你的精神不正常了?"

冯敏说:"李彬告诉你了是不是? 我就是要去告他,他太欺负人了!"

路非骂起来:"你太没良心了,是你一个劲儿地求人家,三万也是你亲口答应的。你去告吧,我是惟一的证人,我非叫你落个诬陷罪不可!"说完就把电话挂上了,不再理她。

冯敏是个明白人,并没有去告。二十天后,她接到一封从边远[45]地区寄来的信——她去年曾去这个地方演出过。信中说,她寄的三万元扶贫[46]款已收到,当地扶贫组织代表贫困地区人民向她表示感谢。

提到三万元,她的心又痛起来。不过她想:原来以为这三万元是白白地进了别人的腰包,现在总算还换来了这么一封信。她把信放进了存放贵重[47]物品的保险箱[48]里。

(选自《人民文学》,作者:萧平。有删改。)

二 生 词

1. 零食	(名)	língshí	between-meal nibbles; snacks casse-croûte
2. 闲聊	(动)	xiánliáo	chat bavarder

3. 话题	（名）	huàtí	subject of a talk; topic of conversation sujet de conversation	丁
4. 圈子	（名）	quānzi	circle; group cercle	丙
5. 歌手	（名）	gēshǒu	singer chanteur	丁
6. 桩	（量）	zhuāng	(a measure word for matters, events, etc.) (spécificatif)	丙
7. 同行	（名）	tóngháng	a person of the same trade or occupation collègue; confrère	丁
8. 歪曲	（动）	wāiqū	distort; twist déformer; dénaturer	丙
9. 名誉	（名）	míngyù	fame; reputation réputation	丁
10. 来源	（名）	láiyuán	source; origin source; origine	丙
11. 出场		chū chǎng	come on the stage; appear on the scene monter sur la scène	
12. 勒索	（动）	lèsuǒ	extort extorquer; faire du chantage	
13. 高额	（形）	gāo'é	a large sum; a large amount prix élevé	
14. 男子	（名）	nánzǐ	man homme	丙
15. 怀	（名）	huái	bosom poitrine; sein	丙
16. 外科	（名）	wàikē	surgical department chirurgie	丙
17. 一一	（副）	yīyī	one by one; one after another un à un; un par un	丙
18. 薪	（名）	xīn	salary salaires	
19. 聘请	（动）	pìnqǐng	engage; invite engager; inviter	丁
20. 报效	（动）	bàoxiào	render service to repay sb.'s kindness rendre service à qn. en retour de ses bienfaits	
21. 体现	（动）	tǐxiàn	embody; reflect refleter; traduire	丙
22. 引用	（动）	yǐnyòng	quote; cite	丁

				citer	
23. 原子弹	（名）	yuánzǐdàn	atom bomb	丙
			bombe atomique	
24. 剃	（动）	tì	shave	丁
			raser	
25. 论据	（名）	lùnjù	grounds of argument	
			argument	
26. 论	（动、尾）	lùn	discuss; view; theory	丙
			discuter; traiter; théorie	
27. 消耗	（动）	xiāohào	consume; use up; dissipate	丙
			consommer	
28. 热量	（名）	rèliàng	quantity of heat	丙
			quantité de chaleur	
29. 臂	（名）	bì	arm	丁
			bras	
30. 受伤		shòu shāng	be injured	丁
			être blessé	
31. 玩意儿	（名）	wányìr	thing	丙
			chose	
32. 再说	（连）	zàishuō	besides	丙
			en outre	
33. 加班		jiā bān	work over time	丁
			faire des heures suplémentaires	
34. 砰	（象声）	pēng	(onomatopoeia)	
			(onomatopée)	
35. 助手	（名）	zhùshǒu	assistant	丙
			assistant	
36. 皆	（副）	jiē	all; each and every	丁
			tout; tous	
37. 医德	（名）	yīdé	medical ethics	
			conscience de médecin	
38. 向来	（副）	xiànglái	always; all along	丙
			depuis toujours	
39. 免得	（连）	miǎnde	so as not to	丙
			pour évider de	
40. 惟一	（形）	wéiyī	only; unique	丁
			seul; unique	
41. 证人	（名）	zhèngren	witness	
			témoin	
42. 诬陷	（动）	wūxiàn	frame a case against	丁
			fabriquer une accusation contre qn.	

43. 罪	（名）	zuì	crime; guilt crime	丙
44. 恨不得		hènbude	one wishes one could; be dying to brûler d'envie de f.qch	丙
45. 边远	（形）	biānyuǎn	borderland; frontier limitrophe; périphérique	
46. 扶贫		fú pín	assist the poor assister les pauvres gens	
47. 贵重	（形）	guìzhòng	valuable; precious précieux; de valeur	丁
48. 保险箱	（名）	bǎoxiǎnxiāng	safe; strong box coffre-fort	

专 名

1. 路非		Lù Fēi	name of a person nom de personne
2. 冯敏		Féng Mǐn	name of a person nom de personne
3. 李彬		Lǐ Bīn	name of a person nom de personne
4. 陈亮		Chén Liàng	name of a person nom de personne

三　词语搭配与扩展

(一)争论

[动~] 防止~ | 发生~ | 引起~ | 展开~ | 进行~

[~动] ~停止了 | ~(已经)结束 | ~影响了……关系

[~宾] ~价钱 | ~问题 | ~一件事 | ~一句话

[定~] 一场~ | 这次~ | 有趣的~ | 你们的~

[状~] 激烈地~ | 长期~ | 已经~了(三次) | 别~了

[~补] ~得很激烈 | ~起来 | ~了一个小时 | ~一番 | ~过两次

[~中] ~的问题 | ~的焦点 | ~的原因 | ~的情况 | ~的结果

(1)今天下午就价值观的问题,我们班争论得很激烈。

(2)都十二点了,他们还在争论究竟去哪儿旅游的问题。

(二)歪曲

[动~] 企图~(事实) | 进行~ | 加以~ | 继续~

[～宾]～事实 | ～历史 | ～……政策
[状～]严重～ | 故意～ | 被……～ | 不能～
[～补]～得厉害 | ～一番 | ～不了
[～中]～的手段 | ～的情况 | ～的后果
　　(1)在昨天的辩论会上,他歪曲了我的意思,所以我很生气。
　　(2)这部电影完全歪曲了山区农民的形象。

(三)聘请

[动～]打算～ | 负责～ | 答应～ | 接受～ | 需要～
[～宾]～律师 | ～技术人员 | ～演员 | ～教师
[状～]正式～ | 容易～ | 正在～ | 被……～为(经理) | 应该～ | 不要～
[～补]～得早 | ～不起(他) | ～过一次 | ～了一年
[～中]～的人员 | ～的期限 | ～的办法 | ～的手续
　　(1)老张刚退休就被外单位聘请去了。
　　(2)为了打赢官司,她聘请了一位有名的律师。

(四)体现

[动～]得到～ | 开始～ | 需要～ | 继续～
[～宾]～了(两国人民之间的)友谊 | ～(协作)精神 | ～(助人为乐的好)品
　　　　德 | ～……(深厚)感情
[状～]充分～ | 生动地～ | 应该～ | 具体～ | 很好地～
[～补]～不了 | ～出来
[～中]～的精神 | ～的风格
　　(1)他的行动体现了他改正错误的决心。
　　(2)刘先生的创作风格在这幅画上充分体现出来了。

(五)引用

[～宾]～一段话 | ～(鲁迅)著作 | ～……语录
[状～]大段地～ | 少～ | 可以～ | 不要～
[～补]～得太多 | ～错了 | ～了一次
[～中]～的内容 | ～的原因 | ～的目的 | ～的效果
　　(1)他的博士论文引用了不少名家著作。
　　(2)老王做报告喜欢引用名人名言。

(六)消耗

[动～]限制～ | 避免～ | 继续～ | 减少～
[～宾]～热量 | ～汽油 | ～粮食 | ～体力 | ～时间
[状～]慢慢地～ | 大量地～ | 已经～ | 不能～
[～补]～得多 | ～尽了 | ～掉 | ～不了(那么多)

[~中]~的汽油|~的数量|~的原因|~的过程

    (1)造纸工业每年要消耗大量木材。

    (2)比赛之前要注意休息,不要过多地消耗体力。

(七)加班

[动~]需要~|拒绝~|决定~|减少~|停止~

[~动]~停止了|~结束|~开始|~(已经)安排好

[状~]少~|不得不~|正在~|必须~|不~

[~中]~的必要性|~的理由|~的时间|~的次数

[加……班]加了三天班|加了四次班|加了不少班|加过班

    (1)小杨,你今天晚上还加班吗?

    (2)这个月我总共才加了两次班。

(八)绝对

[主~]看法(太)~了|(这种)观点(太)~

[~动/形]~吃(不了)|~看(不完)|~相信|~安全|~正确

[状~]有点儿~|太~了

    (1)你说怎么办吧,我们绝对服从你的安排。

    (2)我说的绝对没错,这是我亲眼看见的。

(九)诬陷

[动~]遭到~|遭受~|企图~|继续~|停止~

[~宾]~好人|~别人|~张经理

[状~]故意~|多次~|并没~|被……~|对(他进行)~

[~中]~(他)的目的|~(厂长)的手段|~(他人)的后果

    (1)他诬陷别人,反而害了自己。

    (2)诬陷他人是犯法的行为。

四 语 法 例 释

(一)争论的事情是去年一个女歌手和一个记者的一桩诉讼案(量词₂)

"桩",名量词。只用于事情。例如:

    (1)当时,这桩婚事是由我父母决定的,我做不了主。

    (2)在刘真的领导下,这桩案子很快就破了。

    (3)三十多岁的女儿终于结婚了,了却了母亲的一桩心事。

    (4)这是一桩喜事,她老人家哪能不乐意呢?

    (5)不就替你搬个箱子吗? 小事一桩,你等着,我马上就到。

    (6)这些日子,一桩桩不顺心的事让他心烦意乱。

名量词除了"桩",我们学过的还有"位、部、本、场、块、封、家、名、批、支、条"等等。

(二)说完,又向李彬一一介绍屋里的人

"一一",副词。意思是"一个一个地",表示动作挨个儿施于每个对象。作状语。只能修饰动词性成分。例如:

(1)春节期间,我一一去给我的老师拜年。

(2)老人每天把报纸一一送到院子里的各家。

(3)这些词,你们可以自己去查词典,我就不一一解释了。

(4)周先生走上前去,和工作人员一一握手问候。

(5)她把新产品一一介绍给顾客,任顾客选购。

(6)这次来这里出差的时间太紧,几个老朋友我就不一一拜访了。

(三)找是找到了,就是……

"是"前后用同一个形容词或动词性结构,然后以"不过、就是、可惜"等引出后一个分句,构成"……是……,就是(不过、可惜)……"格式,表示让步,相当于"虽然……但是……"。例如:

(1)这条路近是近,就是不太好走。

(2)这个教室大是大,就是光线太暗。

(3)许民这个学生聪明是聪明,就是好玩,学习不够努力。

(4)这件事他说是说了,不过当时人太多,我没听清楚。

(5)那部电影好是好,可惜我没时间去看。

(6)借钱的事老马同意是同意了,就是有点勉强。

(四)有什么不好说的

"不好"多用在动词性词语前,作状语,意思是由于前面提到的情况或原因,再按照后面说的去做不合适。例如:

(1)她提出的要求是合理的,我们不好拒绝。

(2)借钱的事我不好跟他说,还是你自己跟他说吧。

(3)小杨一个劲儿地问我,我不好不告诉他。

(4)这件事不好再拖下去了,一定要抓紧时间办。

"不好"在句中作状语时,还有"不容易"的意思。例如:

(5)这个字笔画太多,不好写。

(6)刚下过雪,路不好走,你要多加小心。

(五)我向来明人不做暗事

"向来",副词。表示某种情况或状态从过去到现在一直这样,保持不变。相当于"一向"。例如:

(1)朱丽学习非常用功,向来就没有放松过。

(2)钱师傅向来办事认真,从不马虎。

(3)向来不喝酒的叔叔,今天却出人意料地喝起酒来。

(4)我们两个人的关系向来很好,这点忙,他肯定会帮的。

(5)每个星期六的下午他都去操场踢足球,向来如此。

(6)我向来不吃牛羊肉,除了牛羊肉,什么肉都吃。

(六)免得你感到突然

"免得",连词。表示避免发生某种不希望发生的情况。同"省得"。多用于后一个分句的开头。例如:

(1)你到了东京,要赶快给家里打电话,免得父母挂念。

(2)动手术之前,要对各种医疗用具进行仔细检查,免得到时候发生意外。

(3)你最好提醒他一下,免得他忘了。

(4)外边特别冷,出去时你要多穿点衣服,免得着凉。

(5)你跟她好好解释解释,免得引起不必要的误会。

(6)那条路不好走,骑车要小心,免得出事。

(七)路非气得要命

"……(得)要命",程度补语。"形/动 + 得 + 要命",表示动作或状态的程度达到极点。如"气得要命、急得要命、渴得要命、慢得要命、别扭得要命、后悔得要命、讨厌得要命"等等。例如:

(1)朴明浩把护照丢了,急得要命。

(2)小牛又没去上课,妈妈知道了,气得要命。

(3)这部电影恐怖得要命,你最好别去看。

(4)小张这个人窝囊得要命,什么事也办不了。

(5)小张对小王讨厌得要命,不愿意跟他住在一起。

(6)这只箱子重得要命,你帮我把它抬上楼去吧。

(八)开始他真恨不得让冯敏去法院告

"恨不得",表示急切地盼望做成某事,带有夸张的语气。多用于实际做不到的事情。后面常有"马上、立刻、一下子"等副词与之配合。例如:

(1)这本书真有意思,我恨不得一天就把它看完。

(2)问题那么多,我恨不得一下子都解决了。

(3)听到伊万来到西安的消息,我恨不得立刻见到他。

(4)见到录取通知书后,他恨不得马上把这个好消息告诉给父母。

(5)当时,他后悔得要命,恨不得马上钻进地缝里去。

(6)放假了,我恨不得立刻飞回家。

五　副课文

(一)阅读课文

1．义　演

音乐厅举办的为希望工程募捐义演的音乐会正在进行。全场座无虚席,一大批观众买的是站票。三百多位艺术家参加义演,分文不取。优美的歌声回荡在大厅里,场内不时爆发出热烈的掌声……

为什么会有如此众多的人参加义演、观看演出呢?原来在音乐会举办的前两天,记者在报上刊出了《帮帮这些孩子们》的文章,文章报道了边远地区的许多儿童因贫困而失学的情况,希望引起社会的关注;同时刊出了为希望工程募捐举办义演的消息。

这篇报道见报后,编辑部不断接到读者的来信和打来的电话。

一位不知姓名的外地读者寄来了一封信和200元钱。信是这样写的:

读了《帮帮这些孩子们》的报道,特别是看了报上的照片,心里很不是滋味。我非常同情这些孩子们。我希望这些孩子们在政府和全社会的帮助下重返课堂。我马上就要离开这里,不能观看义演了。随信寄去200元钱,算是我的一份爱心吧。

一个当兵的人

一位退了休的女士在电话中对记者说:"看了你们的报道,我深受感动,感谢你们对社会的责任感。我决定每年从自己的一点积蓄中拿出300元钱资助农村失学儿童。我的退休金不多,虽然帮不了更多的忙,也算尽一份心意吧……"当记者表示想采访她时,她说:"你们不要采访我,不要问我的名字,想想那些生活困难的孩子,真是够可怜的……"这位女士在电话中哭了起来。

这些平平淡淡的小故事,表达了实实在在的一份情义。

2. 跳 舞

母亲不认识字,我当兵四年,她很少给我来信。一天,我收到她让妹妹写来的信。信中说:"由于父亲常去跳舞,咱家正面临着危机。"我很奇怪:像父亲那么老实的农民,怎么会喜欢上了跳舞?原来事情是这样的——

现在我们老家的农民,生活富裕后,就想改变平平淡淡的生活,于是大家集资建了个舞厅。起初,不管别人怎么劝父亲去学跳舞,他都不去,说:"我这老胳膊老腿的还学跳舞,还不让人笑掉了牙!""人家能学会,你怎么就学不会?"别人这样鼓励他。就这样,父亲进了舞厅。没想到去了几次,笨手笨脚的父亲居然学会了。从此,他每天晚上就像上班似地准时到舞厅。他不但自己跳,还教新来的人,成了一个真正的舞迷。开始时,妹妹还表示理解,认为父亲活动活动身子也好。时间一长,便对父亲有看法了,担心地对母亲说:"爸爸整天往舞厅跑,会不会有了第三者?你看他,又戴领带,又擦皮鞋,每天早上照镜子的次数比我还多。"母亲一听,坐不住了,写信让我劝劝父亲:跳舞可以,可别学坏。妹妹还说她正每天暗暗监视着父亲。

我给母亲和妹妹很快回了信,劝她们不要多心。我说,父亲心地善良,为人忠厚,村里人谁不知道?父亲学跳舞是好事,又开心,又活动身体。你们应该支持他,信任他……

不久,妹妹果然来信告诉我调查结果:跳舞的都是上了年纪的大叔大婶,没发现第三者。还说,她和母亲在父亲的影响下也在学跳舞,学得可起劲了。

看完信,我笑了。

(作者:张景双、王孝建。有删改。)

(二)会话课文　　永久的魅力

(小朱的照相馆远近闻名。一天,《人像摄影》杂志的记者采访了他。)

记　者:你的照相馆为什么叫 360 度?

小　朱:360 度是一个圆,顾客是圆的中心;照相馆内四面都可以利用;还有一个原因,我拍摄时总爱上下左右前后拍。360 度比较形象地体现了我的拍摄方式。

记　者:凭感觉,我觉得你不像个经商的人,可是你成功了。你成功的关键是什么?

小　朱:是绝对保证质量。虽说宣传很重要,但我至今没去登广告。我相信商业社会没有广告不成,但我更相信"酒香不怕巷子深"。

记　者:前几年你从东风照相馆辞职后去了广告公司,干得挺好的,怎么又辞职当上了个体户?

小　朱：我觉得广告公司虽然好,但从心理上感到受限制。搞个体,更能发挥自己的才能,随心所欲地干自己的事业。

记　者：在摄影艺术上,你追求的是什么?

小　朱：我所追求的是让照片既有时代感,又有永久性。我不过分赶时髦,照片也不叫"明星照"。我认为把每个人都拍成明星的样子会伤害人的个性。

记　者：可是现在许多照相馆都在搞"明星照"这类的照片,并且拥有一定的市场。

小　朱：我认为这种市场很快会过去。因为这种照片追求的是形式上的东西,这不是真正意义上的摄影,看多了会令人感到乏味,甚至觉得可笑。我认为摄影应抓住每个人不同的感觉,拍出每个人的个性来。

记　者：你很强调"自己的个性",那么拍摄中你是怎样做的呢?

小　朱：我一般不强调"包装",因为我拍的是他本身,不是别人。在我这里,顾客一般都是自己带衣服来,我主要是根据每个人情况的不同(比如胖人与瘦人),运用灯光、色彩、角度等技术手段表现人物的美。

记　者：你最近的生意如何?

小　朱：非常好。从上午一直到晚上七八点钟,平均每天四五十个,没有淡季,顾客全是预约。许多人都是回头客。有一家人在我这里拍过六七次"全家福"。

记　者：你的生意这么好,说明你的摄影技术好,顾客信任你。提高摄影技术也不是很容易的吧?

小　朱：俗话说,冰冻三尺非一日之寒。提高摄影技术水平,要靠自己肯学习、钻研。我刚开始独立摄影时,常碰到意想不到的问题,比如,有一次,一位年轻的姑娘拿着相片责问我:"你怎么把我拍成白发老太太了?"我一看照片,确实她的头发雪白一片。我分析是头发上用光太强,而脸上的亮度不够造成的。我为她重新拍照,洗出来一看,效果非常好。

记　者：除了摄影,你还有什么其他爱好呢?

小　朱：我还喜欢绘画、书法、音乐。我的绘画作品还获过奖呢!我觉得这些业余爱好对摄影很有帮助。

记　者：愿你的事业获得更大的成功。

小　朱：谢谢。

(作者:丰硕。有删改。)

(三)听力课文　　一辈子也发不了财

星期天的早晨,自由市场非常热闹。张爷爷的菜车前围满了顾客。车上的小葱、芹菜那么干净、新鲜,让人看着心里就痛快。

虽说张爷爷六十多岁了,就认识三个半字,可卖起菜来真不含糊。只见他两手称着菜,同时心里算着价钱,嘴里报着数,卖得还真快,不到一个小时,半车菜就卖出去了。

忽然身后有个小伙子走过来,接过秤说:"爸,您先喘口气,吃饭去吧,我来卖。"这是他上高中的儿子小力,今天不上学,替爸爸卖菜来了。张爷爷见儿子终于肯卖菜了,自然高兴,把秤交给小力,转身走了。

张爷爷吃完早饭,点上一支烟,边慢慢走边哼着"星星还是那颗星星,月亮还是那个月亮……"向自由市场走去。

忽然,他愣住了。虽然离自己的菜车还挺远的,可他立刻发现自己的菜车前买菜的人已寥寥无几。走到菜车前时只剩下一个老太太正挑来挑去。再一看车上的菜,还和刚才走的时候一样。

这是怎么回事?买菜的怎么都从小力的菜车前跑啦?他悄悄来到儿子身后,只听小力说:"老太太,你到底要不要?别瞎挑好不好?"那老太太忍着气说:"我想挑个小捆儿的,有半斤就够。"小力说:"你到别的地方买去吧,我这儿没小捆儿的。"老太太恳求说:"你打开一捆儿,我就要半斤,一捆葱我一个人几天也吃不了。"小力无可奈何地打开一捆儿,抓到秤上一称,多了,往下拿一点,又少了,就一根一根地往上添。

张爷爷越看越生气,走过去,夺过秤,添上一把,捆好,给了老太太,对小力说:"让你在这儿卖金子哪!"老太太给六毛钱,张爷爷说:"多啦。八毛一斤,半斤四毛。"小力忙说:"我一块二一斤卖的。"张爷爷一听就火了:"谁让你涨到一块二的?"小力说:"我刚才看了一下,卖小葱的就咱们一份,别说一块二,一块三也有人买!"张爷爷说:"你懂什么,一过中午菜就变样了!"小力不服气,小声说:"您呀,一辈子也发不了财!"

"八毛一斤。"老太太边走边向认识的人念叨。张爷爷的菜车前又围满了人。

(作者:王宗全。有删改。)

(谜语故事答案:双手)

生　词

1. 葱	(名)	cōng	shallot poireau ciboule	丁
2. 芹菜	(名)	qíncài	celery céleri	丁
3. 含糊	(形)	hánhu	careless; perfunctory négligent	

| 4. 秤 | （名） | chèng | balance；steelyard balance | 丁 |

专　名

| 1. 张爷爷 | Zhāngyéye | grandpa Zhang grand-père Zhang |
| 2. 小力 | Xiǎolì | first name of a person prénom d'une personne |

六　练　习

(一)给下列名量词搭配上两个恰当的名词：

1. 一桩{　　　2. 一位{　　　3. 一部{　　　4. 一本{

5. 一块{　　　6. 一封{　　　7. 一家{　　　8. 一名{

9. 一批{　　　10. 一支{　　　11. 一条{　　　12. 一场{

(二)给下列动词搭配上一个宾语和一个补语：

1. 争论____　2. 聘请____　3. 体现____　4. 引用____

　　争论____　　　聘请____　　　体现____　　　引用____

5. 消耗____　6. 诬陷____　7. 勒索____　8. 报效____

　　消耗____　　　诬陷____　　　勒索____　　　报效____

(三)给下列词语搭配上适当的词语：

1. ____助手　2. 加____班　3. _____罪　4. ____贵重

5. 绝对____　6. 高额____　7. 歪曲____　8. 一桩____

9. ____争论　10. ____聘请　11. ____诬陷　12. ____体现

(四)用指定词语完成句子：

1. 他的工作能力很强,上任不久,_____

_____。　　　　　　　　　(一一)

2. 上复习课的时候,李老师_____

_____。　　　　　　　　　(一一)

3. 这件衣服_____。

　　　　　　　　　(……是……,就是……)

258

4. 骑自行车去香山＿＿＿＿＿＿＿＿＿＿＿＿＿＿＿＿
＿＿＿＿＿＿＿＿＿。　　　　　　　（……是……,就是……）

5. 我问她为什么不喜欢小强,她不说,＿＿＿＿＿＿＿＿＿＿＿＿
＿＿＿＿＿＿＿＿＿＿＿。　　　　　　　　　　　（不好）

6. 我跟他借的几千块钱,至今还没还,＿＿＿＿＿＿＿＿＿＿＿＿
＿＿＿＿＿＿＿＿＿＿＿。　　　　　　　　　　　（不好）

7. 老刘只看国产电影,＿＿＿＿＿＿＿＿＿＿＿＿＿＿＿＿＿＿。
（向来）

8. 爷爷八十多岁了,什么事都自己做,＿＿＿＿＿＿＿＿＿＿＿＿
＿＿＿＿＿＿＿＿。　　　　　　　　　　　　　　（向来）

9. 明天上午8点考试,＿＿＿＿＿＿＿＿＿＿＿＿＿＿＿＿＿＿
＿＿＿＿＿＿＿＿。　　　　　　　　　　　　　　（免得）

10. 咱们说话小声点,＿＿＿＿＿＿＿＿＿＿＿＿＿＿＿＿。　（免得）

11. 这件大衣＿＿＿＿＿＿＿＿＿＿＿＿＿＿＿＿＿＿＿＿＿＿＿
＿＿＿＿＿＿＿＿＿＿＿＿＿＿。（……得要命　非……不可）

12. 这孩子＿＿＿＿＿＿＿＿＿＿＿＿＿＿＿＿＿几乎每次考试都不及
格。爸爸＿＿＿＿＿＿＿＿＿＿＿＿＿＿＿＿。（……得要命　恨不得）

13. 在公共汽车上,有个不怀好意的人故意挤我,＿＿＿＿＿＿＿＿＿
＿＿＿＿＿＿＿＿＿。　　　　　（……得要命　恨不得）

14. 我见到清华大学的录取通知书时,＿＿＿＿＿＿＿＿＿＿＿＿＿＿
＿＿＿＿＿＿＿＿。　　　　　　　　　　　（几乎　恨不得）

(五)请在下面的短文中填上指定词语并复述大意:

连连、一一、极、因此、免得、恨不得、好不容易、随即、一桩、出来、要命

石头快四十岁了,＿＿＿才娶到一个媳妇,了却了＿＿＿心事。举行婚礼那天,来了很多客人,石头把客人＿＿＿介绍给新娘。新娘见新郎做事那么认真,高兴＿＿＿了。客人走了以后,新娘对新郎说:"今后咱们俩就像一个人啦,＿＿＿说话不能再说'我的'了,要说'我们的',＿＿＿人家说咱们俩不亲热。"新郎听了,＿＿＿点头,＿＿＿进浴室洗澡。可进去后半天不出来,新娘着急了,便问:"你干什么呢?怎么还不＿＿＿?"新郎答道:"亲爱的,别着急,我在刮'我们的'胡子呢!"新娘听了,气得＿＿＿,＿＿＿打他一顿。

259

(六)根据课文内容,在 A、B、C、D 中选择一个最恰当的答案:

1. 你怎么才来?

   "才"的意思是:

   A. 来得太晚　　B. 来得太早

   C. 来得及时　　D. 来得凑巧

2. 我这位同学在修理人的脑袋方面可称得上是国内第一刀。

   "第一刀"的意思是:

   A. 工作中必须用手术刀　　B. 工作认真负责

   C. 技术水平高　　D. 总是第一个给病人做手术

3. 冯敏话里有话地紧接着高声说……

   "话里有话"的意思是:

   A. 说话很难听　　B. 话里含着称赞

   C. 话说得很快　　D. 话里暗含着另外的意思

4. 写一部长篇小说至少一年,稿费也就是一两万。

   "也就是"表示:

   A. 比较多　　B. 不太多

   C. 正合适　　D. 太多了

5. 路非简直不相信自己的耳朵。

   "不相信自己的耳朵"的意思是:

   A. 对方的回答出乎意料　　B. 自己的耳朵出了毛病

   C. 自己听错了对方的话　　D. 不相信对方的话

6. 我当然要表示点儿意思。

   "表示点儿意思"的意思是:

   A. 表示感谢对方　　B. 表示要找对方谈话

   C. 表示要送对方礼物　　D. 表示要帮助对方

7. 我向来明人不做暗事……

   这句话的意思是:

   A. 我是个聪明人　　B. 我是个很会办事的人

   C. 我不背着人做事　　D. 我办事很快

(七)根据课文内容,用指定词语进行语段练习:

1. 冯敏和男记者争论起来……

   一桩　歪曲　损害　勒索

2. 李彬来到路非家……

   三十来岁　一一　第一刀　话里有话　拒绝

3. 冯敏又同作家争论起来……

　　合理性　至少　体现　值　引用　创造　一句话

4. 两个月后,冯敏给路非打来电话……

　　丁班　出车祸　动手术　博士

5. 路非给李彬打电话……

　　受伤　求　再说　加班　付　简直

6. 冯敏又给路非打来电话……

　　……是……,就是……　当然　乘人之危　误

7. 手术做完后,一天早晨李彬给路非打来电话……

　　后悔　估计　勒索　不仅……也……　向来　免得　惟一　绝对

8. 路非气得要命……

　　恨不得　毕竟　一个劲儿　诬陷

(八)根据课文内容回答:

1. 女歌手冯敏和记者是怎样争论的?

2. 冯敏和作家是怎样争论的?

3. 李彬同意冯敏的观点吗? 为什么?

4. 冯敏为什么求李彬帮忙? 李彬的手术做得怎么样?

5. 冯敏为什么要去法院告李彬?

6. 路非和李彬把钱退还冯敏了吗? 他们是怎么处理这笔钱的?

(九)阅读练习:

1. 根据阅读课文内容,从 A、B、C、D 中选择一个最恰当的答案:

(1)文章报道了边远地区的许多儿童因贫困而失学的情况。

　　"因贫困而失学"的意思是:

　　A. 由于贫困不能上学　　B. 由于贫困不愿上学

　　C. 由于贫困很晚才上学　D. 由于贫困无法继续上学

(2)读了《帮帮这些孩子们》的报道,特别是看了报上的照片,心里很不是滋味。

　　"很不是滋味"的意思是:

　　A. 很生气　　　B. 很难过

　　C. 很不舒服　　D. 很痛苦

(3)我这老胳膊老腿的还学跳舞……

　　"老胳膊老腿"的意思是:

　　A. 年纪大了身体不灵活　　B. 胳膊和腿太老了

C. 胳膊和腿很疼 　　　　　D. 胳膊和腿上有伤

(4)还不让人笑掉了大牙!

这句话的意思是:

A. 把人家的牙笑掉了 　　　B. 让人发笑

C. 让人高兴 　　　　　　　　D. 让人讥笑

(5)爸爸整天往舞厅跑,会不会有第三者?

"第三者"的意思是:

A. 指帮助丈夫做事的人

B. 指跟夫妇中的一方有不正当男女关系的人

C. 指跟丈夫关系密切的人

D. 指跟妻子关系密切的人

2. 根据阅读课文内容回答:

(1)《帮帮这些孩子们》这篇文章和为希望工程义演的消息刊出后,在社会上产生了什么样的反响? 举例说明。

(2)母亲为什么让妹妹给"我"写信?

(3)"我"对父亲跳舞是什么态度?

(十)口语练习:

1. 分角色进行对话练习,注意语音语调。

2. 根据课文内容回答:

(1)小朱的照相馆为什么叫 360 度?

(2)小朱的个体照相馆与其他照相馆在摄影方面有什么不同?

(3)小朱的生意怎么样?

(4)小朱是怎样对待摄影艺术的?

(十一)听力练习:

1. 听录音判断正误并说明理由:

(　) (1)张爷爷卖菜时,买的人很多。

(　) (2)张爷爷上过学,算账快,所以菜卖得很快。

(　) (3)儿子小力向来喜欢卖菜,趁星期天不上学,到市场替爸爸卖菜。

(　) (4)张爷爷吃完早饭回到菜市场时,发现自己的菜没卖出去多少。

(　) (5)老太太想买小捆儿的菜,因为捆儿大的,她几天也吃不了。

(　) (6)小力很热情地给她挑了小捆儿的菜。

(　) (7)张爷爷对小力说:"让你这儿卖金子呢?"意思是"你应该去卖金子。"

（　　）（8）小力卖菜时买菜的人变少了，是因为他卖的价钱比张爷爷卖得贵。

（　　）（9）小力卖得贵的原因是他误认为张爷爷也卖一块二一斤。

（　　）（10）小力对爸爸说："您一辈子也发不了财！"意思是说爸爸不懂得赚钱的方法。

2．根据录音内容回答：

(1)顾客为什么愿意买张爷爷的菜？

(2)为什么小力卖菜时顾客变少了？举例说明。

(3)张爷爷为什么生气？他跟小力卖菜的方法有什么不同？

(4)小力赞成父亲的卖菜方法吗？为什么？

3．根据录音内容复述大意(200字左右)。

（十二）交际训练：

1．根据提示写一段话或说一段话(200字左右)：

提示：(1)一个对工作认真负责的医生

　　　(2)一次募捐活动

　　　(3)学跳舞;学太极拳;学包饺子

下列词语可以帮助你表达：

　　　一桩、……是……、就是……、不好、向来、免得、……得要命、恨不得、体现、加班、绝对、医德、赞扬、恰好、别扭、以便、一个劲儿、由于、禁不住、只有……才……

2．自由讨论：

(1)冯敏说："有人给(那个价)，就是值;不给，就是不值。"你同意她的看法吗？为什么？

(2)李彬终于答应为陈亮做手术,但冯敏必须付三万元报酬,你认为他这样做对吗？

(3)最后路非和李彬在未经冯敏同意的情况下,把三万元寄给了贫困地区,你对他们的做法有什么看法？

(4)你怎么看待冯敏和李彬等人有关价值的争论？介绍一下你们国家有关价值观的认识。

3．语言游戏：

(1)猜一猜：

有个懒汉,什么活也不愿意干,所以穷得连饭都吃不上。一天,他听人家说,世界上有一种摇钱树,只要找到它,一摇就有钱,那就可以不愁吃穿了。他恨不得立刻找到这种树,见人就问："你知道哪儿有摇钱树吗？"最后问到一个正在种地的农民。农民说："我告诉你吧：摇钱树，两枝叉(chà)，两枝叉上十个芽(yá)，摇摇它，开金花。"懒汉听了，说："我明白了！"随即跑回自己家的田地里干起活来。

你知道农民说的摇钱树是什么吗？(答案见听力课文后)答不出来或答错了，说说这个绕口令：

> 杨家养了一只羊，
> 蒋家修了一堵墙。
> 杨家的羊撞倒了蒋家的墙，
> 蒋家的墙压死了杨家的羊。
> 杨家让蒋家赔杨家的羊，
> 蒋家让杨家砌(qì)蒋家的墙。

(2)你知道"公说公有理，婆说婆有理"和"种瓜得瓜，种豆得豆"这两个成语的意思吗？查查词典，讲给大家听。

4. 看一看，说一说，写一写。

我捐一首好听的歌　　　选自《漫画世界》

第二十八课

一 课文 干得好不如嫁得好吗

要寻找[1]一生的幸福，是靠"干"，还是靠"嫁"？前不久，八名勇敢的女性面对广大的电视观众就"干得好不如嫁得好吗"这一问题展开了面对面的辩论。甲方指出，女性只有建立一个幸福美满[2]的家庭，才可能在事业上有所发展，"干得好不如嫁得好"；乙方则强调，女性只有获得事业上的成功，才能立足[3]于社会，从而找到一个满意的伴侣[4]，"嫁得好不如干得好"。双方的辩论，紧张激烈，不时引起观众的热烈掌声。现将有关发言摘录[5]如下：

干得好不如嫁得好

甲₁：

"干"与"嫁"，是 90 年代历史背景下，大多数女性都非常关心的话题。干得好与嫁得好并非[6]绝对对立[7]。但是，在鱼与熊掌[8]不可兼得的现实选择面前，我认为干得好不如嫁得好。

首先应弄清"嫁"的概念。新的时代赋予[9]了"嫁"新的含义。它不再是带有封建色彩[10]的被动选择，不再是女性寻找依靠的方式，而是摆脱[11]束缚[12]后的主动选择，是在重新塑造[13]自我。其次，要正确理解干得好与嫁得好。干得好，是指女性在社会中找到自己的位置，干好自己的事业，并且能得到社会的承认。嫁得好，既指女性自我感觉良好，家庭成员[14]感情融洽，也包括社会地位、经济实力[15]、今后的发展前途。任何一个不拒绝婚姻的女性，都希望嫁得好，但并非是为了金钱[16]、权势[17]而丧失人格、尊严[18]，或从此走回家庭，无所事事[19]。

甲₂：

我方一致认为：干得好的确不如嫁得好。"嫁"不等于"傍大款[20]"、"靠权

265

势"。"嫁"是男女双方的平等结合,"嫁得好"则是指夫妻恩爱[21]、家庭和睦[22]、事业成功。

可以说,事业和婚姻是女性世界的两大重心[23],它们应是互相促进的。但对方辩友却始终认为干得好是嫁得好的前提[24]和基础。只有先干得好,才能嫁得好。这在逻辑上是讲不通的,而在现实生活中,很多干得好的女性未必[25]嫁得好。有人说一个好的婚姻是女性的第二起跑线[26]。我们同样赞成女性要创造自己的事业,倘若[27]嫁得好,有坚强后盾[28]的支持,在奋斗的过程中,不是会干得更好吗?所以说,要嫁得有质量,才能干得更有水平。

甲₃:

一个优秀的女性,不仅能在家庭的帮助下丰富自己,充实[29]自己,更能将自己的所学所能通过家庭转化[30]为生产力[31],创造出 $1+1>2$ 的社会价值,为人类的文明进步而发挥一个女性特有的作用。这又何尝[32]不是一项成功的事业呢?

在封建社会中,女性的命运掌握在他人手里,根本谈不上想嫁得好;而由于过去"左"的思潮[33]影响,人们也同样不敢谈论想嫁得好。在 20 世纪 90 年代的今天,勇敢、智慧的中国女性终于说出了自己的心声[34]:我们不仅要选择,我们更要选择嫁得好!这本身就是一种社会的进步。

面对事业和家庭的双重[35]压力,承担[36]着重大社会责任的新时代女性,应该找准自己的位置,协调[37]好"干"与"嫁"的关系,出色[38]地扮演好女性应该扮演的角色[39],这才是完整意义上的女性自我实现。所以,我方坚持认为:干得好不如嫁得好!祝愿天下所有的女同胞:首先善嫁,能干更佳[40]!

嫁得好不如干得好

乙₁:

据中国社会调查所的调查材料表明,目前男性的择偶[41]标准发生了很大变化。他们偏重[42]选择头脑敏锐[43]、内心[44]丰富的女性与他们共度风雨人生[45]。这是男性对女性,同时也是变革[46]的时代对女性的新的要求。女性首先是人,作为具有独立人格的人,面对社会,都会遇到生存和发展两大问题。人从呱呱坠地[47]到入土为安,为了生存,不管你愿意不愿意,都要兢兢业业[48]地

266

去干,去工作;而要发展,就必须时时[49]完善[50]自我,处处[51]体现自我价值。由此可见[52],干得好是一个女人在社会上生存、发展的前提,而嫁得好只是女人一生中的一项重要选择。一个女人可以一辈子不嫁,但不能一辈子不干。因此,我认为,女人只有先干而后[53]言嫁。

乙₂:

凭心而论,谁不想嫁得好呢?可是天上连个馅儿[54]饼都掉不下来,更何况会掉下一个活生生[55]的好老公[56]呢?因此,怎样才能嫁得好呢?我方认为,干在嫁之先,干得好促进嫁得好。干得好为嫁得好提供可能。嫁得好以后还要坚持干得好。总之,干得好比嫁得好更好,干得好比嫁得好更重要。

乙₃:

现代社会是效率的社会,是实干[57]的社会。干是任何男人或女人立足于这个世界的前提,干得好是不会被社会淘汰的根本。

而嫁娶,只是成人[58]的一种需要,一种选择。嫁之所以对女性显得特别重要,有很大成分是受传统观念的影响。过去,女性只求嫁得好,"夫者,天也",丈夫就是老天爷,就是上帝,就是一切;而现在,夫妻都必须做社会的人,共同承担社会的义务。因此,女性应为社会发展贡献更多的力量。

再有,婚姻毕竟不同于事业。二者可把握的程度也不一样。事业的绝大部分可以把握在自己手里。可婚姻好坏却至少有一半取决于[59]对方。(当然,女性更需要安全,可正因为如此,女性才更要用自己的头脑和双手来为自己的安全保险,而不是青春、相貌,或者爱情之类容易变化的东西。)一对夫妻,既可能白头到老,也可能半路分开。如果有一天分开了,那么,女性该怎么办呢?我们认为,女性只有干得好才不至于因为失去男人,就失去了世界;也不至于因为失去了家庭,就失去了自我!

(据北京电视台《我们》节目的录像整理。有删改。)

二 生 词

1. 寻找	(动)	xúnzhǎo	seek; look for chercher	丁

2. 美满	（形）	měimǎn	happy; perfectly satisfactory parfait; heureux	丁
3. 立足	（动）	lìzú	have a foothold prendre pied	
4. 伴侣	（名）	bànlǚ	companion; mate compagnon; compagne	丁
5. 摘录	（动）	zhāilù	take passages; make extracts extraire	
6. 并非	（副）	bìngfēi	by no means; in no sense ne pas être dans le sens de...	丁
7. 对立	（动）	duìlì	oppose; set sth. against s'opposer à	丁
8. 熊掌	（名）	xióngzhǎng	bear's paw patte d'ours	
9. 赋予	（动）	fùyǔ	give donner	丁
10. 色彩	（名）	sècǎi	color couleur	丙
11. 摆脱	（动）	bǎituō	cast off; extricate oneself from se débarrasser de	丙
12. 束缚	（动）	shùfù	tie; bind up; fetter lier; entraver	丙
13. 塑造	（动）	sùzào	portray; create modeler; camper	丁
14. 成员	（名）	chéngyuán	member membre	丙
15. 实力	（名）	shílì	actual strength force; puissance effective	丁
16. 金钱	（名）	jīnqián	money argent	丁
17. 权势	（名）	quánshì	power and influence pouvoir; puissance et influence	
18. 尊严	（名）	zūnyán	dignity; honor dignité	丁
19. 无所事事		wú suǒ shì shì	be occupied with nothing; have nothing to do vivre sans rien faire	
20. 傍大款		bàng dàkuǎn	hang around with and economically depend upon a moneybags vivre à la charge d'un richard	
21. 恩爱	（形）	ēn'ài	affectionate; conjugal love amour conjugal	丁
22. 和睦	（形）	hémù	harmonious	丁

			harmonie; concorde	
23. 重心	（名）	zhòngxīn	heart; core; focus	丁
			focus; centre; nœud; cœur	
24. 前提	（名）	qiántí	prerequisite; presupposition	丁
			prémisse; condition préalable	
25. 未必	（副）	wèibì	may not; not necessarily	丙
			pas forcément	
26. 起跑线	（名）	qǐpǎoxiàn	starting line(for a race)	
			ligne du départ	
27. 倘若	（连）	tǎngruò	if; supposing	丙
			si	
28. 后盾	（名）	hòudùn	backing; backup force	
			appui; soutien	
29. 充实	（动、形）	chōngshí	substantiate; enrich; substantial; rich	丙
			riche; enrichir	
30. 转化	（动）	zhuǎnhuà	change; transform	丙
			transformer	
31. 生产力	（名）	shēngchǎnlì	productive forces	丁
			forces productives	
32. 何尝	（副）	hécháng	(used in rhetorical question)ever so	
			non que; ce n'est pas que…	
33. 思潮	（名）	sīcháo	trend of thought; ideological trend	丁
			courant idéologique	
34. 心声	（名）	xīnshēng	heartfelt wishes; aspirations	
			aspirations	
35. 双重	（形）	shuāngchóng	double	
			double	
36. 承担	（动）	chéngdān	bear	丙
			se charger de	
37. 协调	（动）	xiétiáo	coordinate	丁
			coordonner; harmoniser	
38. 出色	（形）	chūsè	outstanding; remarkable	丁
			remarquable	
39. 角色	（名）	juésè	part; role	
			rôle	
40. 佳	（形）	jiā	good; fine	丙
			bon	
41. 择偶		zé ǒu	choose spouse	
			choisir son époux（son épouse）	
42. 偏重	（动）	piānzhòng	lay particular stress on	

			mettre l'accent sur	
43. 敏锐	（形）	mǐnruì	sharp; acute; keen fin; perçant; perspicace	丁
44. 内心	（名）	nèixīn	heart intérieur; cœur	丁
45. 人生	（名）	rénshēng	life vie; existence	丁
46. 变革	（动、名）	biàngé	transform; change transformer; changement	丙
47. 呱呱坠地		gūgū zhuì dì	be born être né	
48. 兢兢业业		jīngjīngyèyè	cautious and conscientious consciencieusement	
49. 时时	（副）	shíshí	often; constantly souvent; de temps en temps	丙
50. 完善	（动、形）	wánshàn	consummate; perfect perfectionner; parfait	丙
51. 处处	（副）	chùchù	in all respects partout; dans tous les domaines	丙
52. 由此可见		yóu cǐ kě jiàn	thus it can be seen; this shows; that proves on voit par là que...	丁
53. 而后	（副）	érhòu	after that; then ensuite; et puis	丁
54. 馅儿	（名）	xiànr	filling; stuffing farce	丁
55. 活生生	（形）	huóshēngshēng	in real life; actual vivant	
56. 老公	（名）	lǎogōng	husband homme; mari	
57. 实干	（形）	shígàn	get right on the job; do solid work travaillaux-se	丁
58. 成人	（名）	chéngrén	adult adulte	
59. 取决于		qǔjuéyú	be decided by; depend on dépendre de	

三　词语搭配与扩展

(一)辩论

　　[动～]进行～｜开展～｜提倡～｜参加～

270

[~宾]~……问题|~(人生的)价值|~(句子的)含义|~(法律的)作用|
　　　~(产销)关系

[定~]毫无意义的~|(关于)价值的~|双方的~|上午的~|这种~

[状~]热烈地~|自由地~|公开地~|被迫地~

[~补]~得很激烈|~得及时|~起来|~下去|~一番|~了一下午

[~中]~的时间|~的必要性|~的内容|~的双方

　　(1)这个问题提得很好,有辩论价值。

　　(2)双方辩论了一上午,也没辩论出个结果。

(二)对立

[动~]开始~|形成~|引起~|闹~

[定~]双方的~|两国的~|感情的~|根本的~|态度的~

[状~]尖锐地~|公开地~|明显地~|免得~

[~补]~得很|~得(很)厉害|~起来|~下去|~了一年

[~中]~的原因|~的情况|~的结果|~的双方

　　(1)你这样做,很容易使双方形成对立,那事情就更难办了。

　　(2)表面上看,两家不那么对立了,但矛盾并没有解决。

(三)色彩

[动~]选择(鲜艳的)~|分辨~|增加了(民族)~|富有(神秘)~

[~形]~美丽|~明亮|~协调|~柔和|~暗淡|~单调

[定~]鲜明的~|鲜红的~|政治~|感情~|喜剧~|恐怖~|一种~

　　(1)宗教色彩和迷信色彩是一回事吗?

　　(2)阿雄的诗富有浓厚的浪漫主义色彩。

(四)摆脱

[动~]企图~|希望~|开始~|决定~

[~动/形]~控制|~影响|~统治|~干扰|~纠缠|~痛苦|~烦恼|~危
　　　险|~贫穷

[~宾]~他|~困境|~危机|~家务事

[状~]逐渐地~|完全~|拼命地~|暂时~|想法设法~

[~补]~掉(烦恼)|~得及时|~不了

[~中]~的目的|~的方式|~的结果

　　(1)我想方设法摆脱她的纠缠。

　　(2)这笔巨款帮助公司摆脱了经济危机。

(五)充实

[主~]内容~|生活(很)~|思想~|材料~

[动~]觉得~|感到~|认为~|过得~

[~宾]~自己|~(文章的)内容|~(领导)班子|~(精神)生活
[状~]逐渐地~|迅速地~|相当~|主动地~|积极地~
[~补]~得很|~极了|~多了|~起来|~一下
[~中]~的生活|~的表现|~的内容
    (1)她每天很忙很累,但她觉得过得很充实。
    (2)如果把他求职的经历写进去,文章的内容就更充实了。

(六)承担

[~宾]~责任|~义务|~重担|~罪名|~(科研)项目|~费用
[状~]共同~|积极~|主动~|专门~|尽力地~
[~补]~起来|~下去|~不了|~了一回|~了一年
[~中]~的方式|~的义务|~的条件|~的结果
    (1)她完全具备承担这个科研课题的能力。
    (2)他们主动承担起举办这次义演的重担。

(七)头脑

[动~]有~|充满~|(用知识)武装~|运用(自己的)~|摸不着~
[~动/形]~发昏|~发热|~简单|~灵活|~清楚|~聪明|~敏锐|~
        迟钝
[定~]智慧的~|清醒的~|政治~|军事~|艺术家的~|数学家的~
    (1)他总说自己头脑简单,四肢发达。
    (2)你应该选一个头脑清楚,有办事能力的人做你的助手。

(八)完善

[~宾]~(教学)大纲|~(考勤)制度|~(经济)体制|~(学科)建设
[状~]及时地~|进一步~|全面地~|更加~|越来越~
[~补]~起来|~不了|~一下
[~中]~的条件|~的情况|~的过程|~的方面
    (1)我们制定的教学大纲,应该进一步完善。
    (2)学校的电教设备越来越完善了。

(九)追求

[~动/形]~发展|~改革|~解放|~享受|~完美|~独立|~自由
[~宾]~趣味性|~(色彩的)效果|~名利
[定~]物质~|精神~|事业的~|艺术~|一生的~
[状~]不断地~|盲目地~|积极地~|片面地~|坚定地~
[~补]~对了|~错了|~到(自由)|~下去|~起(时髦)来|~了一辈子
[~中]~的目标|~的方向|~的方式|~的结果
    (1)争取世界和平是他一生的追求。

(2)后来,她竟变成一个追求名利、追求享受的人。

四　语法例释

(一)……面对广大的电视观众就"干得好不如嫁得好吗"这一问题展开了面对面的辩论

"就",介词。介绍出动作的对象或范围。例如:

(1)两家公司就双方共同关心的问题交换了意见。

(2)动物保护小组就目前所观察到的情况,研究分析了大熊猫生长发育的规律。

(3)张局长就住房改革问题,向大家作了报告。

(4)赵教授就建校四十年来的工作成绩作了初步的回顾和总结。

"就"还可以与"来说"、"来看"等词语相呼应,构成"就……来说/来看"的格式。例如:

(5)这本书就内容来说非常丰富,但就语言来说,文言色彩较浓。

(6)就目前中华公司的发展形势来看,最重要的是提高企业人员的文化素质。

(二)干得好与嫁得好并非绝对对立

"并非",副词。表示"并不是"的意思,它后边还可以加"是",构成"并非是"的格式。常用在表示转折的句子中,有否定某种看法、说明真实情况的意味。例如:

(1)他们并非要买,只是想看看。

(2)安娜不参加,并非怕花钱,而是最近身体不好。

(3)这种消炎药并非没有副作用,只是稍微小一点儿罢了。

(4)走这条路线并非为了省时间,而是比较安全。

(5)他赶着去工厂并非是去参加晚会,而是去加班。

(6)这个方案并非是他一个人决定的,办公室的人也都参加了讨论。

(三)很多干得好的女性未必嫁得好

"未必",副词。表示委婉的否定,有"不见得"、"不一定"的意思。说话人不赞成或不相信某事,不直接否定,而是用商量的语气提出。作状语。例如:

(1)即使你提出来,他们也未必同意。

(2)这样解释,他父亲未必相信。

(3)我认为,他未必真的崇拜你。

(4)事情未必会像你们预料的那样顺利。

有时,"未必"后边有"不、没有"等,两个否定表示肯定。例如:

(5)他讲得很慢,你未必记不下来。

(6)青年人追求浪漫情调未必不好。

(四)倘若嫁得好,有坚强的后盾支持……

"倘若",连词。表示假设和推论,相当于"如果",文言色彩较浓,多用于书面语。"倘若"多用于前一小句,后一小句常有"就"、"便"与之呼应。例如:

(1)倘若他们问起此事,你就说不知道。

(2)倘若他的病有传染性,那就要坚决住院治疗。

(3)倘若没有大家的热情帮助,我不会这么顺利地通过考核。

(4)倘若公司的每个成员都能重视这一问题,那产品的质量就有保证了。

"倘若"也用于后一小句。例如:

(5)你可以提出申请,倘若你已经考虑成熟。

(6)双方定于6月15日举行签字仪式,倘若情况没有什么变化。

(五)这又何尝不是一项成功的事业呢

"何尝",副词。文言词语,在句中以反问语气表示肯定或否定,相当于"哪里"、"怎么能"、"怎么会",略含辩解的意味。"何尝"在肯定形式前则表示否定,在否定形式前则表示肯定。例如:

(1)他何尝了解这里的情况,完全是他自己的想像。

(2)我何尝表示过反对,但是有人故意要这样说。

(3)他何尝会赞扬我,不批评我就不错了。

(4)出了这么大的事,他何尝不着急呢?

(5)不要怪他了,他何尝不愿意顺利通过呢?

(6)经理对这个方案有意见,我何尝没看出来呢?

(六)处处体现自身价值

"处处",副词。有"到处"、"各个地方"的意思。概括说话人所指的动作或状态的全部范围。例如:

(1)校园里,处处洋溢着节日的气氛。

(2)楼道里,处处都堆满了行李。

(3)在这小小的山村里,处处都能听到广播站播出的新闻节目。

有时,"处处"引申为"各个方面"的意思。例如:

(4)王英非常热情、能干,缺点是处处表现自己。

(5)接待工作令人十分满意,处处都考虑得很周到,安排得很好。

(6)他追求十全十美,处处都希望别人说好,这怎么可能呢?

(七)……由此可见,干得好是一个女人在社会上生存、发展的前提

"由此可见"这一固定格式,由"由此 + 可见"组成。连接句子或段落,表示推论关系。强调后面的结论是从上文所述事实或观点中引出的,多用于书面语。例如:

(1)……由此可见,依靠群众是取得成功的重要原因之一。

(2)他们工厂四十多年来,一直十分重视疾病的预防工作。由此可见,预防与治疗并重的方针是完全正确的。

(3)……由此可见,事物的性质主要是由取得支配地位的矛盾的主要方面所决定的。

(4)他们的科研项目获奖,主要是因为试验所取得的一系列数据的有效率达80%。由此可见,数据统计在科学试验中具有重要作用。

(5)据有关材料表明,饮酒者比不饮酒者患肝硬化的人数要高7倍。由此可见,长期饮酒对肝脏的损害是严重的。

(6)……由此可见,心理素质的训练和技术、能力的训练同等重要。

(八)女性只有干得好才不至于因为失去男人,就失去了世界

"不至于",副词。表示不会达到某种程度,多指不希望的。有"不到……地步"的意思,前面常与"但"、"还"、"才"搭配使用。例如:

(1)他这次考得不好,但不至于不及格。

(2)这篇文章内容比较深,但还不至于看不懂。

(3)安娜出勤不太好,但还不至于被取消考试资格。

(4)这些词上一课刚学完,他还不至于全忘光了吧。

(5)如果不是你上次得罪了她,她也不至于对咱们这么冷淡。

(6)我对老王很了解,他不至于因为怕得罪人而放弃原则。

五　副　课　文

(一)阅读课文　　圈　套

我患肝病住院的时候,病友们在议论哪位护士小姐漂亮的同时,也常常把几位主治医师进行比较。有人认为张医生水平高,有人感到高医生最可亲。而同病房 17 床的大李却总是与我们看法不同。大李说："高医生水平最差,态度也不好。"大李与我因患传染性肝炎同时住进医院,一个月过去了,我病情好转,大李的情况却不太妙,脸和眼珠也越来越黄。

有一次,大李和我正在下棋,高医生来查房,见此情景顿时火冒三丈:"17 床,你怎么回事? 让你卧床休息,你不但不听,还影响 16 床……"

大李睁大眼睛说:"大夫,你能不能想个办法把我的转氨酶降下来? 我觉得你的治疗方案有问题。"

高医生说:"早就告诉你了,要注意休息,病要慢慢养,你不但不听,反而说我的治疗方案有问题,难道你比大夫还大夫吗? 你在单位肯定也是个刺儿头!"

"你这是血口喷人!"大李拍着床铺大声争辩道:"我年年是先进工作者,是单位的骨干力量!"

高医生说:"你声音这么大干什么? 这儿不是你家,愿意在这儿呆着就住着,要不就另请高明。你有本事,到北京治去,去解放军 302 医院!"

看到他俩越来越激动,我赶紧过去和稀泥。高医生说:"17 床,告诉我你们单位的电话号码,我马上给你们单位打电话,让领导来管教管教你。"

第二天,高医生没来查房,大李单位的领导却来了好几个。大李讲述着自己的病情,痛苦得流下了眼泪,我也陪着他难过。领导把我们安慰了一番。

这时,高医生来了,他对大李说:"17 床,现在你们领导也来了,我要好好跟你们领导谈谈,是你这个病人不配合还是我们的治疗方案有问题。"

半个小时后,大李的领导们回到病房,对大李说:"这个高医生水平是不行,刚刚还把我们批了一顿,嫌领导不关心你。算了,大李,咱们明天就转北京 302 医院……"

大李出了口气:"我早就想换个地方了,这个医院,花钱买气生。"第二天,大李就转到了北京 302 医院。

一个月过去了。在一次同护士长聊天时,我说:"高医生这人心眼挺好的,就是有时爱发火。"护士长说:"高医生治了二十多年肝炎,最有经验。而且对不同的病人用不同的办法。病人都像小孩子,有的要劝,有的要哄,有的要厉害,有的甚至要骗。像转到 302 医院的大李,那是查出了癌细胞,病情恶化,必须马上转院治疗,但又不能让大李知道了病情有负担,高医生可是动了一番脑筋……"

啊,原来如此! 我顿时惊呆了。脑海里,一个月之前的情景像电影一样重演了一遍。原来这一切都是高医生精心设下的"圈套"啊!

又过了一个月,我身体康复,办理了出院手续。高医生把我送出病房,再三嘱咐:"16 床,人活着只有一次。今后生活要有规律,这种病不能太累了,医生只能治病,不能治命。"

我向高医生深深鞠了一躬，不禁又一次想起大李来。啊，健康真好啊——眼泪不由得流了下来。

（作者：胡子宏。有删改。）

（二）会话课文

1.评委们的话

光明日报王先生：

"干得好不如嫁得好"与"嫁得好不如干得好"的争论，反映了当代女性在工作事业与家庭生活这两者之间感到的困惑，也反映了社会与个人、理想与现实之间的矛盾，体现了她们不同的幸福观、价值观。

最理想的是既干得好又嫁得好，最糟糕的是二者都不好。这大概没有疑问。问题出在假如真的要在二者之间做一选择，该选择什么？我个人还是更赞成、更提倡首先要"干得好"。道理很简单，这体现着一种女性的主体意识，只有把幸福牢牢地把握在自己手里，而不是完全或一半寄托在他人身上，才会获得真正的幸福。这是我们社会应该提倡的一种价值观念。

朱女士，您的看法呢？

中国电影家协会朱女士：

我们单位有好多年轻朋友，听说我来当"嫁得好"与"干得好"辩论的评委，就哈哈大笑地说："这还用得着辩论吗，当然干得好不如嫁得好了。"我问他们为什么，他们说："就拿拍电影来说吧，我们要实现自己的艺术追求、艺术探索。可老板为了赚钱让你加武打、加爱情戏，你怎么办？如果我嫁得好，我有这个经济基础，我就有条件实现我事业上的理想。"至于我自己，一辈子都是干出来的，但在我干的背后，丈夫给了我很大的支持。可以说，"嫁得好"确实很重要。

北京大学刘先生：

看来，朱女士自己就是既"干得好"又"嫁得好"。

"干得好"与"嫁得好"，可以说是一个永恒的话题。它首先是一个个人的看法。同样一个人，同样一件事，嫁得好不好、干得好不好，因人而异，是一种自己的感受。而把这个问题作为社会话题的时候，情况就复杂多了。它涉及到幸福观和价值观的问题。我们的社会需要宣扬什么，这就不仅仅是个人的问题了。正因为如此，这个辩论题是不错的，和以往的题目比较起来，更贴近生活，更道出了人们的心声。

2.群众的议论

男士₁：我想听听王老师的意见，您作为父亲，是希望自己的女儿"干得好"呢，还是"嫁得好"呢?

男士₂:我首先希望我女儿"嫁得好",要不,她干得再好我心里也不踏实,她回家
　　总跟我哭怎么办?

男士₃:希望女同胞们都嫁得好也干得好! 可你们要都干得好,男士们还有什么
　　指望啊?

女士₁:"嫁得好"跟"干得好"就像一个人的两条腿,干吗非得让一条腿长一条腿
　　短呢? 其实嫁得好就是对男士要求高了。

女士₂:我想问问男同胞,怎么不讨论讨论干得好不如娶得好呢?

男士₁:啊呀,作为男士,还是得先干得好,要不,受气啊!

女士₃:女士当然要干得好,否则,都光想嫁得好,男人还不得累死啊?

女士₄:就算是为了"嫁得好",也得干得好啊!

(三)听力课文　　一种境界

　　梁先生乘坐的飞机在快要降落时,差点儿坠毁,飞机上的人们面临了一次
死亡。在他们平安着陆时,记者采访了梁先生:"您当时在想什么?"梁先生告诉
大家:"我一直在想我的脚。"这个回答太令人失望了,也太不浪漫了。但这确实
是真的。

　　原来,梁先生乘飞机的那一天,手提行李从家里出来时,一不小心把脚扭了
一下。脚肿了起来,又酸又疼,连走路都使不上劲儿,更不要说像空中小姐要求
的那样"拼命地向前跑"了。所以,在当时,为了生存,梁先生首先想到的是他
的脚。

　　当然,梁先生说,在当时也曾模糊地想到即使真的死了,也无所遗憾,因为
他所经历的人生,让他满足了。一个朋友插话说:"除了死亡没经历过,什么都
经历过了。那么,当死亡到来时,为什么不从容、镇静地去面对呢!"这倒真是一
种境界了。

　　"您当时没想夫人和孩子吗?"

　　"没顾上!"

　　"没留下什么话吗?"

　　"没有。"

　　"为什么?"

　　"因为我觉得我死不了。"

　　也许人真的是生有时,死有地。不该死的时候,就是到了地狱门口,也没人
给你开门。梁先生还告诉记者,当感到飞机的轮子实实在在地接触到大地的那
一刻,人们不约而同地鼓起掌来。

当机长走出驾驶室的时候,幽默地对大家说:"今天我好像不大方便说'欢迎你们再次乘坐我们的航班'这句话了,但我还是要说,欢迎你们再次乘坐我们的航班!"大家再一次热烈鼓掌。

记者又问:"梁先生,回到家要不要给家里人讲这段经历呢?"

"当然。"

"是不是要增加点什么,或减少点什么,所有内容、想法都讲吗?"

"当然,讲全过程。"

"那么,您夫人会怎么说?"

"那还用问,她会埋怨我:'看看是不是,你的心里根本没有我!'"

这时,记者笑着为梁先生解释:"如果感情真的很深,那么,一方珍惜生命,便是对另一方最大的负责,最实际的爱。"

梁先生点点头:"可以这么说。"

生　词

1. 境界	(名)	jìngjiè	extent reached; state; realm 丁 horizon; état
2. 插话		chā huà	interpose(a remark, ect.); chip in s'interposer
3. 不约而同		bù yuē ér tóng	in concert faire la même chose sans se donner le mot; comme d'une entente convenue
4. 机长	(名)	jīzhǎng	aircraft commander; captain of an airplane commandant de bord; chef pilote
5. 航班	(名)	hángbān	flight; flight number 丁 vol régulier

六　练　习

(一)辨字组词或组成短语:

1. { 辨 / 辩 }　2. { 险 / 检 }　3. { 博 / 搏 }　4. { 姓 / 性 }　5. { 偏 / 编 }

6. { 提 / 题 }　7. { 睦 / 陆 }　8. { 忧 / 优 }　9. { 赌 / 堵 }　10. { 扮 / 盼 }

(二)在下列名词前后各搭配一个适当的成分:

1. 色彩____　　2. 辩论____　　3. 话题____　　4. 人格____

　　____色彩　　　____辩论　　　____话题　　　____人格

5. 人生____   6. 内心____   7. 智慧____   8. 女性____

    ____人生   ____内心   ____智慧   ____女性

9. 成员____   10. 馅儿____   11. 变革____   12. 逻辑____

    ____成员   ____馅儿   ____变革   ____逻辑

(三)在下列形容词前后各搭配一个适当的成分：

1. 美满____   2. 充实____   3. 出色____   4. 恩爱____

    ____美满   ____充实   ____出色   ____恩爱

5. 主动____   6. 完善____   7. 和睦____   8. 被动____

    ____主动   ____完善   ____和睦   ____被动

9. 保险____   10. 敏锐____   11. 文明____   12. 糟糕____

    ____保险   ____敏锐   ____文明   ____糟糕

(四)用指定词语完成下列句子：

1. 他嘴上说同意，_____。（未必）

2. 如果你把道理讲清楚，_____。（未必）

3. 我认为作为一个领导，_____。（处处）

4. 今天是国庆节，_____。（处处）

5. 小王虽然年轻，_____。（并非）

6. 他虽然跟老王很熟，_____。（并非）

7. _____

_____，王小山不会取得这么好的成绩。（倘若）

8. _____，我们的

事业还能向前发展吗？   （倘若）

9. 大家如果都赞成，_____？（何尝）

10. 他又不是白痴，_____？（何尝）

11. 我对张先生很了解，_____。（不至于 贿赂）

12. 杨兰小姐虽然很忙，_____。（不至于 采访）

13. _____

_____，我认为还不适合参加激烈的体育活动。 （就……来看 营养）

14. _____

____，大夫认为还是住院治疗比较好。 （就……来看/来说 传染）

15. 自从实行新的治疗方案以后,张强的病情得到了控制,_____
_____。（由此可见）

16. 过去遇到这种情况老王一定要发脾气,现在_____
_____。（由此可见　冷静）

(五)熟读下列语段,并模仿运用所给句式进行语段表达:

1. 一个优秀的女性,不仅能在家庭的帮助下丰富自己,充实自己,更能将自己的所学所能通过家庭转化为生产力,创造出 $1+1>2$ 的社会价值,为人类的文明进步而发挥一个女性特有的作用。这又何尝不是一项成功的事业呢?

　　(不仅……更……　为……而……　何尝……)

2. 一对夫妻,既可能白头到老,也可能半路分开。如果有一天分开了,那么,女性该怎么办呢? 我们认为,女性只能干得好才不至于因为失去男人,就失去了世界;也不至于因为失去了家庭,就失去了自我!

　　(既……也……　如果……那么……　不至于……　也不至于……)

(六)根据课文内容回答下列问题:

1. 甲方和乙方各自的观点是什么?
2. 甲₁是怎样论述"干得好"和"嫁得好"是怎样的?
3. 甲₂是如何批驳乙方"干得好是嫁得好的前提和基础"这一论点的?
4. 甲₃如何进一步阐明"干得好不如嫁得好"?
5. 乙₁是如何阐述"干得好是一个女人在社会上生存、发展的前提"这一论点的?
6. 乙₂是怎样说明"干"与"嫁"的关系的?
7. 乙₃是如何从"社会"这一角度来阐述"干得好"的重要性的?
8. 乙₃如何进一步从"婚姻与事业可把握的程度不一样"来阐明"干得好"的重要性?

(七)阅读练习:

1. 根据阅读课文内容,在 A、B、C、D 中选择一个最恰当的答案:

(1)见此情景顿时火冒三丈

　　这里"火冒三丈"的意思是:

　　A. 非常激动　　　B. 气得要命

　　C. 火有三丈高　　D. 气得跳起三丈高

(2)难道你比大夫还大夫吗?

这里"比大夫还大夫"的意思是：

A. 比不上大夫　　　B. 比得上大夫

C. 不如大夫　　　　D. 比大夫还强

(3)你在单位也肯定是个刺儿头

这里"刺儿头"的意思是：

A. 爱说话的人　　　B. 故意找麻烦的人

C. 刺激头头的人　　D. 最厉害的人

(4)你这是血口喷人

这里"血口喷人"的意思是：

A. 说话太恶毒,诬蔑好人　　　B. 喷人一脸血

C. 满口骂人话　　　　　　　　D. 嘴里喷出了血

(5)要不就另请高明

这里"另请高明"的意思是：

A. 我技术水平低　　B. 另找个医术好的大夫

C. 有的是好大夫　　D. 赶快离开这里

(6)我赶紧过去和稀泥

这里"和稀泥"的意思是

A. 缓和矛盾　　　　B. 劝架

C. 用水和泥　　　　D. 把他俩拉开

2. 根据阅读课文内容回答问题：

(1)17床的大李对高大夫的印象怎么样？

(2)高大夫对大李的态度怎么样？

(3)高大夫为什么要把大李单位的领导请来？

(4)这篇课文的题目为什么叫"圈套"？

(八)口语练习：

1. 分角色进行对话,注意语音语调。

2. 读读下面的句子,注意读出不同的语气：

(1)最理想的是既干得好又嫁得好,最糟糕的是二者都不好。

(2)问题出在假如真的要在二者之间做一选择,该选择什么？

(3)这还用得着问吗,当然干得好不如嫁得好了。

(4)正因为如此,这个辩论题是不错的,和以往的辩论题比较起来,更贴近生活,更道出了人们的心声。

(5)您作为父亲,是希望自己的女儿"干得好"呢,还是"嫁得好"呢？

(6)我想问问男同胞,怎么不讨论讨论干得好不如娶得好呢？

3. 概括总结一下评委和群众有几种看法。

(九)听力练习:

1. 根据录音内容复述大意。

2. 听录音填空:

(1)在他们平安＿＿＿时,记者＿＿＿了梁先生。

(2)脚＿＿＿了起来,又＿＿＿又＿＿＿,＿＿＿走路＿＿＿使不上劲儿,更不要说＿＿＿空中小姐要求的＿＿＿拼命地＿＿＿前跑了。

(3)在当时也＿＿＿模糊地想到＿＿＿真的死了,也＿＿＿遗憾,他所经历的＿＿＿,让他＿＿＿了。

(4)＿＿＿死亡到来＿＿＿,为什么不＿＿＿、＿＿＿地去面对呢!

(5)梁先生,回到家＿＿＿给家里讲这段＿＿＿呢?

(6)＿＿＿感情真的很深,＿＿＿,一方＿＿＿生命,便是对另一方最大的＿＿＿,最＿＿＿的爱。

(十)交际训练:

1. 请讲一讲你的看法:(说一段话或写一段话)

(1)对生活与事业的选择,每个人都有自己的看法,我的看法是……

(2)婚姻和事业总会有矛盾,很难两全,如果产生了矛盾,我选择……

(3)我希望干得漂亮,嫁得如意……

下面的词语可以帮助你表达:

　　追求、价值、体现、充实、选择、适合、不仅……而且……、美满、恩爱、和睦、促进、伴侣、束缚、摆脱、出色、协调、承担、人生、倘若、由此可见、总之

2. 自由讨论:

(1)谈谈你对这场辩论的看法?

(2)为什么说"干得好不如嫁得好吗"这一论题的提出,是社会进步和女性地位提高的一种体现?

(3)你对"为人类的文明进步而发挥一个女性特有的作用"这句话是怎样理解的?

(4)生与死的问题,既很重大又很平凡,梁先生在面对死亡时的态度,给了我们哪些启示? 那是一种什么样的境界?

3. 语言游戏:

(1)填词比赛

珍惜、生命、消磨、放弃、金钱、赢得、力量、浪费、争取

1)劳动者＿＿＿时间,懒惰者＿＿＿时间。

2)有志者____时间,碌碌无为者____时间。

3)勤奋者____时间,闲聊者____时间。

4)浪费时间,就等于浪费____。

5)时间就是____,时间就是____。

(2)说一说下面这两句成语的意思,并试着用一用。

一寸光阴一寸金,寸金难买寸光阴

争分夺秒

4. 看一看,说一说,写一写。

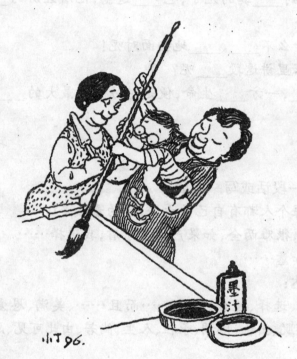

·诗画话·

神 童

陈四益 文   丁 聪 画

中国人喜欢神童,自古如此。三岁能诗,五岁能文,七岁能为孔子师,十二岁当了上卿,真好像天下干大事的都是孩子。……

宋代元丰年间,饶州有个叫朱天锡的,因"神童"得官。于是,那地方家家都逼着五六岁的孩子读《五经》。孩子贪玩,便把他放在竹篮里,吊在树梢,叫他玩不成。许多人家还聘了"家教","奖金"与读经挂钩,读完一经,付钱若干。结果如何呢?没听说那里又出了什么神童,倒是"儿非其质,苦之至死者盖多也。"

如今,早已科学昌明,但对神童的嗜好似依然如故。三岁的书法家、六岁的小画家、十一岁上大学之类的报道,常有所见。家长逼着孩子学书、学琴、学画、学外文之类的事也多有所闻,虽然还没有吊到树上去。

我担心,对"神童"的过分热心,只会给孩子带来灾难。诗曰:

自古曾闻硬拔苗,

竹篮凄惨挂林梢。

可怜多少乖儿女,

未做神童命早夭。

第二十九课

一 课文 孔乙己

　　鲁镇的酒店的格局[1]，是和别处不同的：都是当街[2]一个曲尺[3]形的大柜台[4]，柜台里面预备着热水，可以随时温[5]酒。做工的人，傍午傍晚散了工[6]，每每花四文[7]铜钱[8]，买一碗酒，——这是二十多年以前的事，现在每碗要涨到十文，——靠柜台外站着，热热的喝了休息；倘肯多花一文，便可以买一碟[9]盐煮笋[10]，或者茴香豆[11]，做下酒物[12]了；如果出到十几文，那就能买一样荤菜[13]，但这些顾客，多是短衣帮[14]，大抵[15]没有这样阔绰[16]。只有穿长衫[17]的，才踱[18]进店面隔壁的房子里，要酒要菜，慢慢地坐喝。

　　我从十二岁起，便在镇口的咸亨酒店里当伙计，掌柜[19]说，样子太傻，怕侍候[20]不了长衫主顾[21]，就在外面做点事罢。外面的短衣主顾，虽然容易说话，但唠唠叨叨[22]缠夹不清[23]的也很不少。他们往往要亲眼看着黄酒[24]从坛子[25]里舀[26]出，看过壶子底里有水没有，又亲眼看着将壶子放在热水里，然后才放心：在这严密监督[27]之下，搀[28]水也很为难。所以过了几天，掌柜又说我干不了这事。幸亏荐头[29]的情面[30]大，辞[31]退不得，便改为专管温酒的一种无聊[32]职务[33]了。

　　我从此便整天的站在柜台里，专管我的职务。虽然没有什么失职[34]，但总觉有些单调，有些无聊。掌柜是一副凶[35]脸孔[36]，主顾也没有好声气[37]，教人活泼不得；只有孔乙己到店，才可以笑几声，所以至今还记得。

　　孔乙己是站着喝酒而穿长衫的惟一的人。他身材[38]很高大；青白脸色[39]，皱纹间时常[40]夹些伤痕；一部乱蓬蓬[41]的花白的胡子。穿的虽然是长衫，可是又脏又破，似乎十多年没有补，也没有洗。他对人说话，总是满口[42]之乎者也[43]，教人半懂不懂的。因为他姓孔，别人便从描红纸[44]上的，"上大人孔乙己"这半懂不懂的话里，替他取下一个绰号[45]，叫作孔乙己。孔乙己一到店，所有喝酒的人便都看着他笑,有的叫道:"孔乙己,你脸上又添上新伤疤[46]了!"他不回答,对柜里说:"温两碗酒,要一碟茴香豆。"便排出九文大钱。他们又故意的高声嚷道:"你一定又偷了人家的东西了!"孔乙己睁大眼睛说,"你怎么这样凭空[47]污[48]人清白[49]……""什么清白?我前天亲眼见你偷了何家的书,吊着打。"孔乙己便涨[50]红了脸,额上的青筋[51]条条绽[52]出,争辩[53]道,"窃[54]书不能算偷……窃书! ……读书人的事,能算偷么?"接连便是难懂的话,什么"君子固穷[55]",什么"者乎"之类,引[56]得众人[57]都哄笑[58]起来;店内外充满了快活的空气。

听人家背地里谈论,孔乙己原来也读过书,但终于没有进学[59],又不会营生[60];于是愈过愈[61]穷,弄到将要讨饭了。幸而[62]写得一笔好字,便替人家抄抄书,换一碗饭吃。可惜他又有一样坏脾气,便是好喝懒做。坐不到几天,便连人和书籍[63]纸张[64]笔砚[65],一齐失踪[66]。如是[67]几次,叫他抄书的人也没有了。孔乙己没有法,便免不了[68]偶然做些偷窃[69]的事。但他在我们店里,品行[70]却比别人都好,就是从不拖欠[71],虽然间或[72]没有现钱[73],暂时记在粉板[74]上,但不出一月,定然[75]还清,从粉板上拭[76]去了孔乙己的名字。

孔乙己喝过半碗酒,涨红的脸色渐渐复了原[77],旁人便又问道:"孔乙己,你当真[78]认识字么?"孔乙己看着问他的人,显[79]出不屑[80]置辩[81]的神气[82]。他们便接着说道:"你怎的连半个秀才[83]也捞不到呢?"孔乙己立刻显出颓唐[84]不安模样,脸上笼[85]上一层灰色,嘴里说些话;这回可是全是之乎者也之类,一点也不懂了。在这时候,众人也都哄笑起来:店内外充满了快活的空气。

在这些时候,我可以附和[86]着笑,掌柜是决不责备[87]的。而且掌柜见了孔乙己,也每每这样问他,引人发笑。孔乙己自己知道不能和他们谈天,便只好向孩子说话。有一回对我说道,"你读过书么?"我略略[88]点一点头,他说:"读过书……我便考你一考。茴香豆的茴字,怎么写的?"我想,讨饭一样的人,也配[89]考我么?便回过脸去,不再理会[90]。孔乙己等了许久,很恳切[91]的说道:"不能写罢? ……我教给你,记着! 这些字应该记着。将来做掌柜的时候,写账要用。"我暗想我和掌柜的等级[92]还很远呢,而且我们掌柜也从不将茴香豆上账;又好笑,又不耐烦[93],懒懒的答他道,"谁要你教,不是草头底下一个来回的回字么?"孔乙己显出极高兴的样子,将两个指头的长指甲[94]敲着柜台,点头说,"对呀对呀! ……回字有四样写法,你知道么?"我愈不耐烦了,努着嘴[95]走远。孔乙己刚用指甲蘸[96]了酒,想在柜台上写字,见我毫不热心,便又叹一口气,显出极惋惜[97]的样子。

有几回,邻居孩子听见笑声,也赶热闹,围住了孔乙己。他便给他们茴香豆吃,一人一颗。孩子吃完豆,仍然不散,眼睛都望着碟子。孔乙己着了慌[98],伸开五指将碟子罩[99]住,弯腰下去说道,"不多了,我已经不多了。"直起身又看一看豆,自己摇头说,"不多不多! 多乎哉? 不多也[100]。"于是这一群孩子都在笑声里走散了。

孔乙己是这样的使人快活,可是没有他,别人也便这么过。

有一天,大约是中秋[101]前的两三天,掌柜正在慢慢的结账,取下粉板,忽然说:"孔乙己长久没有来了。还欠十九个钱呢!"我才觉得他的确长久没有来了。一个喝酒的人说道,"他怎么会来? ……他打折[102]了腿。"掌柜说,"哦[103]!""他总仍旧是偷。这一回,是自己发昏,竟偷到丁举人[104]家里去了。他家的东西,偷得的么?""后来怎么样?""怎么样? 先写服辩[105],后来是打,打了大半夜,再打折了腿。""后来呢?""后来打折了腿了。""打折了怎样呢?""怎样? ……谁晓得? 许是死了。"掌柜也不再问,仍然慢慢的算他的账。

中秋过后,秋风是一天凉比一天,看看将近[106]初冬;我整天的靠着火,也须穿上棉袄[107]了。一天的下半天,没有一个顾客,我正合了眼坐着。忽然间听得一个声音,"温一碗酒。"这声音虽然极低,却很耳熟[108]。看时又全没有人。站起来向外一望,那孔乙己便在柜台下对了门槛[109]坐着。他脸上黑而且瘦,已经不成样子;穿一件破夹袄[110],盘[111]着两腿,下面垫[112]一个蒲包[113],用草绳在肩上挂住;见了我,又说道,"温一碗酒。"掌柜也伸出头去,一面说,"孔乙己么? 你还欠十九个钱呢!"孔乙己很颓唐的仰面答道,"这……下回还清罢,这一回是现钱,酒要好。"掌柜仍然同平常一样,笑着对他说:"孔乙己,你又偷东西了!"但他这回却不十分分辩[114],单说了一句"不要取笑[115]!""取笑? 要不是偷,怎么会打断腿?"孔乙己低声说道,"跌断,跌,跌……"他的眼色,很像恳求掌柜,不要再提。此时已经聚集[116]了几个人,便和掌柜都笑了。我温了酒,端出去,放在门槛上,他从破衣袋里摸出四文大钱,放在我手里,见他满手是泥,原来他便用这手走来的。不一会,他喝完酒,便又在旁人的说笑声中,坐着用这手慢慢走去了。

　　自此以后，又长久没有看见孔乙己。到了年关,掌柜取下粉板说,"孔乙己还欠十九个钱呢!"到第二年的端午[117],又说"孔乙己还欠十九个钱呢!"到中秋可是没有说,再到年关[118]也没有看见他。

　　我到现在终于没有见——大约孔乙己的确死了。

(作者:鲁迅。有改动。)

二　　生　　词

1. 格局	(名)	géjú	arrangement arrangement	丁
2. 当街		dāng jiē	face the street en face de la rue	
3. 曲尺	(名)	qūchǐ	carpenter's square équerre	
4. 柜台	(名)	guìtái	counter rayon; comptoir	丙
5. 温	(动、形)	wēn	warm réchauffer; chauffé	丙
6. 散工		sàn gōng	come off work finir ses heures de travail	
7. 文	(量)	wén	(a measure word for copper cash) (spécificatif)	
8. 铜钱	(名)	tóngqián	copper cash sapèque; pièce de cuivre	
9. 碟	(名、量)	dié	plate; (a measure word) assiette	丁
10. 笋	(名)	sǔn	bamboo shoots pousse de bambu	丁
11. 茴香豆	(名)	huíxiāngdòu	beans flavored with aniseed soja cuit anisé	
12. 下酒物	(名)	xiàjiǔwù	something that goes with wine hors d'œuvre qu'on prend avec le vin	
13. 荤菜	(名)	hūncài	meat dishes plat de viande	
14. ……帮	(名)	…bāng	class; band bande	丙
15. 大抵	(副)	dàdǐ	in the main généralement	

16. 阔绰	（形）	kuòchuò	extravagant riche; fastueux	
17. 长衫	（名）	chángshān	long gown chemise longue	
18. 踱	（动）	duó	pace; stroll marcher (à pas mesuré)	
19. 掌柜	（名）	zhǎngguì	shop keeper patron	
20. 侍候	（动）	shìhòu	serve; wait upon servir	丁
21. 主顾	（名）	zhǔgù	customer client	
22. 唠叨	（形）	láodao	garrulous jacasser; caqueter	
23. 缠夹不清		chán jiā bù qīng	keep pestering importuner; obséder	
24. 黄酒	（名）	huángjiǔ	yellow rice wine vin jaune	
25. 坛(子)	（名）	tán(zi)	earthen jar vase; jarre	丁
26. 舀	（动）	yǎo	ladle out; spoon up puiser (avec une louche)	
27. 监督	（动）	jiāndū	supervise; scrutinize surveiller	丙
28. 搀	（动）	chān	mix; dilute mélanger; mêler	
29. 荐头	（名）	jiàntou	one who recommends sb. recommandeur	
30. 情面	（名）	qíngmiàn	sensibility face; considération personnelle	
31. 辞(退)	（动）	cí(tuì)	dismiss renvoyer; licencier	丁
32. 无聊	（形）	wúliáo	dull ennuyeux	丁
33. 职务	（名）	zhíwù	work; job fonction; poste	丁
34. 失职		shī zhí	neglect one's duty manquer aux devoirs de sa charge	
35. 凶	（形）	xiōng	fierce; ferocious brutal; féroce	丙
36. 脸孔	（名）	liǎnkǒng	face face; mine	

37. 声气	（名）	shēngqì	intonation intonation	
38. 身材	（名）	shēncái	stature; figure taille	丙
39. 脸色	（名）	liǎnsè	complexion; look expression; visage	丙
40. 时常	（副）	shícháng	often; frequently souvent	丙
41. 乱蓬蓬	（形）	luànpēngpēng	unkempt confus; en désordre	
42. 满口	（形）	mǎnkǒu	（speak）unreservedly or profusely à pleine bouche	
43. 之乎者也		zhī hū zhě yě	（four function words in classical Chinese） （quatre mots vides de la langue chinoise classique）	
44. 描红纸	（名）	miáohóngzhǐ	paper on which people trace over the red printed characters with a writing brush in black calquer le modèle de calligraphie imprimé en rouge	
45. 绰号	（名）	chuòhào	nickname surnom	
46. 疤	（名）	bā	scar plaie; cicatrice	丁
47. 凭空	（副）	píngkōng	without foundation; groundlessly sans preuve	
48. 污	（动）	wū	slander; ruin calomnier	丙
49. 清白	（形）	qīngbái	innocent pur; irréprochable	
50. 涨	（动）	zhàng	（of the head）be swelled by a rush of blood enfler; gonfler	
51. 筋	（名）	jīn	vein （ici）veine	丁
52. 绽	（动）	zhàn	burst; stand out gonfler	
53. 争辩	（动）	zhēngbiàn	argue; debate disputer	
54. 窃	（动）	qiè	steal voler	

55. 君子固穷		jūnzǐ gù qióng	A gentleman keeps his integrity even in poverty homme vertueux qui garde la pauvreté	
56. 引	（动）	yǐn	cause; make provoquer; inciter	丙
57. 众人	（名）	zhòngrén	everybody tout le monde	丁
58. 哄笑	（动）	hōngxiào	roar with laughter hilarité générale	
59. 进学		jìn xué	pass the official examination être reçu bachelier	
60. 营生	（动）	yíngshēng	make a living gagner sa vie	
61. 愈……愈		yù…yù	the more...the more plus...plus...	丙
62. 幸而	（副）	xìng'ér	luckily; fortunately heureusement	
63. 书籍	（名）	shūjí	books livre	丙
64. 纸张	（名）	zhǐzhāng	paper papier	丁
65. 砚	（名）	yàn	ink-slab; inkstone encrier chinois	
66. 失踪	（动）	shīzōng	disappear; be missing perdre ses traces; disparaître	丁
67. 如是		rú shì	be like this comme cela	
68. 免不了		miǎn bu liǎo	be bound to be il est inévitable que	
69. 偷窃	（动）	tōuqiè	steal voler	丁
70. 品行	（名）	pǐnxíng	conduct; behavior conduite	丁
71. 拖欠	（动）	tuōqiàn	be behind in payment retarder un paiement	
72. 间或	（副）	jiànhuò	sometimes de temps en temps; quelquefois	
73. 现钱	（名）	xiànqián	ready money; cash argent comptant	丁
74. 粉板	（名）	fěnbǎn	board tableau noir	

75. 定然	（副）	dìngrán	certainly	
			certainement；sûrement	
76. 拭	（动）	shì	wipe	
			essuyer；frotter	
77. 复原		fù yuán	regain one's composure	
			restituer；relever	
78. 当真	（形）	dàngzhēn	really；treat seriously	
			vrai	
79. 显	（动）	xiǎn	show	丁
			paraître	
80. 不屑	（副）	búxiè	not worth doing；disdain	
			cela ne vaut pas la peine	
81. 置辩	（动）	zhìbiàn	argue	
			contredire	
82. 神气	（名、形）	shénqì	expression；air；spirited；cocky	丙
			air；plein d'entrain	
83. 秀才	（名）	xiùcai	one who passed the imperial exa-	
			mination at the county level	
			bachelier（sous les Ming et les Qing）	
84. 颓唐	（形）	tuítáng	disconsolate；dispirite	
			décadent；déprimé	
85. 笼	（动）	lǒng	cover	
			couvrir	
86. 附和	（动）	fùhè	echo；chime in with	丁
			faire chorus avec	
87. 责备	（动）	zébèi	scold	丙
			reprocher	
88. 略略	（副）	lüèlüè	a little；slightly	
			un peu	
89. 配	（动）	pèi	be qualified；deserve；find sth. to fit	丙
			être qualifié pour	
90. 理会	（动）	lǐhuì	take notice of；pay attention to	丁
			prêter attention	
91. 恳切	（形）	kěnqiè	earnest；sincere	丁
			sincère	
92. 等级	（名）	děngjí	order and degree；social estate	丁
			catégorie；classe	
93. 耐烦	（形）	nàifán	patient	丙
			patient	
94. 指甲	（名）	zhǐjia	nail	丁
			ongle	

95. 努嘴		nǔ zuǐ	pout one's lips	
			avancer les lèvres; faire la moue	
96. 蘸	(动)	zhàn	dip in	
			tremper dans	
97. 惋惜	(动、形)	wǎnxī	feel sorry for sb; disapointed	丁
			regretter; regrettable	
98. 着慌		zháo huāng	fluster	
			inquiet	
99. 罩	(动)	zhào	cover	丙
			couvrir	
100. 多乎哉?		Duō hū zāi?	Is there any more? No more.	
不多也。		Bù duō yě.	Il y en a beaucoup? Non.	
101. 中秋	(名)	Zhōngqiū	the Mid-autumn Festival	丁
			mi-automne	
102. 折	(动)	shé	break	
			casser	
103. 哦	(叹)	ò	oho	丙
			oh	
104. 举人	(名)	jǔrén	a successful candidate in the imperial	
			examination at the provincial level in	
			the Ming and Qing Dynasties	
			Licencié	
105. 服辩	(名)	fúbiàn	confession	
			aveux; confession	
106. 将近	(动)	jiāngjìn	close to	丁
			être à peu près...	
107. 棉袄	(名)	mián'ǎo	cotton-padded jacket	
			veste ouatée	
108. 耳熟	(形)	ěrshú	familiar to the ear	
			familier	
109. 门槛	(名)	ménkǎn	threshold	
			seuil	
110. 夹袄	(名)	jiá'ǎo	lined jacket	
			veste doublée	
111. 盘	(动)	pán	cross(one's legs)	丙
			croiser (être assis en tailleur)	
112. 垫	(动)	diàn	put sth. under sth.	丙
			placer qch. sous qch.	
113. 蒲包	(名)	púbāo	cattail mat	
			sac en jonc	
114. 分辩	(动)	fēnbiàn	defend oneself	丁

				se justifier	
115. 取笑	（动）	qǔxiào	make fun of		
			se moquer de…; ridiculiser	
116. 聚集	（动）	jùjí	gather round	丙
			se rassembler; se réunir	
117. 端午	（名）	Duānwǔ	the Dragon Boat Festival (the 5th day of the 5th lunar month)	
			Fête du Dragon (5ᵉ jour du 5ᵉ mois)	
118. 年关	（名）	niánguān	the end of the year	
			fin de l'année	

专　名

1. 孔乙己		Kǒng Yǐjǐ	name of a person
			nome de personne
2. 鲁镇		Lǔzhèn	name of a place
			nome de lieu
3. 咸亨酒店		Xiánhēng Jiǔdiàn	name of a wineshop(public house); pub
			nome d'un bistrot

三　词语搭配与扩展

(一)涨

［主～］物价～了|学费～了|河水～了

［动～］开始～|继续～|控制～（价）

［～宾］～价|～钱|～房租|～潮

［状～］慢慢地～|一点儿一点儿地～|猛～|不停地～|偷偷地～|一个劲儿
　　　地～|始终在～

［～补］～得真快|～得太多了|～得厉害|～上去了|～起来了|～上来了|
　　　～不了了|～了好几次

［～中］～的原因|～的速度|～的范围|～的后果

　　(1)今年空调一直在降价,最近不知为什么又涨上去了。

　　(2)既要发展经济,又要控制涨价。

(二)监督

［主～］上级～|群众～|老板～|有关部门(应该)～

［动～］进行～|加以～|负责～|受到～|取消～

［～宾］～孩子(学习)|～他们|～各个部门|～(他们的)行动

［状～］共同～|秘密地～|严密地～|无法～|始终(在)～|被(他们)～

[~补]~得(很)厉害|~得(很)严|~起来|~下去|~开(我了)|~(不)过
　　　来|~不了|~了一上午

[~中]~的作用|~的目的|~的效果|~的手段
　　(1)他不愿意人家监督他学习。
　　(2)这种监督简直是一种侮辱。

(三)无聊
　[主~]生活~|内容~|工作~|这个人~
　[动~]认为~|感到~|觉得~
　[定~]生活的~|内容的~|精神的~
　[状~]相当地~|实在~|越来越~
　[补~]~极了|~得很
　[~中]~的生活|~的工作|~的话|~的人
　　(1)这种单调无聊的生活,我再也忍受不了了。
　　(2)那部电影的内容很无聊,别带孩子去看。

(四)脸色
　[动~]看~|瞧(他的)~|观察(领导的)~|注意(他的)~|露出(害怕的)~
　[~动/形]~变了|~发白|~好|~难看|~不对|~红润
　[定~]上级的~|周围人的~|现在的~|痛苦的~|健康的~|苍白的~|
　　　满意的~
　　(1)休息了一个假期,她的精神、脸色都好多了。
　　(2)他感到很紧张,不管干什么都得看别人的脸色。

(五)谈论
　[~宾]~政治|~国家大事|~别人|~天气|~物价|~艺术
　[状~]公开~|背地里~|大声~|热烈地~|偶然~(起这件事)
　[~补]~上(艺术了)|~起(政治)来|~下去|~开(服装了)|~得(很)起
　　　劲|~得(很)热烈|~一番|~过几回|~了两个小时
　[~中]~的内容|~的话题|~的对象|~的时间
　　(1)他们什么都谈论,从政治到经济,从老人到孩子。
　　(2)学生们正在谈论这次奥运会夺取金牌的情况。

(六)责备
　[动~]进行~|开始~|受到~
　[~宾]~孩子|~保姆|~顾客|~(有关)部门|~(他的)态度
　[定~]父母的~|老师的~|领导的~|这种~
　[状~]狠狠地~|不停地~|一个劲儿地~|生气地~
　[~补]~对了|~错了|~完了|~起来|~下去|~开(我了)|~一番|

~一顿｜~了半天

[~中]~的对象｜~的神情｜~的目光｜~的口气

(1)那件事情你们不该责备小王。

(2)他不负责任的态度受到了大家的责备。

(七)配

[~宾]~眼镜｜~零件｜~颜色｜(这套西服)~(这条)领带

[状~]慢慢地~｜一点儿一点儿地~｜想办法~｜无法~(齐)

[~补]~齐了｜~不上(他)｜~不好｜~起来(不好看)｜~了三次

[~中]~的原因｜~的颜色｜~的过程｜~的结果

(1)只有小王才配当我们的领队。

(2)这种零件要到城里去配,这儿配不上。

(八)恳求

[~动]~照顾｜~保护｜~参加｜(他们)答应｜~资助｜~原谅

[~宾]~老师｜~医生｜~老板｜~组织｜(有关)部门

[状~]耐心地~｜主动~｜纷纷~｜再三~

[~补]~一番｜~了好几回｜~了半天

[~中]~的声音｜~的目光｜~的样子｜~的结果

(1)经过再三恳求,父亲才答应她去旅行。

(2)我们恳求了半天,老人才同意送我们过河。

(九)聚集

[~宾]~了(很多)乘客｜~了(一群)人｜~了(很多)小贩｜~着(许多)牛羊

[状~]经常~(在一起)｜秘密地~(起来)｜自动~(起来)｜迅速地~(起来)
　　　｜很难~(起来)

[~补]~起来｜~得很快｜~一下｜~了几次

[~中]~的地方｜~的时间｜~的地区｜~的城市

(1)他来到少数民族聚集的地区体验生活。

(2)这些人聚集在一起很危险,好像要闹事。

四　语　法　例　释

(一)他们往往要亲眼看着黄酒从坛子里舀出

"往往",副词。表示某种情况时常存在或经常发生。有"常常"的意思。例如:

(1)他很忙,往往要工作到深夜。

(2)小李往往不打招呼就来了,弄得我很被动。

(3)到了假期,他们往往全家人一起去旅行。

296

(4)写一篇东西,往往要改好几遍。

(5)有些学术问题,往往需要很长时间才能得出正确的结论。

以上例句中的"往往"都可以用"常常"替换。应该注意,"往往"与"常常"的不同表现在:"往往"是对于到目前为止出现的情况的总结,有一定的规律性;"常常"单纯指动作的重复,不一定有规律。因此,"常常"可用于将来的情况,"往往"则不能。下面例句中的"常常"不能用"往往"替换。例如:

(1)我以后一定常常来。

(2)放了假以后,我会常常去看您。

(3)放心吧,我会常常给您打电话的。

(二)在这严密监督之下,屠水也很为难

"在……(之)下"这一格式,中间可以嵌入带定语的名词或双音节动词,表示条件。作状语。例如:

(1)在这种情况(之)下,我必须提出辞职。

(2)在张老师的指导下,他很快学会了使用电脑。

(3)在导游小姐的带领下,大家安全地登上了最高峰。

(4)在经济非常困难的情况下,他边打工边学习,坚持读完了大学。

(5)在兄弟单位的支援(之)下,他们提前完成了任务。

(6)在学校的关怀培养(之)下,孩子们健康地成长起来。

(三)幸亏荐头的情面大,辞退不得

"幸亏",副词。指由于某种有利条件而侥幸避免了不良后果。一般用在主语前,提出某种有利条件,后面多与"不然"、"要不"、"否则"、"才"等词语相呼应,引出已经避免了的后果。例如:

(1)幸亏你提醒了我,要不,我早把开会的事忘了。

(2)幸亏我还有一副眼镜,要不然,我现在怎么写东西呀!

(3)幸亏我没有放弃踢球,坚持下来了,否则,我不会有今天的一切。

(4)幸亏小赵事先跟他们打了招呼,不然,这些学生没法安排。

(5)幸亏有张教授的推荐,不然,连名都报不上。

(6)幸亏黄林始终保持清醒的头脑,才没被他们的花言巧语骗了。

(四)幸亏荐头的情面大,辞退不得

"……不得",一些动词和形容词后边带可能补语"得"或"不得",表示"能"或"不能"。多用来说明事物的性质或状况。否定形式比肯定形式更常见,指客观条件不允许时,如果做了会产生不良的后果。例如:

(1)这些剩菜吃不得了,快倒掉吧。

(2)那条路可走不得,又脏又乱,车还特别多。

(3)那个牌子的录音机买不得,质量太差。

(4)他有心脏病,兴奋不得,还是先别告诉他了。

(5)有些电影小孩子看不得,太恐怖。

(6)他表扬不得,一表扬他就骄傲起来了。

(五)……接连便是难懂的话

"接连",副词。一次跟着一次;一个跟着一个。主要修饰动词,作状语。例如:

(1)她好像哭了,睫毛接连地动了几下。

(2)没想到,这两天他接连收到了三封信。

(3)阿里接连参加了三次考试,取得了一些经验。

(4)他感到奇怪,最近接连不断地有人向他打听关于去年的那桩案子。

(5)为了找工作,他接连不断地给好几个大公司发出了求职信。

(6)招聘广告登出以后,来求职的接连不断。

(六)于是愈过愈穷

"愈……愈……",是由副词"愈"连用构成的格式,表示条件关系。前一个"愈……"表示条件,后一个"愈……"表示结果,结果随着条件的变化而变化。例如:

(1)雨愈下愈大,今天恐怕是回不去了。

(2)他愈走愈快,我无论如何是赶不上他了。

(3)这半年来,他愈干愈觉得有意思,而且,愈干愈有信心。

前后两部分,主语可以相同,也可以不同。例如:

(4)愈觉得无聊就愈想睡觉,愈睡觉就愈觉得无聊。

(5)小李愈问,张师傅就愈不耐烦,不知他俩后来怎么样了。

(6)很多问题,你愈研究,就愈深入,你的收获也就愈大。

"越……越……"与"愈……愈……",意思、用法相同。前者更口语化。

(七)便免不了偶然做些偷窃的事

"免不了",动补结构。有"不可避免"、"难免"的意思。后面可带动词性宾语,多作状语。例如:

(1)咱们是邻居了,以后免不了要给您添麻烦。

(2)刚学走路的孩子免不了要摔跤。

(3)你回去晚了,免不了又要惹父亲生气。

(4)学外语免不了出错,也免不了要闹笑话。

(5)小王第一次上讲台,免不了有些紧张。

(6)父母亲年纪大了,免不了又要啰嗦几句,你别在意就是了。

(八)暂时记在粉板上

"暂时",副词。表示某种情况或状态只在短时间内存在,不会继续很久。例如:

(1)这个计划暂时需要保密,谁也不能说出去。

(2)招生工作暂时告一段落,大家可以休息几天了。

(3)你暂时在这里等一下,我去打个电话。

(4)学生的行李暂时存放在大教室里,有了车就拉走。

(5)火车误点了,咱们暂时找个地方休息一下吧。

(6)张先生去上海开会,他的课暂时由我来上。

(九)见我毫不热心

"毫不"中的"毫",副词。只能与否定词"不"、"无"连用,表示彻底的否定。"毫不"的意思是"一点也不"。用在双音节形容词、动词前。例如:

(1)我请他帮忙,他毫不犹豫地答应了。

(2)他从来就是如此,对集体的事毫不关心。

(3)我们大家都要学习他毫不利己专门利人的精神。

(4)那辆破车,丢了也毫不可惜。

(5)小王从来是有什么说什么,毫不隐瞒自己的观点。

(6)安娜毫不客气地指出了他文章中的错误。

五　副课文

(一)阅读课文

1. 科举制度

中国的科举制度从隋朝开始,是封建社会选拔官吏的一种制度。历史上不少优秀官吏,都是通过科举考试选拔上来的。如宋朝的包拯(zhěng)、文天祥等。但到明、清时候,参加科举考试,必须写一定格式的八股文,这种形式死板的文体,严重地束缚了人们的思想。不少读书人为了做官,整天死读书,练不出任何真正的本领,成为科举制度下的牺牲品。由于科举制度的积极性越来越小,终于在清光绪三十一年(1905年)被废除了。

明清时候,凡是参加省以下各级考试的读书人,都称为童生,考中者称秀才。如果一辈子连秀才也考不上,尽管白发苍苍,人们仍要称他为童生。秀才可以参加省一级的考试,又称乡试,考中者为举人,第一名称解元。举人可以参加三年一次的全国考试,在京城举行,称为会试,考中者为进士。进士中的第一名称为状元,第二名称榜眼,第三名称探花。考中进士的人就可以做官了。

2. 范进中举

《儒林外史》中有个叫范进的读书人,从20岁就开始参加科举考试,考了二十多次也没考中。到后来,头发都考白了才考中一个秀才。

范进因为一心想做官,就整天地读书。他除了读书之外,别的什么都不会做,所以家里越来越穷,穷到将要讨饭的地步,连参加考试的钱也都是借的。

范进考上秀才以后,第二年又接着考举人。发榜那天,母亲对他说:"已经有好几天没米下锅了,家里还有一只下蛋的母鸡,你把它抱到集上卖了吧。然后,买些米回来,我饿得眼睛都看不见东西了。"

范进急忙抱了鸡,来到集市上,他东张西望,寻找买鸡的人。这时,一个邻居跑来对他说:"快回家吧,你考中了举人,家里一屋子的人等着你呢!"范进哪里相信,只当是邻居拿他取笑,便装作没听见,低着头往前走。邻居见他不理,走上去就要抢他手里的鸡。范进说:"你抢我的鸡干什么,你又不买。"邻居说:"你中了举人,快回家吧,报喜的还等着要喜钱呢。"范进说:"求求你了,这鸡可是救命的,我老娘还等我买米回去下锅呢。你拿我开心干什么? 快回去吧,别耽误了我卖鸡。"邻居见他不信,一把抢过鸡就往他家跑,范进喊着追回家。

进门一看,墙上果然贴着大红喜报。他走近看了一遍,又念了一遍,两手一拍,大声笑道:"啊,我中了! 我中了!"两眼一翻,身子便往后倒下,昏了过去。他老娘赶忙叫人用凉水往他脸上喷。好不容易才醒了过来,但他仍旧拍着两手不停地笑道:"我中了! 我中了!"疯跑着出了大门。报喜的和邻居们都吓呆了。范进跑着跑着,一跤跌进池塘里,爬起来以后,头发也披散开了,一身的泥水,满脸满手的黄泥。他还是一个劲儿地疯跑,拍着手喊着"我中了!"谁也拉不住他。他可怜的老娘哭道:"中了一个什么举人,就成了这副模样。"

范进考中了举人,可是他疯了。

(选自《儒林外史》。有删改。)

（二）会话课文　　老二分大碗茶

（新春佳节，记者采访了北京大碗茶商贸集团公司的总经理。）

记　者：总经理先生，咱北京人对大碗茶的感情可挺深的，听说你们公司要在春节期间，重摆"老二分大碗茶"，不知你们是怎么考虑的？现在买一根冰棍都得五毛一块了。

总经理：我们这个集团公司就是靠二分钱一碗的大碗茶起家的。本公司的名字就叫大碗茶，大碗茶是群众的需要。为了名副其实不忘本，也为了春节喜庆，我们继续摆出老二分大碗茶茶摊儿。

记　者：真的只收二分钱吗？二分钱还值钱吗？这样干不就赔本了吗？

总经理：一碗就收二分钱，这就叫"薄利多销"。只要多销，就能够本儿，还会赚点儿。十多年来，我们就是这么发展起来的。

记　者：现在贵公司还开设了闻名中外的老舍茶馆，还有大碗茶酒家，听说在深圳也有你们的商业大楼……

总经理：是的。这都是靠十多年来成千上万南来北往的顾客一碗碗地喝出来的。所以我们要继续发扬"老二分"精神……

记　者：外国人说顾客是上帝，你们——

总经理：我们说顾客是我们的衣食父母，如果没有顾客，就没有我们的今天。所以，我们要向这些衣食父母还情、报恩，这也是人之常情嘛。

记　者：我还想问一句，这二分钱一碗的茶，会是真正的茶吗？

总经理：当然是茶啦。这点儿您放心，保证"货真价实"。二分钱也是钱啊，二分钱一碗的大碗茶喝起来也要热乎乎，有茶味儿、有茶色儿。

记　者：确实不错。不过，这和贵公司的老舍茶馆的价钱相比，可是一个天上，一个地下，相差十万八千里啦。

总经理：这就叫一分钱一分货啦。现在人民生活水平提高了，要求的标准也大不一样了。老舍茶馆比较高档一些，从某种意义上来说，它也是我们国家和首都的一个窗口。不少外国的总统、总理都光顾过老舍茶馆。

记　者：听说，为了弘扬咱们的茶文化和扶植民族艺术，老舍茶馆每周有三个下午为消费者举办"戏迷乐"活动。顾客可以在这里一边喝茶，一边欣赏京剧清唱和民族乐曲什么的。请问，参加这样的活动收费高吗？

总经理：每位只收5元茶水钱。

记　者：这样，一般顾客还都能接受。不过，我还是担心，你们会不会"虎头蛇尾"？比如，时间一长，赔了，是不是就收摊了？

总经理：您的担心不无道理。可做生意就得有赔有赚啊。何况，现在我们有了一个经济实力雄厚的集团公司,俗话说"堤内损失堤外补"嘛。还有一句名言,叫"赔本儿赚个吆喝"。什么叫吆喝?用今天的话说,就是广告嘛。

记　者:哈哈,"老二分大碗茶"茶摊儿,就是贵公司的一个活广告啊,您真不愧是中国式的企业家。

总经理:不敢,不敢。朋友们都说我是"坐板凳的总经理"。我每天都要到茶摊儿上去为顾客"沏茶倒水"呢。

(作者:崔悦民。有删改。)

(三)听力课文　　喝茶

很多人来看我都爱问:"你有什么爱好?吃什么?喝什么?玩什么?可抽烟喝酒?"我回答,不抽烟,不喝酒,最喜欢的就是喝茶,也可以说这是我惟一的嗜好。我不喝冷饮,什么冷饮我都觉得比不上热茶。家里人和朋友、学生,夏天总爱让我吃冷食,我是坚决不吃。夏天用热毛巾擦汗,喝热茶,身上的热气、热汗很快就出来了,那才凉快呢。一位老专家特别赞成我喝热茶,并讲了很多科学道理。

我们演员大多不习惯喝冷饮,这和要保护嗓子有关系。

我的邻居里,有一位快90岁的老大夫,是北京有名的老中医。现在还骑车上下班,硬朗得很。他个子不高,精神十足,满面红光,说话声音响亮,是我的老观众。隔那么一阵,老先生就要爬上我的四层,来问问我的身体。别看快90了,出来进去就跟小伙子一样。我很感激他对我的照顾和关心。就是看他那么大年纪爬楼,很过意不去。可老先生说:"咱们是邻居,我应当来看看你。"

我问老先生怎么保养得这么好。老先生笑起来了,说:"我什么都吃,不挑食。米、面都喜欢。我是山东人,吃面食更多些。吃瘦肉、青菜……"我问:"你有什么嗜好吗?"他看着我毫不犹豫地说:"嗜好就是喝茶,夏天也喝热茶,不吃那些冷食冷饮。什么茶都喜欢,红茶、绿茶、花茶。有时睡觉前也喝浓茶,什么都不影响,照样睡得那么香。"

看来,我的喝茶习惯和这位中医老先生是一样的。

但我有一个外国朋友,她连生小孩、坐月子,都喝冰水。小孩生下来就喝冰箱里的牛奶,孩子大人也都很健康。人家有人家的习惯,也有人家的道理。不过,外国朋友也特别称赞、欣赏咱们的茶文化,对咱们的茶馆儿还特别感兴趣。一位古巴朋友说,茶对所有的人来说,似乎并不陌生,但茶馆儿对他们古巴人来说却是一个陌生的词。他到成都旅行时,亲眼看到处处有茶馆儿,马路边上、公园里头……。老年人比较多,也有年轻人。人们在那儿一边喝茶,一边打扑克;一边喝茶,一边聊天。人们在茶馆里,一方面是为了喝茶,一方面也是为了交际,喝茶就是一种文化了。

　　每个民族每个人都有自己的传统、自己的习惯。我的习惯是喝热茶,喝浓茶。但我也知道现在的冷饮品种很多,营养很丰富,爱喝冷饮的也应该保持自己的习惯。

　　朋友来了,我既有热茶,也有冷饮,任大家挑,想喝什么就喝什么。

(作者:新凤霞。有改动。)

(谜语答案:扇子)

生　　词

1. 十足	(形)	shízú	full of; out-and-out tout à fait	丁
2. 过意不去		guò yì bú qù	feel sorry (se sentir) embarrassé	
3. 保养	(动)	bǎoyǎng	take good care of one's health se maintenir en forme	丁
4. 茶馆儿	(名)	cháguǎnr	teahouse maison de thé	丙

专　　名

古巴	Gǔbā	Cuba Cuba

六　练　习

(一)辨字组词或组成短语:

1. { 己 / 巳　　2. { 侍 / 待　　3. { 惋 / 婉　　4. { 偷 / 愉

5. { 渴 / 喝　　6. { 添 / 漆　　7. { 惜 / 借　　8. { 拆 / 折

9. { 模 / 摸　　10. { 倘 / 偿　　11. { 账 / 胀　　12. { 取 / 娶

(二)在下列名词前后各搭配一个适当的成分:

　　1. 柜台＿＿＿＿　　2. 身材＿＿＿＿　　3. 中秋＿＿＿＿　　4. 现钱＿＿＿＿
　　＿＿＿＿柜台　　　　＿＿＿＿身材　　　　＿＿＿＿中秋　　　　＿＿＿＿现钱

　　5. 脾气＿＿＿＿　　6. 主顾＿＿＿＿　　7. 模样＿＿＿＿　　8. 脸色＿＿＿＿

_____脾气　　　　_____主顾　　　　_____模样　　　　_____脸色

9. 等级_____　　10. 书籍_____　　11. 指甲_____　　12. 职务_____

　　　　_____等级　　　　_____书籍　　　　_____指甲　　　　_____职务

(三)给下列动词各搭配一个宾语和一个补语：

1. 温_____　　　2. 监督_____　　　3. 恳求_____　　　4. 涨_____

　　温_____　　　　监督_____　　　　恳求_____　　　　涨_____

5. 配_____　　　6. 舀_____　　　7. 侍候_____　　　8. 盘_____

　　配_____　　　　舀_____　　　　侍候_____　　　　盘_____

9. 责备_____　　10. 罩_____　　11. 谈论_____　　12. 蘸_____

　　责备_____　　　罩_____　　　谈论_____　　　蘸_____

(四)用指定词语回答问题：

1. 现在阿里的汉语说得怎么样了？　　　　　　　　　(在……下　愈……愈……)

　　_____。

2. 现在安娜的太极拳打得怎么样了？　　　　　　　　(在……下　愈……愈……)

　　_____。

3. 那天开学，你迟到了吗？　　　　　　　　　　　　(幸亏……　要不……)

　　_____。

4. 你找到工作了吗？　　　　　　　　　　　　　　　(幸亏……　否则)

　　_____。

5. 你为什么要辞职呢？　　　　　　　　　　　　　　(单调　无聊)

　　_____。

6. 这个假期过得怎么样？　　　　　　　　　　　　　(单调　无聊)

　　_____。

7. 父亲为什么批评弟弟？　　　　　　　　　　　　　(毫不　尊重)

　　_____。

8. 安娜第一次来中国，是不是感到很陌生？　　　　　(毫不　陌生)

　　_____。

9. 他们答应支援咱们了吗？　　　　　　　　　　　　(再三　恳求)

　　_____。

10. 张团长同意修改旅行计划了吗？　　　　　　　　 (恳求　仍旧)

_____。

(五)用指定词语完成句子：

1. 安娜哭了半天了，因为_____
_____。（责备　委屈）

2. 小王刚参加工作，没有经验，_____
_____。（免不了　责备）

3. 第一次当翻译_____
_____。（免不了　信心）

4. 那个售货员的态度真不好，我的录音机出了毛病，_____
_____。（配　耐烦）

5. 张师傅真好，我请他帮我修理自行车_____
_____。（配　嫌　麻烦）

6. 这是小王的新地址，他因为工作关系_____
_____。（接连）

7. 小王可能出国了，我_____
_____。（接连）

8. 在没找到工作以前，你_____
_____。（暂时　倘若）

9. 我看你好像很难受，_____
_____。（脸色　暂时）

10. 有的病不是一下子就能检查出来，_____
_____。（往往　千万）

11. 小林，想找一个好工作是很不容易的，_____
_____。（往往　千万）

12. 老王脾气不好，_____
_____。（……不得）

13. 父亲的糖尿病又犯了，母亲给我一个任务，那就是_____
_____。（监督　……不得）

305

14. 小周接连换了好几次工作,＿＿＿＿＿＿＿＿＿＿＿＿＿＿＿＿＿

＿＿＿＿＿＿＿＿＿＿＿＿＿＿＿＿＿＿＿。　　　　(在……下　监督)

(六)根据课文内容,运用所给词语、句式进行语段表达:

1. 咸亨酒店的小伙计为什么专管温酒这种无聊单调的工作呢?

    侍候、找麻烦、往往、亲眼、舀、在……之下、监督、挽不了水、幸亏、……不
    得、无聊、职务

2. 为什么孔乙己一来到酒店,大家便快活起来?

    惟一、身材、脸色、皱纹、时常、伤痕、又……又……、满口、半懂不懂、故
    意、亲眼、……之类、拿他取笑

(七)根据课文内容回答问题:

1. 都有哪些人来咸亨酒店喝酒?他们喝酒的方式有什么不同?

2. 酒店的小伙计都干些什么?他喜欢自己的工作吗?

3. 孔乙己是个什么样的人?大家拿他的哪些方面取笑?

4. 孔乙己为什么愈过愈穷?

5. 孔乙己和孩子们的关系怎么样?

6. 孔乙己的腿是怎么折的?从此,他的情况怎么样?

7. 为什么说孔乙己的一生是悲惨的?

(八)阅读练习:

1. 根据阅读课文内容回答:

(1)什么是秀才?什么是举人?什么是进士?

(2)范进是个什么样的人?他为什么疯了?

(3)范进和孔乙己都是科举制度的牺牲品,这两个人物哪些地方是一样的?
    哪些地方不一样?

2. 讲一讲范进中举的故事。

(九)口语练习:

1. 分角色进行对话练习,注意语音语调。

2. 根据课文内容回答问题:

(1)"老二分大碗茶"是什么意思?

(2)为什么要发扬"老二分"精神?

(3)课文里的"一个天上,一个地下"是什么意思?

(4)"戏迷乐"活动是怎么回事?

(5)为什么说"老二分大碗茶"是一个活广告？

3. 以记者或总经理的身份介绍一下"老二分大碗茶"。

(十)听力练习：

1. 根据录音内容回答：

(1)"我"的惟一嗜好是什么？有什么道理？

(2)"我"喝茶的习惯与那位北京老中医一样不一样？举例说明。

(3)外国朋友和"我"的习惯有什么不同？"我"是不是认为外国人的习惯对健康不利？为什么？

(4)外国朋友对中国的茶文化是什么态度？

2. 根据录音内容填空：

(1)我不喝_____，什么冷饮我都觉得_____热茶。

(2)夏天用_____擦汗，喝热茶，_____的热气、热汗很快就_____了，那_____凉快呢。

(3)我们演员_____不习惯喝冷饮，_____和要保护_____有关系。

(4)隔那么_____，老先生就要爬_____我的四层，_____问问我的身体。

(5)_____看他那么大年纪爬楼，很_____。

(6)他看着我，_____犹豫地说："_____就是喝茶，夏天_____喝热茶，不吃_____冷食冷饮。"

(7)_____睡觉前也喝_____，什么都不_____，_____睡得那么香。

(8)_____我有一个外国朋友，她_____生小孩子、坐月子，_____喝冰水。小孩生_____就喝冰箱里的牛奶，孩子大人也都很_____。

(9)_____古巴朋友说，茶_____所有的人_____，似乎并不_____，但_____对他们古巴人来说_____一个陌生的词。

(10)我也知道现在的冷饮_____很多，_____很丰富，爱喝冷饮的也应该_____自己的_____。

(十一)交际训练：

1. 根据提示说一段话或写一段话：

(1)介绍一个朋友(相貌、性格、打扮、职业、文化、爱好)

(2)介绍一种文化(茶文化、酒文化、饮食文化……)

(3)我的爱好

下面的词语可以帮助你表达:

身材、脸色、勤奋、毅力、刻苦、好吃懒做、赌博、愈……愈……、单调、无聊、失职、责备、严格、从事、脾气、模样、千方百计、不是……就是……、毫不、幸亏……要不……

2.自由讨论:

(1)孔乙己为什么总穿着那件又脏又破的长衫?

(2)人们为什么取笑孔乙己?透过这种取笑,作者揭露了什么?

(3)造成孔乙己悲剧的原因是什么?

(4)21世纪还有没有孔乙己?

(5)人们常把酒店、茶馆儿、歌舞厅……说成是社会的一个缩影或一面镜子,你的看法呢?请举例说明。

(6)有人说性格决定命运,你的看法呢?请举例说明。

3.语言游戏:

(1)猜一猜(谜语两则):

有风不动无风动,　　　打开半个月亮,
不动无风动有风;　　　收起兜里可装;
等到梧桐落叶时;　　　来时石榴花开;
主人送我入冷宫。　　　去时菊花开放。

　　　　　　　　(两则谜语同一谜底,见听力课文后。)

(2)你知道下面这两句成语吗,说说它的意思,并结合课文内容试着用一用。

万般皆下品,惟有读书高

学而优则仕

4.看一看,说一说,写一写(见309页)。

选自蔡志忠漫画《老子说》

第 三 十 课

一 课文 雷 雨[1]（节选）

第 二 幕[2]

登场[3]人物

周朴园(朴)——某煤矿公司董事[4]长,五十五岁。

周繁漪(繁)——其妻,三十五岁。

周 萍(萍)——其前妻生子,年二十八。

鲁侍萍(鲁)——周宅仆人鲁贵之妻,某校女佣[5],年四十七。

　　夏天的一个下午,周公馆[6]的客厅内。

（一）

繁　我请你略微[7]坐一坐。

萍　什么事?

繁　(沉郁[8]地)有话说。

　　周萍走回,站着不语。

繁　我希望你明白方才[9]的情形。这不是一天的事情。

萍　(躲避[10]地)父亲一向[11]是那样,他说一句就是一句的。

繁　可是人家说一句,我就要听一句,那是违背我的本性[12]的。

萍　我明白你。(强笑)你不要听他的话就是了。

繁　萍,我盼望你还是从前那样诚恳的人。顶好不要学着现在那种玩世不恭[13]的态度。你知道我没有你在我面前,我已经很苦了。

萍　所以我就要走了。不要再多见面,互相提醒我们最后悔的事情。

310

繁　我不后悔,我向来做事没有后悔过。

萍　(不得已[14]地)我想,我很明白地对你表示过。这些日子我没有见你,我想你很明白。

繁　很明白。

萍　那么,我是个最糊涂,最不明白的人。我后悔,我认为我生平[15]做错了一件大事。我对不起自己,对不起弟弟,更对不起父亲。

繁　(低沉[16]地)但是你最对不起的人,你反而轻轻地忘了。

萍　还有谁?

繁　你最对不起的是我,是你曾经引诱[17]过的后母[18]!

萍　(有些怕她)你疯了。

繁　你欠了我一笔债,你对我负着责任,你不能丢下我,就一个人跑。

萍　我认为你用的这些字眼,简直可怕。这种话不是在父亲这样——这样体面的家庭里说的。

繁　(气极)父亲,父亲,你撇开你的父亲吧! 体面? 你也说体面?(冷笑)[19]我在你们这样体面的家庭已经十八年啦。周家的罪恶,我听过、我见过、我做过。我始终不是你们周家的人。我做的事,我自己负责任。不像你们的祖父,叔祖,同你们的好父亲,背地做出许多可怕的事情,外表还是一副道德面孔[20],是慈善家[21],是社会上的好人物。

萍　大家庭自然不能个个都是好人。不过我们这一房……

繁　都一样,你父亲是第一个伪君子[22],他从前就引诱过一个下等人的姑娘。

萍　你不要扯[23]这些个。

繁　你就是你父亲的私生子[24]!

萍　(惊异[25]而无主[26]地)你瞎说,你有什么证据[27]?

繁　请你问你的体面父亲,这是他十五年前喝醉了的时候告诉我的。(指桌上相片)你就是这年轻的姑娘生的小孩。她因为你父亲又不要她,就自己投河死了。

萍　你,你,你简直——好,好,(强笑)我都承认。你预备怎么样? 你要跟我说什么?

繁　你父亲对不起我，他用同样手段把我骗到你们家来，我逃不开，生了冲儿。十几年来就像刚才一样的凶横，把我渐渐地磨成了石头样的死人。你突然从家乡出来，是你，是你把我引到一条母亲不像母亲，情妇[28]不像情妇的路上去。是你引诱的我！

萍　引诱！我请你不要用这两个字好不好？你知道当时的情形怎么样？

繁　你忘记了在这屋子里，半夜，你说的话么？你说你恨你的父亲，你说过，你愿他死，就是犯了灭伦[29]的罪也干。

萍　你忘了，那是我年轻，我一时冲动[30]，说出来这样胡涂的话。

繁　你忘了，我虽然比你只大几岁，那时，我总还是你的母亲，你知道你不该对我说这种话么？

萍　年轻人一时胡涂，做错了的事，你就不肯原谅么？（苦恼[31]地皱着眉。）

繁　这不是原谅不原谅的问题，我已经安安静静地等死，一个人偏把我救活了又不理[32]我，撇得我枯[33]死，慢慢地渴死。你说，我该怎么办？

萍　那，那我也不知道，你说吧！

繁　（一字一句地）我希望你不要走。

萍　那么，你要我陪着你，在这样的家庭，每天想着过去的罪恶，这样活活地闷[34]死么？

繁　你既然知道这家庭可以闷死人，你怎么肯一个人走，把我丢在这里？

萍　你没有权利说这种话，你是冲弟弟的母亲。

繁　我不是！我不是！自从我把我的性命，名誉，交给你，我什么都不顾了。我不是他的母亲，不是，不是，我也不是周朴园的妻子。

萍　（冷冷[35]地）如果你以为你不是父亲的妻子，我自己还承认我是我父亲的儿子。

繁　（想不到他会说这一句话，呆了一下）哦，你是你的父亲的儿子。——这些日子，你特别不来看我，是怕你的父亲？

萍　也可以说是怕他，才这样的吧。

繁　你这一次到矿上去，也是学着你父亲的英雄榜样，把一个真正明白你，爱你的人丢开不管么？

萍　这么解释也未尝[36]不可。

312

繁　（冷冷地）这么说，你到底是你父亲的儿子。（笑）父亲的儿子？（忽然冷静[37]地）哼，都是些没有用，胆[38]小怕事，不值得人为他牺牲的东西！我恨我早没有看透你！

萍　那么你现在看透了！我对不起你，我已经同你详细解释过，我厌恶[39]这种关系。我告诉你，我厌恶。你说我错，我承认。然而叫我犯了那样的错，你也不能完全没有责任。你是我认为最聪明，最能了解人的女子，所以我想，你最后会谅解[40]我。我的态度，你现在骂我玩世不恭也好，不负责任也好，我告诉你，我盼望这一次的谈话是我们最末一次谈话了。（走向饭厅门。）

繁　（沉重的语气）等一等。

　　　　　　周萍立住。

繁　我希望你明白我刚才说的话，我不是请求你。我希望你用你的心，想一想，过去我们在这屋子说的（停，难过）许多，许多的话。一个女子，你记着，不能受两代的欺侮[41]，你可以想一想。

萍　我已经想得很透彻[42]。我自己这些天的痛苦，我想你不是不知道。好，请你让我走吧。（由饭厅下。）

　　　　　　繁漪望着周萍出去，流下泪来，忍不住伏在沙发上哭泣[43]。

（二）

朴　（点着一支吕宋烟[44]，看见桌上的雨衣，向侍萍）这是太太找出来的雨衣么？

鲁　（看着他）大概是的。

朴　不对，不对，这都是新的。我要我的旧雨衣，你回头[45]跟太太说。

鲁　嗯。

朴　（看她不走）你不知道这间房子底下人不准随便进来么？

鲁　不知道，老爷。

朴　你是新来的下人？

鲁　不是的，我找我的女儿来的。

朴　你的女儿？

313

鲁　四凤是我的女儿。

朴　那你走错屋子了。

鲁　哦。——老爷没有事了？

朴　(指窗)窗户谁叫打开的？

鲁　哦。(很自然地走到窗前,关上窗户,慢慢地走向中门。)

朴　(看她关好窗门,忽然觉得她很奇怪)你站一站。

　　　　　　侍萍停。

朴　你——你贵姓？

鲁　我姓鲁。

朴　姓鲁。你的口音[46]不像北方人。

鲁　对了,我不是,我是江苏的。

朴　你好像有点无锡口音。

鲁　我自小就在无锡长大的。

朴　(沉思[47])无锡？嗯,无锡,(忽而[48])你在无锡是什么时候？

鲁　光绪二十年,离现在有三十多年了。

朴　哦,三十年前你在无锡？

鲁　是的,三十多年前呢,那时候我记得我们还没有用洋火[49]呢。

朴　(沉思)三十多年前,是的,很远啦,我想想,我大概是二十多岁的时候。
　　那时候我还在无锡呢。

鲁　老爷是那个地方的人？

朴　嗯,(沉吟[50])无锡是个好地方。

鲁　哦,好地方。

朴　你三十年前在无锡么？

鲁　是,老爷。

朴　三十年前,在无锡有一件很出名[51]的事情——

鲁　哦。

朴　你知道么？

鲁　也许记得,不知道老爷说的是哪一件？

朴　哦,很远了,提起来大家都忘了。

314

鲁　说不定,也许记得的。

朴　我问过许多那个时候到过无锡的人,我也派人到无锡打听过。可是那个时候在无锡的人,到现在不是老了就是死了。活着的多半是不知道的,或者忘了。不过也许你会知道。三十年前在无锡有一家姓梅的。

鲁　姓梅的?

朴　梅家的一个年轻小姐,很贤慧[52],也很规矩。有一天夜里,忽然地投水死了。后来,后来,——你知道么?

鲁　不敢说。

朴　哦。

鲁　我倒认识一个年轻的姑娘姓梅的。

朴　哦? 你说说看。

鲁　可是她不是小姐,她也不贤慧,并且听说是不大规矩的。

朴　也许,也许你弄错了,不过你不妨[53]说说看。

鲁　这个梅姑娘倒是有一天晚上跳的河,可是不是一个,她手里抱着一个刚生下三天的男孩。听人说她生前是不规矩的。

朴　(苦痛)哦!

鲁　她是个下等人,不很守[54]本分[55]的。听说她跟那时周公馆的少爷有点不清白,生了两个儿子。生了第二个,才过三天,忽然周少爷不要她了。大孩子就放在周公馆,刚生的孩子她抱在怀里,在年三十夜里投河死的。

朴　(汗涔涔[56]地)哦。

鲁　她不是小姐,她是无锡周公馆梅妈的女儿,她叫侍萍。

朴　(抬起头来)你姓什么?

鲁　我姓鲁,老爷。

朴　(喘出一口气,沉思地)侍萍,侍萍,对了。这个女孩子的尸首[57],说是有一个穷人见着埋了。你可以打听到她的坟在哪儿么?

鲁　老爷问这些闲事[58]干什么?

朴　这个人跟我们有点亲戚。

鲁　亲戚?

朴　嗯，——我们想把她的坟墓[59]修一修。

鲁　哦，——那用不着了。

朴　怎么？

鲁　这个人现在还活着。

朴　(惊愕[60])什么？

鲁　她没有死。

朴　她还在？不会吧？我看见她河边上的衣服，里面有她的绝命书[61]。

鲁　她又被人救活了。

朴　哦，救活啦？

鲁　以后无锡的人是没见着她，以为她那夜晚死了。

朴　那么，她呢？

鲁　一个人在外乡[62]活着。

朴　那个小孩呢？

鲁　也活着。

朴　(忽然立起)你是谁？

鲁　我是这儿四凤的妈，老爷。

朴　哦。

鲁　她现在老了，嫁给一个下等人，又生了个女孩，境况[63]很不好。

朴　你知道她现在在哪儿？

鲁　我前几天还见着她。

朴　什么？她就在这儿？此地？

鲁　嗯，就在此地。

朴　哦！

鲁　老爷，您想见一见她么？

朴　(连忙)不，不，不用。

鲁　她的命很苦。离开了周家，周家少爷就娶了一位有钱有门第[64]的小姐。她一个单身[65]的人，无亲无故[66]，带着一个孩子在外乡，什么事都做：讨饭，缝衣服，当老妈子[67]，在学校里侍候人。

朴　她为什么不再找到周家？

鲁　大概她是不愿意吧。为着她自己的孩子,她嫁过两次。

朴　嗯,以后她又嫁过两次。

鲁　嗯,都是很下等的人。她遇人都很不如意[68],老爷想帮一帮她么?

朴　好,你先下去吧。

鲁　老爷,没有事了?（望着朴,泪要涌出。）

朴　啊,你顺便去告诉四凤,叫她把我樟木[69]箱子里那件旧雨衣拿出来,顺便把那箱子里的几件旧衬衣也捡出来。

鲁　旧衬衣?

朴　你告诉她在我那顶[70]老的箱子里,纺绸[71]的衬衣,没有领子[72]的。

鲁　老爷那种绸衬衣不是一共有五件? 您要哪一件?

朴　要哪一件?

鲁　不是有一件,在右袖襟[73]上有个烧破的窟窿,后来用丝线[74]绣成一朵梅花[75]补上的? 还有一件——

朴　（惊愕）梅花?

鲁　旁边还绣着一个萍字。

朴　（徐徐[76]立起）哦,你,你,你是——

鲁　我是从前侍候过老爷的下人。

朴　哦,侍萍,（低声）是你?

鲁　你自然想不到,侍萍的相貌有一天也会老得连你都不认识了。

　　　　周朴园不觉地望望柜上的相片,又望侍萍。半晌[77]。

朴　（忽然严厉地）你来干什么?

鲁　不是我要来的。

朴　谁指使[78]你来的?

鲁　（悲愤[79]）命,不公平的命指使我来的!

朴　（冷冷地）三十年的功夫你还是找到这儿来了。

鲁　（怨愤[80]）我没有找你,我没有找你,我以为你早死了。我今天没想到到这儿来,这是天要我在这儿又碰见你。

朴　你可以冷静点。现在你我都是有子女的人。如果你觉得心里委屈,这么大年纪,我们先可以不必哭哭啼啼[81]的。

317

鲁　哼，我的眼泪早哭干了，我没有委屈，我有的是恨，是悔，是三十年一天一天我自己受的苦。你大概已经忘了你做的事了！三十年前，过年三十的晚上我生下你的第二个儿子才三天，你为了要赶紧娶那位有钱有门第的小姐，你们逼着我冒着大雪出去，要我离开你们周家的门。

朴　从前的旧恩怨[82]，过了几十年，又何必再提呢？

鲁　那是因为周大少爷一帆风顺，现在也是社会上的好人物。可是自从我被你们家赶出来以后，我没有死成，我把我的母亲可给气死了，我亲生的两个孩子你们家里逼着我留在你们家里。

朴　你的第二个孩子你不是已经抱走了么？

鲁　那是你们老太太看着孩子快死了，才叫我带走的。(自语)哦，天哪，我觉得我像在做梦。

朴　我看过去的事不必再提了吧。

鲁　我要提，我要提，我闷了三十年了！你结了婚，就搬了家，我以为这一辈子也见不着你了；谁知道我自己的孩子偏偏要跑到周家来，又做我从前在你们家里做过的事。

朴　怪不得[83]四凤这样像你。

鲁　我侍候你，我的孩子再侍候你生的少爷们。这是我的报应[84]，我的报应。

朴　你静一静。把脑子放清醒点。你不要以为我的心是死了，你以为一个人做了一件于心不忍的事就会忘了么？你看这些家具都是你从前顶喜欢的东西，多少年我总是留着，为着纪念你。

鲁　(低头)哦。

朴　你的生日——四月十八——每年我总记得。一切都照着你是正式嫁过周家的人看，甚至于你因为生萍儿，受了病，总要关窗户，这些习惯我都保留着，为的是不忘你，弥补[85]我的罪过[86]。

鲁　(叹一口气)现在我们都是上了年纪的人，这些话请你也不必说了。

朴　那更好了。那么我们可以明明白白地谈一谈。

鲁　不过我觉得没有什么可谈的。

朴　话很多。我看你的性情[87]好像没有大改，——鲁贵像是个很不老实

318

的人。

鲁　你不要怕。他永远不会知道的。

朴　那双方面都好。再有,我要问你的,你自己带走的儿子在哪儿?

鲁　他在你的矿上做工。

朴　我问,他现在在哪儿?

鲁　就在门房[88]等着见你呢。

朴　什么? 鲁大海? 他! 我的儿子?

鲁　就是他! 他现在跟你完完全全是两样的人。

朴　(冷笑)这么说,我自己的骨肉[89]在矿上鼓动[90]罢工[91],反对我!

鲁　你不要以为他还会认你做父亲。

朴　(忽然)好! 痛痛快快的! 你现在要多少钱吧!

鲁　什么?

朴　留着你养老。

鲁　(苦笑[92])哼,你还以为我是故意来敲诈[93]你,才来的么?

朴　也好,我们暂且不提这一层。那么,我先说我的意思。你听着,鲁贵我现在要辞退的,四凤也要回家。不过——

鲁　你不要怕,你以为我会用这种关系来敲诈你么? 你放心,我不会的。大后天我就带着四凤回到我原来的地方。这是一场梦,这地方我绝对不会再住下去。

朴　好得很,那么一切路费,用费,都归我担负[94]。

鲁　什么?

朴　这于我的心也安一点。

鲁　你?(笑)三十年我一个人都过了,现在我反而要你的钱?

朴　好,好,好,那么,你现在要什么?

鲁　(停一停)我,我要点东西。

朴　什么? 说吧。

鲁　(泪满眼)我——我——我只要见见我的萍儿。

朴　你想见他?

鲁　嗯,他在哪儿?

朴　他现在在楼上陪着他的母亲看病。我叫他,他就可以下来见你。不过是——(顿)他很大了,——(顿)并且他以为他母亲早就死了的。

鲁　哦,你以为我会哭哭啼啼地叫他认母亲么?我不会那样傻的。我明白他的地位,他的教育,不容[95]他承认这样的母亲。这些年我也学乖[96]了,我只想看看他,他究竟是我生的孩子。你不要怕,我就是告诉他,白白地增加他的烦恼,他也是不愿意认我的。

朴　那么,我们就这样解决了。我叫他下来,你看一看他,以后鲁家的人永远不许再到周家来。

鲁　好,我希望这一生不要再见你。

朴　(由内衣取出支票[97],签好)很好,这是一张五千块钱的支票,你可以先拿去用。算是弥补我一点罪过。

　　　侍萍接过支票,把它撕了。

朴　侍萍。

鲁　我这些年的苦不是你拿钱算得清的。

(节选自曹禺的话剧《雷雨》)

二　生　词

1. 雷雨	(名)	léiyǔ	thunder-storm orage	丁
2. 幕	(名)	mù	act acte	丙
3. 登场		dēng chǎng	come on stage monter sur la scène	
4. 董事	(名)	dǒngshì	director; trustee administrateur	丁
5. 女佣	(名)	nǚyōng	woman servant; maid bonne; femme de ménage	
6. 公馆	(名)	gōngguǎn	residence (of a rich or important person); mansion hôtel particulier; résidence; villa	
7. 略微	(副)	lüèwēi	a little; slightly un tout petit peu	丁
8. 沉郁	(形)	chényù	depressed; gloomy chagrin; désolé	

9. 方才	（名）	fāngcái	just now	
			tout à l'heure	
10. 躲避	（动）	duǒbì	dodge; hide	丁
			éviter; esquiver	
11. 一向	（副）	yíxiàng	consistently; all along	丙
			toujours	
12. 本性	（名）	běnxìng	natural instincts	丁
			nature; caractère	
13. 玩世不恭		wán shì bù gōng	be cynical	
			être indifférent à tout; mépriger les conventions	
14. 不得已	（形）	bùdéyǐ	act against one's will	丁
			être obligé de	
15. 生平	（名）	shēngpíng	all one's life	
			vie; biographie	
16. 低沉	（形）	dīchén	(of voice) low and deep; low-spirited	
			bas	
17. 引诱	（动）	yǐnyòu	lure	丁
			séduire	
18. 后母	（名）	hòumǔ	stepmother	
			belle-mère(seconde femme du père)	
19. 冷笑	（动）	lěngxiào	sneer; laugh grimly	
			ricaner	
20. 面孔	（名）	miànkǒng	face	丙
			face; mine	
21. 慈善家	（名）	císhànjiā	philanthropist	
			philanthrope	
22. 伪君子	（名）	wěijūnzǐ	hypocrite	
			hypocrite	
23. 扯	（动）	chě	chat; gossip	丙
			parler	
24. 私生子	（名）	sīshēngzǐ	bastard	
			enfant naturel	
25. 惊异	（形）	jīngyì	surprised; amazed	丙
			étonné	
26. 无主		wú zhǔ	in a state of utter stupefaction	
			ne pas savoir à quel saint se vouer	
27. 证据	（名）	zhèngjù	evidence; proof	丙
			preuve	
28. 情妇	（名）	qíngfù	mistress	
			maîtresse	

29. 灭伦		miè lún	commit incest	
			inceste	
30. 冲动	（形）	chōngdòng	impulse	
			ému-e	
31. 苦恼	（形）	kǔnǎo	vexed; distressed	丁
			tracassé; ennuyeux	
32. 理	（动）	lǐ	pay attention to	丙
			tenir compte de	
33. 枯	（形）	kū	withered; dried up	丙
			désséché; décharné	
34. 闷	（形）	mēn	bored; depressed; in low spirit	丙
			étouffant	
35. 冷冷	（副）	lěnglěng	coldly; indifferently	
			froidement	
36. 未尝	（副）	wèicháng	not necessarily; might not be	
			pas impossible	
37. 冷静	（形）	lěngjìng	sober; calm; cool	丙
			calme	
38. 胆	（名）	dǎn	courage; guts	丙
			courage	
39. 厌恶	（动）	yànwù	detest; be disgusted with	丙
			mépriser	
40. 谅解	（动）	liàngjiě	understand	丙
			comprendre	
41. 欺侮	（动）	qīwǔ	bully; treat sb. high-handedly	
			malmener	
42. 透彻	（形）	tòuchè	penetrating	丁
			à fond; approfondi	
43. 哭泣	（动）	kūqì	cry; sob; weep	
			sangloter	
44. 吕宋烟	（名）	lǚsòngyān	Lüsong cigarettes	
			cìgare de Manille	
45. 回头	（副）	huítóu	later	
			plus tard	
46. 口音	（名）	kǒuyīn	accent	
			accent	
47. 沉思	（动）	chénsī	ponder	丙
			réfléchir	
48. 忽而	（副）	hū'ér	suddenly; now..., now...	
			tantôt...tantôt...	
49. 洋火	（名）	yánghuǒ	match	

322

allumette

50.	沉吟	（动）	chényín	mutter to oneself méditer	
51.	出名		chū míng	famous; well-known renomé	丁
52.	贤惠	（形）	xiánhuì	(of a woman) virtuous vertueux	丁
53.	不妨	（副）	bùfáng	might as well bien pouvoir	丁
54.	守	（动）	shǒu	maintain (integrity; honor, ect.) observer; agir conformément à	丙
55.	本分	（名）	běnfèn	status; duty devoir; obligation	
56.	汗涔涔	（形）	hàncéncén	sweaty tout en sueur	
57.	尸首	（名）	shīshou	corpse; dead body cadavre	
58.	闲事	（名）	xiánshì	a matter that does not concern one affaire qui ne vous regarde pas	
59.	坟墓	（名）	fénmù	tomb; grave tombe	丁
60.	惊愕	（形）	jīng'è	stupefied; stunned stupéfait	
61.	绝命书	（名）	juémìngshū	suicide note testament d'un suicidé	
62.	外乡	（名）	wàixiāng	another part of the country étranger	
63.	境况	（名）	jìngkuàng	condition; circumstances situation	
64.	门第	（名）	méndì	family status rang social de la famille	
65.	单身	（形）	dānshēn	unmarried; single; bachelor; spinster seul; célibataire	
66.	无亲无故		wú qīn wú gù	have no relatives and friends n'avoir ni amis ni parents	
67.	老妈子	（名）	lǎomāzi	amah; maidservant bonne à tout faire	
68.	如意	（形）	rúyì	satisfied; as one wishes satisfait	丁
69.	樟木	（名）	zhāngmù	camphorwood camphrier	

70. 顶	（副）	dǐng	the most	丙
			le plus（vieux）	
71. 纺绸	（名）	fǎngchóu	a soft plain-weave silk fabric	
			satin léger	
72. 领子	（名）	lǐngzi	collar	丁
			col	
73. 袖襟	（名）	xiùjīn	sleeve	
			ouverture d'une manche	
74. 丝线	（名）	sīxiàn	silk thread (for sewing); sik yarn	
			fil de soie	
75. 梅花	（名）	méihuā	plum blossom	丙
			fleur de prunier; trèfle	
76. 徐徐	（副）	xúxú	slowly	丁
			lentement	
77. 半晌	（名）	bànshǎng	a long time; quite a while	
			un bon moment	
78. 指使	（动）	zhǐshǐ	instigate	
			pousser qn. à	
79. 悲愤	（形）	bēifèn	sad and indignant	丁
			dépit; indignation	
80. 怨愤	（动）	yuànfèn	discontent and indignant	
			haïr	
81. 哭哭啼啼	（动）	kūkutítí	endlessly weep and wail	
			pleurnicher	
82. 恩怨	（名）	ēnyuàn	grievance; old scores	
			grâce et rancune	
83. 怪不得	（副、动）	guàibude	no wonder; so that's why; not to blame	丙
			rien d'étonnant	
84. 报应	（动）	bàoyìng	retribution	
			rétribuer selon les mérites	
85. 弥补	（动）	míbǔ	make up; remedy	丁
			compléter	
86. 罪过	（名）	zuìguò	fault; sin	
			péché; faute	
87. 性情	（名）	xìngqíng	disposition; temper	丁
			caractère	
88. 门房	（名）	ménfáng	gate house	
			concierge	
89. 骨肉	（名）	gǔròu	flesh and blood; kindred	丁
			liens du sang	

90. 鼓动	（动）	gǔdòng	incite exciter; pousser	丙
91. 罢工		bà gōng	strike; go on strike grève	丙
92. 苦笑	（动）	kǔxiào	forced smile; wry smile avoir un rire jaune	
93. 敲诈	（动）	qiāozhà	extort; blackmail faire chanter; extorquer	
94. 担负	（动）	dānfù	bear; shoulder; take on se charger	丙
95. 不容	（动）	bùróng	not allow ne pas permettre	丁
96. 乖	（形）	guāi	clever gentil; intelligent	丙
97. 支票	（名）	zhīpiào	cheque chèque	丁

专　名

1. 周朴园		Zhōu Pǔyuán	name of a person nom de personne
2. 周繁漪		Zhōu Fányī	name of a person nom de personne
3. 周萍		Zhōu Píng	name of a person nom de personne
4. 鲁侍萍		Lǔ Shìpíng	name of a person nom de personne
5. 鲁贵		Lǔ Guì	name of a person nom de personne
6. 江苏		Jiāngsū	name of a province la province de Jiangsu
7. 无锡		Wúxī	name of a city nom de ville
8. 光绪		Guāngxù	(the posthumous title of an emperor in Qing Dynasty) titre d'un empereur des Qing
9. 四凤		Sìfèng	name of a person nom de personne
10. 鲁大海		Lǔ Dàhǎi	name of a person nom de personne

三　词语搭配与扩展

(一)引诱

　　[动~]企图~|继续~|禁止~|开始~

　　[~宾]~青年(吸毒)|~孩子

　　[状~]公开~|经常~|多次~|早就~(过)

　　[~补]~不了(他)|~过一次|~了半天

　　　　(1)你难道不知道引诱青年吸毒是犯罪行为吗?

　　　　(2)他多次引诱这个孩子偷商场里的东西。

(二)冷静

　　[主~]头脑~|态度~|内心~

　　[动~]需要~|开始~(下来)|显得(很)~|保持~

　　[状~]真~|很~|不~|要~

　　[~补]~极了|~下来|~一点|~一下

　　[~中]~的头脑|~的态度|~的神情|~的决定

　　　　(1)你应该冷静一点,不要发脾气。

　　　　(2)昨天你在会上的发言太不冷静了,得罪了不少人。

(三)厌恶

　　[动~]开始~(他)|感到~

　　[~动]~加班|~吵架|~赌博|~伺候(病人)

　　[~宾]~苍蝇|~犯人|~这种行为|~他的性格|~那种生活方式

　　[状~]的确~|深深地~|特别~|早就~(他了)|不~

　　[~补]~得不得了|~极了|(对他)~起来

　　[~中]~的表情|~的目光|~的样子

　　　　(1)我对随便吐痰的行为非常厌恶。

　　　　(2)你既然这么厌恶他,为什么还跟他来往呢?

(四)谅解

　　[动~]得到~|表示~|请求~|达成~

　　[~宾]~售货员|~面的司机|~他的坏脾气

　　[状~]确实~(他了)|已经~|不~|应该~(他)

　　　　(1)因为我向她道歉了,她才谅解了我。

　　　　(2)我认为对考试作弊的行为不能谅解。

(五)守

　　[~宾]~规矩|~纪律|~法|~信用

326

[状~]真~(信誉)|很~(信用)|必须~(法)|不~(规矩)

    (1)你要别人信任你,你就得守信用。

    (2)对不守纪律的学生要及时提出批评。

(六)严厉

[主~]父亲(很)~|口气~|态度~

[动~]显得(很)~|开始~(起来)|觉得~

[~动]~地批评|~地问|~地责备

[状~]真~|非常~|过分~|对……~|应该~(一些)

[~补]~得很|~极了|~一点|~起来

[~中]~的表情|~的目光|~的做法

    (1)新来的老师对我们可严厉了。

    (2)会上,大家严厉地批评了他的错误。

(七)指使

[动~]受~|继续~|企图~|打算~

[状~]多次~|常~|不应该~|没~

[~中]~的原因|~的目的|~的手段|~的人

    (1)是谁指使你把公家汽车的零件卸下来的?

    (2)你也不是小孩儿了,为什么会受坏人的指使?

(八)弥补

[~宾]~损失|~不足|~罪过|~过错

[状~]无法~|及时~|已经~|可以~|难以~

[~补]~得及时|~不了|~一下|~上了

[~中]~的办法|~的措施

    (1)你的错误给我们造成了难以弥补的损失。

    (2)我要努力工作,来弥补我的过错。

(九)鼓动

[~动]~(工人)罢工|~游行|~……参加

[~宾]~同学|~群众|~(大家的)情绪

[状~]迅速地~|正在~

[~补]~起来|~不了|~下去

[~中]~的方法|~的结果

    (1)他受坏人的鼓动,做了错事。

    (2)大李善于做宣传鼓动工作,让大李组织去吧。

四　语法例释

(一)我请你略微坐一坐

"略微",副词。表示时间短、程度轻微、数量不多。在动词前作状语。例如:

(1)到了田家门口,他略微停了停,显出犹豫的神色。

(2)请你略微等我一会儿,我马上就来。

(3)你得略微休息一下,老这么干可不行。

(4)你把屋子略微收拾一下,不用的东西放在左边的小屋里。

(5)即使不细说,你也得略微给我讲讲。

(6)黑板上的字太小,我把椅子略微移动了一下,才看清楚。

(二)父亲一向是那样,他说一句就是一句的

"一向",副词。表示某种行为、状态或情况从过去到说话的时候一直如此,没有变化。例如:

(1)你是一向会办事的,这一回怎么办糟了呢?

(2)一向温和的金生,这回也发起脾气来。

(3)东风商场售货员的服务态度一向很好。

(4)我们两个人的关系一向很好,从没红过脸。

(5)妹妹一向喜欢吃酸的东西。

(6)张先生一向好客,既然他让你去他家,你就去吧。

(三)一个人偏把我救活了又不理我

"偏",副词。表示主观上故意违反某种规定或与某人作对,相当于"偏偏",但语气更重。例如:

(1)丈夫让她在家休息,可她偏要去上班。

(2)我不愿意来,你偏逼我来。

(3)本来嘛,一个人一个脾气,谁也管不了谁,可他偏管着我,不许我多说话。

(4)考大学时,父亲让他报新闻系,可她偏报哲学系。

(5)谁说我们不行,我们偏要做出个样子给他们看看。

(6)那次义务劳动,本来我去了,他偏说我没去。

(四)这么解释也未尝不可

"未尝",副词。用在否定词前面,构成双重否定,表示肯定,意思跟"不是(不、没)"相同,但语气委婉。例如:

(1)这种看法未尝没有一点道理。

(2)我未尝不想去新疆旅游,只是没有时间罢了。

(3)小胡固然有很多优点,但也未尝没有一点儿缺点。

(4)骑车去长城也未尝不可,就是太累了。

(5)让孩子去艰苦地区锻炼锻炼未尝不是一件好事。

"未尝"后如果是肯定形式,则否定某种行为的发生,相当于"未曾"。例如:

(6)即使是夏天最热的时候,我们也未尝停止过训练。

(7)昨天晚上,她肚子疼,一夜未尝合眼。

(8)杭州西湖非常美,可惜我未尝亲眼见过。

(五)你现在骂我玩世不恭也好,不负责任也好……

助词"也好"连用,构成"……也好,……也好"格式,表示列举的几项在任何情况下都不变。例如:

(1)这几天不管是吃饭也好,走路也好,他心里老想着这件事。

(2)你亲自去也好,打电话也好,反正你得通知他。

(3)刮风也好,下雨也好,他从没迟到过。

(4)打太极拳也好,做气功也好,什么也引不起他的兴趣。

(5)你听也好,不听也好,反正这个意见我得提。

(6)那句话是你说的也好,不是你说的也好,事情已经过去了,就不要再提了。

(六)不过你不妨说说看

"不妨",副词。表示某种行为、动作可以进行,没有什么妨碍。语气比较委婉。作状语。后面多跟动词重叠式或结构。例如:

(1)你不妨举几个例子来说明这个问题。

(2)你有什么话不妨直接对他说,不必有顾虑。

(3)这种药很好,你不妨试试。

(4)这个电影非常有意思,你如果有时间,不妨去看看。

(5)你如果有什么困难,不妨找领导谈谈。

(6)你要是不太忙的话,不妨多在这儿住几天。

(七)她一个单身的人,无亲无故

"无……无……"这一固定格式,常嵌入两个意义相同或相近的单音节名词、动词。如:无缘无故、无声无息、无法无天、无名无姓、无时无刻、无儿无女、无影无踪、无情无义、无牵无挂、无依无靠、无穷无尽、无忧无虑,等等,都强调没有。例如:

(1)他无情无义,我早就不和他来往了。

(2)你无灾无病的,吃什么药?

(3)出国后,我无时无刻不在想念着父母。

(4)那对老两口无儿无女,无依无靠,十分可怜。

(5)退休后,他每天看看电视,找朋友聊聊天,过着无忧无虑的生活。

(6)孩子都有了工作,结了婚,老两口终于无牵无挂了。

(八)怪不得四凤这样像你

"怪不得",副词。表示明白了原因,不再觉得奇怪。前后常有表明原因的语句。常用于口语。同"难怪"的用法一样。例如:

(1)哎呀!是香,怪不得叫香山。

(2)怪不得我最近没看到她,原来她到长春去了。

(3)怪不得我找了半天也没找到他,原来他进城了。

(4)怪不得克里木汉语说得那么好,原来他在中国学习了七年。

(5)我忘了关窗子了,怪不得这么冷。

(6)怪不得李福今天没来上班,原来他病了。

作谓语的"怪不得"是动词"怪"+"不得",意思是不应该责怪。例如:

(7)这件事是我的错,怪不得他。

(8)这次事故怪不得大家,要怪只能怪你事先没有把要求说清楚。

(九)也好,我们暂且不提这一层

"暂且",副词。表示某种行为动作或状况的产生是暂时的,并且带有一些让步的意味。例如:

(1)关于房子的问题,今天暂且不讨论,以后再说。

(2)这一千册书暂且放在这儿,以后我派人来取。

(3)刘老师病了,他的课暂且由我来上。

(4)根据天气预报,明天有雨,运动会暂且推迟两天。

(5)参考资料暂且不发,教科书要立刻发下去。

(6)你不要急着回去,暂且住一段时间再说。

五 副 课 文

(一)阅读课文　　征母启事

　　一家妇女杂志刊登了这样一个启事:丁勇,22岁,某中学教师,为报答父亲养育之恩,愿公开征母……

　　启事刊登之后,立即在社会上引起强烈震动。

　　丁勇的父亲丁怀民是小学教师。年轻时,因家里生活贫困,虽然相貌英俊,却找不到媳妇。一年春天,村里来了个讨饭的女人,经劝说,嫁给了丁怀民。第二年便生下儿子丁勇。不料,当丁勇刚刚学走路的时候,丁怀民的妻子忽然不见了。后来才知道,妻子原来有丈夫,还有两个孩子,当知道老家的日子已经好过时,心一横,便离开了丁家。丁怀民怕儿子有了后母受委屈,一直守着孩子没有再成家。

　　丁勇替父征婚并非一时冲动。他明白父亲就是为了自己才在孤独和寂寞中过了二十多年。现在他已经有了女朋友小金,一旦结婚,父亲更会感到孤单。丁怀民知道征母启事后,理解儿子的心意,并没说什么。

　　一天中午,一位瘸腿老人来到丁家。丁勇把老人让进屋里。老人对丁怀民说,本村有个叫花春芳的女人,几年前,这个女人的丈夫在一次交通事故中不幸去世。为了侍候瞎眼的婆婆和残疾的公公,她没有嫁人,带着个女儿过着艰难的生活。老人希望丁怀民不妨去见见这个女人。

　　瘸腿老人走后,丁怀民心里不平静了。他是多么渴望有这样一位贤惠的妻子啊!

　　星期天,禁不住儿子的劝说,丁怀民骑上自行车,来到花春芳的家。院门没关,里面一个老头正低头干活,丁怀民向老人招呼了一声。老人抬起头来,丁怀民不禁一愣:这不是到自己家来过的那个瘸腿老人吗?

　　老人赶忙走过来,对丁怀民说,他没把这事告诉儿媳妇,怕她不同意,让他跟儿媳妇先聊聊天。两个人正说着话,一个中年女人背着一袋米走进院子。按着老人的吩咐,丁怀民说自己是路过这里找水喝的。于是,三个人坐下聊起了家常。丁怀民心想:自己果然遇见了一个有情有义的好女人。

　　可是两天后村里的红娘去说时,却遭到花春芳的拒绝。其实,花春芳未尝不想找个男人,对丁怀民印象也不错,只是考虑自己一走,待自己如同亲生女儿的公婆怎么办呢?

　　丁怀民饭吃得少了,觉睡不香了。丁勇看在眼里,急在心里,便把这事告诉了未婚妻小金。小金想了想便对丁怀民说:"咱们要是把花春芳的公婆也一起接过来,她不就没牵挂了吗?"话一出口,丁家父子愣了好半天,他们没想到小金是如此开通。

花春芳知道了丁家的态度后,终于答应了这门婚事。就在十月一日这天,丁家在一片欢笑声中迎来了花春芳一家三代。

(作者:刘郎。有删改。)

(二)会话课文　　人是衣裳马是鞍

(在时装店橱窗前,许老师和二十年前教过的学生裴安妮偶然相遇。)

裴安妮:(一个劲儿打量许老师)您是许老师吧?

许老师:你……你是——

裴安妮:我是裴安妮。我1974年来中国学习汉语,那时您教我报刊阅读……

许老师:噢,想起来了,怪不得那么面熟呢!你是来——

裴安妮:我是来中国办事的。许老师,您是来买衣服的吧?

许老师:对。哎,你怎么知道我是来买衣服的?

裴安妮:看看您的穿戴就知道您多半是来买衣裳的。再说,您不是正要进时装店吗?

许老师:今天是星期日,我没什么事,就想到服装店转转,有合适的衣服买两件。

裴安妮:许老师,您现在的打扮可比二十年前漂亮多了。我记得那时中国人的衣服颜色大都是黑、白、绿、蓝、灰几种,连姑娘们的衣服都很少有鲜艳的。现在可是大变样了,什么款式、花色的都有,西装呀,牛仔裤呀,T恤衫呀,还有不少人穿名牌,真漂亮!

许老师:时代不同了。那时人们穿衣服朴素是最重要的,"奇装异服"可不行。这既有经济原因,也有观念问题。改革开放后,生活富裕了,观念更新了,穿衣服也自然讲究起来。

裴安妮:"人是衣裳马是鞍"嘛,在我们国家,中老年人比青年人更注重穿衣、打扮。

许老师:现在中国的中老年人也越来越讲究。中老年人穿戴、打扮得漂亮一些,就显得年轻,要不就显得老态龙钟。不过在穿着上还是青年人更讲究。就拿我女儿来说吧,她几乎是非名牌不穿。她说名牌虽说比较贵,可是质量好,样式新。我儿子也爱买名牌,他说人家穿高档服装,自己不穿,就好像比人家矮了半截。

裴安妮:这就是一种观念。有的人认为,服装显示一个人的地位、身份。

许老师:有些高档时装店专门经销银梦、皮尔·卡丹等名牌服装,价格低则数百元,高则数千,甚至上万元。就这样,也有不少人买。

裴安妮:所以服装店里的顾客总是那么多。

许老师:当然也有很多青年人爱买价钱便宜的普通服装,什么茄克衫呀,运动服呀,各种休闲装呀,文化衫呀,品种很多。

裴安妮:这就是俗话说的"萝卜白菜,各有所爱"。

许老师:如果收入不算高,就不可能总买名牌。就是收入很高,有些青年人也不买名牌。我们邻居的一个小伙子就说:穿衣服,也就图个新鲜,多买几件衣裳,轮换着穿,不喜欢穿了就扔。

裴安妮:他是把合算、实用放在了首位。(看了一下表)许老师,不耽误您买衣服了,再见!

许老师:再见!

(三)听力课文 三十年后的寻找

3月2日这天,是罗光明35岁生日,他做梦也没想到,这天他找到了失散三十多年的亲生母亲,实现了多年的愿望。

这天下午四点多钟,小罗在自己办的公司忙了一天,心想,今天是自己的生日,没什么事,就早点回家了。真巧,刚到家,电话铃就响了。他抓起电话,里面传来一位中年妇女的声音:

"请问,罗光明在家吗?"

"我就是。您是哪位?"

"我是派出所的夏春英。告诉你一个好消息:你母亲找到了!"

"真的?"

小罗简直不敢相信自己的耳朵。他激动、兴奋,眼泪差点流出来。

"她在哪儿呢?身体好吗?现在生活怎么样?……"他一连提出一串问题。

"她在房山县,身体很健康,生活也很好。"老夏对他的询问一一作了回答,这才使小罗的心情略微平静一些。

这事还得从2月13日青年报上刊登的那篇文章说起。那篇文章是老夏写的,她为台湾的一位老先生找到了失散46年的女儿。看了这篇报道,小罗不由得想起了自己的童年。他三岁时父母离婚,他由父亲抚养。父亲在外地工作,他就一直生活在奶奶身边。后来奶奶和父亲相继去世,他无依无靠,非常想念母亲。他曾多次寻找,到过母亲工作过的单位,去过母亲呆过的工厂,甚至到公安部门查过户口资料,可都没找到。

这次老夏收到他寻找母亲的信后,查阅了大量资料,去过很多单位,终于找到了小罗的母亲。为了准确,在通知小罗之前,老夏还专门来到小罗母亲的家。当老夏告诉老人亲生儿子在找她时,她哭着说:"在这孩子上幼儿园和小学的时候,我曾多次去看他,可他总是躲避我,不愿意见我,后来就断了来往。没想到这一断就是三十年啊……"

母亲找到了,小罗恨不得立刻飞到她身边。第二天上午,他开车直奔房山县母亲的家。听到院子里儿子的喊声,母亲流着泪快步迎出来。小罗见到满头白发的母亲,喊着"妈妈",扑到母亲的怀里……

(作者:李君。有删改。)

生　词

1. 失散	(动)	shīsàn	be seperated from and lose touch with each other / se disperser; se perdre	
2. 抚养	(动)	fǔyǎng	raise; bring up / élever	丁
3. 幼儿园	(名)	yòu'éryuán	kindergarten / jardin d'enfant	丙
4. 迎	(动)	yíng	move towards; meet face to face / aller à la rencontre de...	丙

专　名

1. 罗光明	Luó Guāngmíng	name of a person / nom de personne
2. 夏春英	Xià Chūnyīng	name of a person / nom de personne
3. 房山县	Fángshān Xiàn	Fangshan County / nom d'un district
4. 台湾	Táiwān	Taiwan / Taiwan

六　练　习

(一)用下列语素各组两个双音词:

1. 本{　　2. 慧{　　3. 沉{　　4. 冷{

5. 性{　　6. 愤{　　7. 惊{　　8. 境{

9. 负{　　10. 面{　　11. 报{　　12. 支{

(二)给下列动词前后搭配上宾语和补语：

1. 引诱____ 2. 厌恶____ 3. 弥补____ 4. 鼓动____
　　引诱____ 　　厌恶____ 　　弥补____ 　　鼓动____

5. 躲避____ 6. 欺侮____ 7. 扯_____ 8. 指使____
　　躲避____ 　　欺侮____ 　　扯_____ 　　指使____

(三)给下列词语前后搭配上适当的成分：

1. 冷静_____ 2. 谅解____ 3. 守_____ 4. 严厉_____
____冷静 　　____谅解 　　____守 　　____严厉

5. 证据____ 6. 罢工____ 7. 透彻____ 8. 口音____
　　证据____ 　　____罢工 　　____透彻 　　____口音

(四)用指定词语完成句子：

1. _____

_____,我马上就下去。 （略微）

2. _____

老不吃东西,病更不容易好了。 （略微）

3. _____

所以每次考试都在90分以上。 （一向）

4. 这个班的学生很少有迟到、旷课的,_____

_____。 （一向）

5. _____,

结果得了重感冒,上不了班了。 （偏）

6. 他的胃病又犯了,_____

_____。 （偏）

7. 新疆是个好地方,_____

_____。 （未尝　只是）

8. 那个地方周围的环境很好,_____

_____。 （未尝　只是）

9. _____,

这件事就这么定了。 （……也好,……也好）

10. _____,

反正我骑车去。 （……也好,……也好）

11. 你有什么要求，_____
_____。　　（不妨　只要）

12. 你需要用钱的话，_____
_____。　　（不妨　不必）

13. 爸爸退休后，几乎每天_____
_____。　　（无……无……）

14. _____，
我早就和他断绝来往了。　　（无……无……）

15. _____，
原来他出国了。　　（怪不得）

16. 原来小孙的腿摔坏了，_____
_____。　　（怪不得）

17. _____
_____，明天继续讨论。　　（暂且）

18. 我有两辆自行车，_____
_____。　　（暂且　再）

(五)选择适当的词语填空：

无亲无故　不妨　怪不得　略微　一向　不顾　偏　贤惠　暂且　透彻

1. 我_____对京剧不感兴趣，咱们还是看电影吧。

2. _____他汉字写得这么好，原来他每天练习书法。

3. 你_____在我们这儿住些日子，等租到房子，你再搬走。

4. 刚到那个国家时，我_____，觉得非常孤单。

5. 听说吃冰糖煮梨能治气管炎，你_____试试。

6. 我劝他别去滑雪，他_____去，结果把腿摔折了。

7. 你中午就别写了，_____睡一会儿，下午再接着写。

8. 她是一个_____的媳妇，婆婆病了，她侍候得非常周到。

9. 赵师傅病刚好，_____家里的劝阻，就上班去了。

10. 同学们都爱听老张讲话，因为他分析问题分析得特别_____。

(六)把下列词语整理成正确的句子：

1. 太　在　你　不　会　上　显得　了　昨天　发言　冷静　的

2. 干部 认真 对 好 一向 工作 是 他 负责 个 的

3. 钱 你 给 再 的 的 多 不了 你 罪过 也 我 弥补

4. 跳 不顾 儿童 到 危险 落水 小张 湖里 了 生命 救 一个

5. 工作 如意 十分 因为 她 苦恼 不

6. 跟 是 情况 才 我 朋友 在……下 的 不得已 钱 的 借

7. 怎么 不 呢 至今 你 理 还 小刘

8. 句 一时 话 才 因为 冲动 的 他 说出 是 这 感情

(七)根据课文内容回答:
1. 周萍为什么要离开家到矿上去?周繁漪对此持什么态度?
2. 繁漪为什么说"我始终不是你们周家的人"?
3. 鲁侍萍是在什么样的情况下离开周家的?离开周家后她是怎样生活的?
4. 周朴园对昔日的侍萍是一种什么感情?对今天的鲁妈又是一种什么态度?这种变化说明了什么?

(八)阅读练习:
1. 根据阅读课文内容判断正误,并说明理由:
(   )(1)丁勇经父亲同意后在杂志上刊登了征母启事。
(   )(2)丁勇的父亲丁怀民年轻时因家里贫穷,所以找不到媳妇。
(   )(3)到村里来讨饭的那个女人恰好没结婚,便嫁给了丁怀民。
(   )(4)妻子走后,丁怀民为了儿子,一直没结婚。
(   )(5)丁勇担心自己结婚后,父亲更会感到孤单,所以想出了征母的办法。
(   )(6)瘸腿老人瞒着女儿花春芳来到丁怀民的家。
(   )(7)瘸腿老人走后,丁怀民毫不犹豫地去找花春芳。
(   )(8)通过跟花春芳聊天,丁怀民觉得花春芳确实是个好女人。
(   )(9)回村后,丁怀民请一个叫红娘的人去提亲,却遭到花春芳的拒绝。
(   )(10)花春芳不同意嫁给丁怀民的原因是因为嫌丁怀民家穷。

(   )(11)多亏了丁勇的未婚妻小金思想开通,花春芳才答应嫁给丁怀民。

2.根据阅读课文内容回答:

(1)丁怀民是在怎样的情况下跟讨饭女人结婚的?

(2)丁勇为什么要刊登征母启事?

(3)花春芳的公公为什么瞒着花春芳去找丁怀民?

(4)花春芳为什么终于答应了嫁给丁怀民?

(九)口语练习:

1.分角色进行对话练习,注意语音语调。

2.根据课文内容回答:

(1)20年前和现在相比,中国人在穿衣服上有哪些变化? 为什么会发生这么大的变化?

(2)中国的青年人在穿衣服上观念一样吗? 有什么不同?

3.用第三人称概括地谈谈中国人在穿衣服上的变化(200字左右)。

(十)听力练习:

1.根据录音内容,用自己的话完成下列语段:

(1)罗光明35岁生日这天＿＿＿＿＿＿＿＿＿＿＿＿＿＿＿＿＿＿＿＿,真巧,＿＿

＿＿＿＿＿＿＿＿＿＿＿＿＿＿,简直＿＿＿＿＿＿＿＿＿＿＿＿＿＿＿。

(2)小罗看过老夏发表在青年报上的文章后＿＿＿＿＿＿＿＿＿＿＿＿＿＿＿＿＿

＿＿＿＿相继去世,＿＿＿＿＿＿＿＿＿＿＿＿＿＿＿＿＿没找到。

(3)老夏为了帮助小罗寻找母亲＿＿＿＿＿＿＿＿＿＿＿＿,终于＿＿＿＿＿＿＿

＿＿＿＿专门＿＿＿＿＿＿＿＿＿＿＿＿＿＿＿＿＿＿＿＿＿＿。

(4)母亲找到了,小罗＿＿＿＿＿＿＿＿＿＿＿＿＿＿＿＿＿＿＿＿＿＿＿＿＿＿

＿＿第二天上午＿＿＿＿＿＿＿＿＿＿＿＿＿＿＿＿＿＿＿＿＿。

2.听录音判断正误,并说明理由:

(   )(1)罗光明生日那天,老夏打电话告诉他,母亲找到了。

(   )(2)罗光明知道母亲的下落后,心情格外激动。

(   )(3)老夏帮助过一位台湾妇女找到了失散多年的母亲。

(   )(4)父母离婚后,小罗一直由爷爷奶奶抚养。

(   )(5)小罗曾多次寻找过母亲,但没有找到。

(   )(6)小罗上幼儿园时常常见到母亲。

(十一)交际训练:

1.根据提示说一段话或写一段话(200字左右):

提示:(1)我的父亲……
　　　(2)我的母亲……
　　　(3)一个失去父母的孩子……
　　　(4)我在穿衣服方面……
下列词语可以帮助你表达:
　　　讲究、打扮、厌恶、谅解、贤惠、守、性情、严厉、温和、弥补、一向、未尝、
　　　偏、……也好,……也好、不妨、无……无……、培养、抚养、不得已、苦
　　　恼、不顾、责备、担负、追求

2. 自由讨论:
(1)你认为周朴园对鲁侍萍的纪念是虚伪的吗? 为什么?
(2)根据侍萍的身世、遭遇和她对周家的态度等等,谈谈你对她的看法。
(3)你怎样看待周繁漪和周萍的关系?
(4)在你们国家有"征母"这种事吗? 请介绍一下。
(5)谈谈你对儿女孝敬父母的看法。

3. 语言游戏:
(1)比一比,看谁先把下列词语的同义词填写出来(教师先把每组词语分别
写在三张纸上,再把三张纸贴在黑板上。然后请三个学生到黑板上填写):
A组:1. 女佣　2. 略微　3. 方才　4. 一向　5. 忽而
B组:1. 惊异　2. 苦恼　3. 厌恶　4. 谅解　5. 洋火
(2)读读下面的"走亲访友七忌(jì)歌",然后讲给你的朋友听:
一忌不约而往,
二忌衣冠(guān)不整,
三忌礼品不当(dàng),
四忌乱动乱摸,
五忌长谈不休,
六忌喧(xuān)宾夺主,
七忌大吃大喝。
5. 看一看,说一说,写一写(见 340 页)。

选自蔡志忠漫画《老子说》

词 汇 总 表

A

B

不解	（动）	bùjiě	丁	21
不禁	（副）	bùjīn	丙	19
不满	（动、形）	bùmǎn	丙	20
不忍	（形）	bùrěn		24
不容	（动）	bùróng	丁	30
不时	（副）	bùshí	丁	26
不屑	（副）	búxiè		29
不约而同		bù yuē ér tóng		28

C

财产	（名）	cáichǎn	丙	23
才能	（名）	cáinéng	丙	19
财务	（名）	cáiwù	丁	23
财源	（名）	cáiyuán		22
采访	（动）	cǎifǎng	丁	26
残酷	（形）	cánkù	丙	17
操持	（动）	cāochí		20
差别	（名）	chābié	丙	16
插话		chā huà		28
差异	（名）	chāyì	丁	16
茶馆儿	（名）	cháguǎnr	丙	29
查阅	（动）	cháyuè	丁	25
缠	（动）	chán	丁	20
缠夹不清		chán jiā bù qīng		29
产妇	（名）	chǎnfù		24
搀	（动）	chān		29
长久	（形）	chángjiǔ	丙	16
尝试	（动、名）	chángshì	丁	26
长衫	（名）	chángshān		29
常委	（名）	chángwěi		18
朝拜	（动）	cháobài		25
潮	（名）	cháo	丙	19
潮流	（名）	cháoliú	丁	22
嘲笑	（动）	cháoxiào	丁	20
炒	（动）	chǎo	丙	22
吵架		chǎo jià	丙	18
车辆	（名）	chēliàng	丙	18
扯	（动）	chě	丙	30

撤	（动）	chè	丙	19
沉	（形、动）	chén	丙	25
沉静	（形）	chénjìng	丁	18
沉思	（动）	chénsī	丙	30
尘土	（名）	chéntǔ	丙	19
沉吟	（动）	chényín		30
沉郁	（形）	chényù		30
沉重	（形）	chénzhòng	丙	17
称号	（名）	chēnghào	丁	17
称呼	（动、名）	chēnghu	丙	23
成	（量）	chéng	丙	22
承担	（动）	chéngdān	丙	28
成人	（名）	chéngrén	丁	28
成员	（名）	chéngyuán	丙	28
吃苦头		chī kǔtou		20
池塘	（名）	chítáng	丁	23
冲动	（形）	chōngdòng		30
冲击	（动）	chōngjī	丙	26
充实	（动、形）	chōngshí	丙	28
充血	（动）	chōngxuè		26
崇敬	（动）	chóngjìng	丁	19
宠物	（名）	chǒngwù		22
抽搭	（动）	chōuda		24
抽屉	（名）	chōuti	丁	18
抽油烟机	（名）	chōuyóuyānjī		20
丑恶	（形）	chǒu'è	丁	20
出色	（形）	chūsè	丁	28
出名		chū míng	丁	30
初衷	（名）	chūzhōng		20
出场		chū chǎng		27
除非	（连）	chúfēi	丙	19
处处	（副）	chùchù	丙	28
传递	（动）	chuándì	丁	17
传诵	（动）	chuánsòng		22
传真	（名）	chuánzhēn	丁	22
传宗接代		chuán zōng jiē dài		20
垂	（动）	chuí	丙	21
锤	（名、动）	chuí	丙	25
绰号	（名）	chuòhào		29

344

辞（退）	（动）	cí(tuì)	丁	29
磁卡	（名）	cíkǎ		22
慈善家	（名）	císhànjiā		30
辞职		cí zhí	丁	26
瓷砖	（名）	cízhuān	丙	20
伺候	（动）	cìhou	丙	26
葱	（名）	cōng	丁	27
匆匆	（形）	cōngcōng	丁	19
匆忙	（形）	cōngmáng	丙	19
从属于		cóngshǔyú		23
凑合	（动）	còuhe	丁	20
凑巧	（形）	còuqiǎo	丁	26
粗心大意		cūxīn dàyì	丙	19
粗重	（形）	cūzhòng		18
存放	（动）	cúnfàng	丁	19

D

打发	（动）	dǎfa	丁	20
打消	（动）	dǎxiāo		22
打招呼		dǎ zhāohu	丙	25
打坐		dǎ zuò		25
大臣	（名）	dàchén	丁	25
大抵	（副）	dàdǐ		29
大气层	（名）	dàqìcéng		17
带头		dài tóu	丙	18
单纯	（形）	dānchún	丙	20
担负	（动）	dānfù		30
单身	（形）	dānshēn		30
担子	（名）	dànzi	丁	24
诞生	（动）	dànshēng	丙	16
胆	（名）	dǎn	丙	30
当街		dāng jiē		29
当面		dāng miàn	丙	18
当众	（副）	dāngzhòng		19
党委	（名）	dǎngwěi	丙	18
当真	（形）	dàngzhēn		29
档	（量）	dàng		24
荡然无存		dàngrán wú cún		20

躲避	（动）	duǒbì	丁	30

E

额	（名）	é	丁	21
恶心	（动、形）	ěxin	丙	26
恶	（形）	è	丙	20
恶性	（形）	èxìng	丁	17
恩爱	（形）	ēn'ài	丁	28
恩怨	（名）	ēnyuàn		30
儿媳妇	（名）	érxífu		17
而后	（副）	érhòu	丁	28
而已	（助）	éryǐ	丙	24
耳刀旁	（名）	ěrdāopáng		23
耳熟	（形）	ěrshú		29

F

发车		fā chē	丁	22
发火		fā huǒ	丁	20
发觉	（动）	fājué	丙	24
发泄	（动）	fāxiè		18
发作	（动）	fāzuò		26
帆布篷	（名）	fānbùpéng		18
繁重	（形）	fánzhòng	丁	17
反驳	（动）	fǎnbó	丁	21
反复无常		fǎnfù wúcháng		25
返航		fǎn háng		17
返回	（动）	fǎnhuí	丁	16
反叛	（动）	fǎnpàn		20
犯人	（名）	fànrén	丙	22
方才	（名）	fāngcái		30
纺绸	（名）	fǎngchóu		30
放牧	（动）	fàngmù		25
放任	（动）	fàngrèn		20
非(要)	（副）	fēi(yào)	丙	21
飞船	（名）	fēichuán	丁	17
飞行	（动）	fēixíng	丙	17
分享	（动）	fēnxiǎng		16
分辨	（动）	fēnbiàn	丁	24
分辩	（动）	fēnbiàn	丁	29

347

氛围	（名）	fēnwéi		20
坟	（名）	fén	丙	17
坟墓	（名）	fénmù	丁	30
粉	（名）	fěn	丙	26
粉板	（名）	fěnbǎn		29
粉末	（名）	fěnmò	丁	26
丰碑	（名）	fēngbēi		25
风度	（名）	fēngdù	丁	21
封	（动）	fēng	丙	23
封地	（名）	fēngdì		23
奉公守法		fèng gōng shǒu fǎ		18
佛教	（名）	Fójiào	丙	25
服辩	（名）	fúbiàn		29
福分	（名）	fúfen		24
符号	（名）	fúhào	丁	17
扶贫		fú pín		27
福利	（名）	fúlì	丁	23
服刑		fú xíng		22
抚摸	（动）	fǔmō		20
抚养	（动）	fǔyǎng	丁	30
赴	（动）	fù	丁	25
妇道人家		fùdao rénjiā		20
附和	（动）	fùhè	丁	29
父系	（名）	fùxì		23
复姓	（名）	fùxìng		23
赋予	（动）	fùyǔ	丁	28
复员	（动）	fùyuán		24
复原		fù yuán		29
复诊	（动）	fùzhěn		21

G

概论	（名）	gàilùn		19
赶忙	（副）	gǎnmáng	丙	18
钢琴	（名）	gāngqín	丁	22
高额	（形）	gāo'é		27
高级	（形）	gāojí	丙	18
歌手	（名）	gēshǒu	丁	27
格局	（名）	géjú	丁	29

隔绝	（动）	géjué		丁	25
各界	（代）	gèjiè		丁	17
哽咽	（动）	gěngyè			22
宫殿	（名）	gōngdiàn		丙	25
公馆	（名）	gōngguǎn			30
恭敬	（形）	gōngjìng		丁	19
功劳	（名）	gōngláo		丙	23
公民	（名）	gōngmín		丙	17
公平	（形）	gōngpíng		丁	19
公务	（名）	gōngwù		丁	23
工薪阶层		gōngxīn jiēcéng			22
沟	（名）	gōu		丙	21
沟通	（动）	gōutōng		丁	22
购	（动）	gòu		丙	26
孤单	（形）	gūdān		丁	24
咕咚	（象声）	gūdōng			18
孤独	（形）	gūdú		丁	25
孤儿寡母		gú'ér guǎmǔ			20
呱呱坠地		gūgū zhuì dì			28
股票	（名）	gǔpiào		丁	22
骨	（名）	gǔ		丁	25
骨肉	（名）	gǔròu		丁	30
鼓	（动）	gǔ		丁	18
鼓动	（动）	gǔdòng		丙	30
故障	（名）	gùzhàng		丁	17
雇	（动）	gù		丙	24
乖	（形）	guāi		丙	30
怪不得	（副、动）	guàibude		丙	30
官职	（名）	guānzhí			23
关注	（动）	guānzhù			17
惯用语	（名）	guànyòngyǔ		丁	23
光彩	（名）	guāngcǎi		丙	21
光滑	（形）	guānghuá		丙	21
光亮	（名、形）	guāngliàng		丁	21
规矩	（名、形）	guīju		丙	18
柜台	（名）	guìtái		丙	29
贵重	（形）	guìzhòng		丁	27
贵族	（名）	guìzú		丁	23
锅炉	（名）	guōlú		丙	24

国歌	（名）	guógē		23
国籍	（名）	guójí	丙	19
国营	（形）	guóyíng	丙	26
果真	（副）	guǒzhēn		24
过分	（形）	guòfèn	丙	16
过失	（名）	guòshī	丁	18
过意不去		guò yì bú qù		29

H

哈欠	（名）	hāqian		26
哈达	（名）	hǎdá		25
嗨	（叹）	hāi		18
咳	（叹）	hāi	丙	19
海拔	（名）	hǎibá	丙	25
海洛因	（名）	hǎiluòyīn		26
含糊	（形）	hánhu		27
含义	（名）	hányì	丁	23
汗涔涔	（形）	hàncéncén		30
航班	（名）	hángbān	丁	28
嚎啕	（形）	háotáo		24
好端端	（形）	hǎoduānduān		24
好样的	（名）	hǎoyàngde	丁	18
荷包	（名）	hébāo		24
何尝	（副）	hécháng		28
何苦	（副）	hékǔ		18
何况	（连）	hékuàng	丙	21
合伙	（动）	héhuǒ	丁	26
和睦	（形）	hémù	丁	28
黑压压	（形）	hēiyāyā		18
痕	（名）	hén	丙	21
狠	（形）	hěn	丙	21
狠心	（形）	hěnxīn	丁	23
恨不得		hènbude	丙	27
横	（形、动）	héng	丙	21
哄笑	（动）	hōngxiào		29
轰隆	（象声）	hōnglōng		17
洪流	（名）	hóngliú		20
洪水	（名）	hóngshuǐ	丙	23

喉咙	（名）	hóulóng	丙	25
吼	（动）	hǒu	丙	16
后盾	（名）	hòudùn		28
后顾之忧		hòu gù zhī yōu		22
后母	（名）	hòumǔ		30
忽而	（副）	hū'ér		30
忽视	（动）	hūshì	丙	16
户口	（名）	hùkǒu	丁	24
花白	（形）	huābái		21
花哨	（形）	huāshao		24
化石	（名）	huàshí	丙	19
话筒	（名）	huàtǒng		17
话题	（名）	huàtí	丁	27
怀	（名）	huái	丙	27
怀念	（动）	huáiniàn	丙	17
欢乐	（形）	huānlè	丙	21
缓和	（动、形）	huǎnhé	丙	25
黄酒	（名）	huángjiǔ		29
黄色	（形）	huángsè	丙	20
晃	（动）	huàng	丁	20
回头	（副）	huítóu		30
茴香豆	（名）	huíxiāngdòu		29
悔	（动）	huǐ	丁	17
毁	（动）	huǐ	丙	26
绘画	（名）	huìhuà	丁	19
汇款单	（名）	huìkuǎndān	丁	21
贿赂	（动）	huìlù	丁	26
荤菜	（名）	hūncài		29
昏沉沉	（形）	hūnchénchén		26
浑身	（名）	húnshēn	丙	26
混合	（动）	hùnhé	丙	25
活力	（名）	huólì	丁	20
活生生	（形）	huóshēngshēng		28
伙伴	（名）	huǒbàn	丙	25
或是	（连）	huòshì	丁	24
货物	（名）	huòwù	丙	26

J

基地	（名）	jīdì	丙	17

351

机构	（名）	jīgòu	丙	16
饥渴	（名）	jīkě		20
机密	（名、形）	jīmì	丁	17
肌肉	（名）	jīròu		18
基因	（名）	jīyīn		16
机长	（名）	jīzhǎng		28
极大	（副）	jídà		22
吉普车	（名）	jípǔchē	丁	18
急切	（形）	jíqiè	丁	17
急中生智		jí zhōng shēng zhì		23
脊背	（名）	jǐbèi		24
计算机	（名）	jìsuànjī	丙	19
记载	（动）	jìzǎi	丙	25
继	（动）	jì	丁	22
继承	（动）	jìchéng	丙	23
加班		jiā bān	丁	27
加剧	（动）	jiājù	丁	17
加湿器	（名）	jiāshīqì		20
加速	（动）	jiāsù		25
佳	（形）	jiā	丙	28
家属	（名）	jiāshǔ	丙	22
家务	（名）	jiāwù	丁	20
夹袄	（名）	jiá'ǎo		29
假如	（连）	jiǎrú	丙	19
架	（动）	jià	丙	18
驾驶	（动）	jiàshǐ	丙	17
监督	（动）	jiāndū	丙	29
监视	（动）	jiānshì	丙	26
监狱	（名）	jiānyù	丙	22
减低	（动）	jiǎndī	乙	17
检举	（动）	jiǎnjǔ	丁	19
检修	（动）	jiǎnxiū	丁	24
间或	（副）	jiànhuò		29
荐头	（名）	jiàntou		29
健忘	（形）	jiànwàng		19
将近	（动）	jiāngjìn	丁	29
将军	（名）	jiāngjūn	丙	23
奖金	（名）	jiǎngjīn	丙	18

奖励	（动、名）	jiǎnglì	丙	21
降落伞	（名）	jiàngluòsǎn		17
交谈	（动）	jiāotán	丙	16
交往	（动）	jiāowǎng	丁	22
狡猾	（形）	jiǎohuá	丙	19
脚印	（名）	jiǎoyìn		23
轿车	（名）	jiàochē	丁	18
教案	（名）	jiào'àn		19
皆	（副）	jiē	丁	27
街坊	（名）	jiēfang	丁	24
街头	（名）	jiētóu	丁	17
截	（动）	jié	丙	26
节奏	（名）	jiézòu	丁	22
解除	（动）	jiěchú	丁	22
解放军	（名）	jiěfàngjūn	丙	23
解围		jiě wéi		21
界线	（名）	jièxiàn	丙	16
金灿灿	（形）	jīncàncàn		25
金钱	（名）	jīnqián	丁	28
金珠玛米	（名）	jīnzhūmǎmǐ		25
筋	（名）	jīn	丁	29
禁不住		jīn bu zhù		17
紧密	（形）	jǐnmì	丙	24
谨慎	（形）	jǐnshèn	丙	17
近年	（名）	jìnnián		22
进学		jìn xué		29
惊愕	（形）	jīng'è		30
惊慌失措		jīnghuāng shī cuò		24
惊人	（形）	jīngrén	丙	19
惊喜	（形）	jīngxǐ		22
惊醒	（动）	jīngxǐng		26
惊讶	（形）	jīngyà	丙	20
惊异	（形）	jīngyì	丙	30
兢兢业业		jīngjīngyèyè		28
精华	（名）	jīnghuá	（丁）	25
精明强干		jīngmíng qiánggàn		18
警惕	（动）	jǐngtì	丙	25
竞争	（动、名）	jìngzhēng	丙	22
境界	（名）	jìngjiè	丁	28

境况	（名）	jìngkuàng		30
镜头	（名）	jìngtóu	丁	20
旧式	（形）	jiùshì		20
舅舅	（名）	jiùjiu	丙	20
居	（动）	jū	丁	22
距	（介）	jù	丙	25
巨人	（名）	jùrén		23
拘留	（动）	jūliú	丁	26
举人	（名）	jǔrén		29
聚集	（动）	jùjí	丙	29
巨响	（名）	jùxiǎng		17
绝后		jué hòu		20
绝命书	（名）	juémìngshū		30
角色	（名）	juésè		28
君子固穷		jūnzǐ gù qióng		29

K

卡	（名）	kǎ		21
开关	（名）	kāiguān	丁	17
开门见山		kāi mén jiàn shān		19
开通	（动）	kāitōng		22
坎坷	（形）	kǎnkě		21
看不惯		kàn bu guàn		20
看做	（动）	kànzuò	丁	16
抗拒	（动）	kàngjù		25
抗议	（动）	kàngyì	丙	19
考察	（动、名）	kǎochá	丙	22
考验	（动）	kǎoyàn	丙	25
考证	（动）	kǎozhèng		23
磕	（动）	kē	丁	25
可见	（连）	kějiàn	丙	22
渴望	（动）	kěwàng	丙	21
恳切	（形）	kěnqiè	丁	29
恳谈	（动）	kěntán		20
吭声		kēng shēng		18
空荡荡	（形）	kōngdàngdàng		24
恐怖	（形）	kǒngbù	丙	16
恐龙	（名）	kǒnglóng		16

口述	（动）	kǒushù		19
口水	（名）	kǒushuǐ		26
口音	（名）	kǒuyīn		30
口罩	（名）	kǒuzhào		18
枯	（形）	kū	丙	30
哭哭啼啼	（动）	kūkutítí		30
哭泣	（动）	kūqì		30
苦恼	（形）	kǔnǎo	丁	30
苦笑	（动）	kǔxiào		30
苦于	（形）	kǔyú		22
夸	（动）	kuā	丙	21
夸张	（形）	kuāzhāng		25
会计师	（名）	kuàijìshī	丁	18
狂风	（名）	kuángfēng	丙	25
亏心	（形）	kuīxīn		24
愧悔交加		kuì huǐ jiāojiā		18
阔绰	（形）	kuòchuò		29
扩展	（动）	kuòzhǎn	丁	22

L

喇嘛	（名）	lǎma		25
来回	（副、名）	láihuí	丙	18
来往	（动、名）	láiwǎng	丙	24
来源	（名）	láiyuán	丙	27
朗朗	（象声）	lǎnglǎng		25
牢骚	（名）	láosāo	丙	18
劳资科	（名）	láozīkē		18
唠叨	（动）	láodao		29
老公	（名）	lǎogōng		28
老妈子	（名）	lǎomāzi		30
老婆	（名）	lǎopo	丙	24
老人家	（名）	lǎorénjiā	丙	25
老实巴交		lǎoshibājiāo		18
勒索	（动）	lèsuǒ		27
雷雨	（名）	léiyǔ	丁	30
棱子	（名）	léngzi	丁	18
冷淡	（形）	lěngdàn	丁	24
冷静	（形）	lěngjìng	丙	30

冷冷	（副）	lěnglěng		30
冷笑	（动）	lěngxiào		30
愣神		lèng shén		24
理	（动）	lǐ	丙	30
理会	（动）	lǐhuì	丁	29
礼仪	（名）	lǐyí		25
理智	（名、形）	lǐzhì		26
历代	（名）	lìdài	丁	25
立足	（动）	lìzú		28
怜爱	（动）	lián'ài		20
连连	（副）	liánlián	丁	24
联盟	（名）	liánméng	丙	17
怜惜	（动）	liánxī		24
脸孔	（名）	liǎnkǒng		29
脸色	（名）	liǎnsè	丙	29
恋恋不舍		liànliàn bù shě		25
良心	（名）	liángxīn		21
谅解	（动）	liàngjiě	丙	30
寥寥无几		liáoliáo wú jǐ		22
烈日	（名）	lièrì		25
灵敏	（形）	língmǐn	丁	23
零食	（名）	língshí		27
领子	（名）	lǐngzi	丁	30
溜	（动）	liū	丙	18
溜奸滑蹭		liū jiān huá cèng		18
留意	（动）	liúyì	丁	20
笼	（动）	lǒng		29
吕宋烟	（名）	lǚsòngyān		30
露	（动）	lù	丙	17
乱哄哄	（形）	luànhōnghōng		24
乱蓬蓬	（形）	luànpēngpēng		29
略略	（副）	lüèlüè		29
略微	（副）	lüèwēi	丁	30
论	（动、尾）	lùn	丙	27
论据	（名）	lùnjù		27
摞	（动）	luò		20

M

吗啡	（名）	mǎfēi		26

356

骂街		mà jiē		18
埋没	（动）	máimò	丁	21
瞒	（动）	mán	丙	19
埋怨	（动）	mányuàn	丁	20
满口	（名）	mǎnkǒu		29
忙碌	（形）	mánglù	丁	19
茫茫	（形）	mángmáng	丁	17
盲目	（形）	mángmù	丙	20
猫头鹰	（名）	māotóuyīng		25
毛遂自荐		Máo Suì zì jiàn		23
牦牛	（名）	máoniú		25
梅花	（名）	méihuā	丙	30
眉毛	（名）	méimao	丙	18
美满	（形）	měimǎn	丁	28
美妙	（形）	měimiào	丁	26
美滋滋	（形）	měizīzī		20
魅力	（名）	mèilì		21
闷	（形）	mēn	丙	30
门第	（名）	méndì		30
门房	（名）	ménfáng		30
门槛	（名）	ménkǎn		29
门诊	（名）	ménzhěn	丙	21
蒙	（动）	méng	丙	17
朦胧	（形）	ménglóng		18
猛烈	（形）	měngliè	丙	26
梦幻	（名）	mènghuàn		20
眯	（动）	mī	丙	26
弥补	（动）	míbǔ	丁	30
棉袄	（名）	mián'ǎo		29
免不了		miǎn bu liǎo		29
免得	（连）	miǎnde	丙	27
免费		miǎn fèi	丁	26
面对	（动）	miànduì	丙	16
面孔	（名）	miànkǒng	丙	30
面临	（动）	miànlín	丙	16
描红纸	（名）	miáohóngzhǐ		29
妙龄	（名）	miàolíng		21
灭绝	（动）	mièjué		16

灭伦		miè lún		30
灭亡	（动）	mièwáng	丙	23
敏锐	（形）	mǐnruì	丁	28
明(明)	（副）	míng(míng)	丙	24
名人	（名）	míngrén	丁	22
名堂	（名）	míngtang		20
明星	（名）	míngxīng	丁	22
名誉	（名）	míngyù	丁	27
末	（名）	mò	丙	22
莫过于	（动）	mòguòyú	╱	17
墨	（名）	mò	丙	25
模棱两可		móléng liǎng kě		19
母系	（名）	mǔxì		23
母校	（名）	mǔxiào		19
幕	（名）	mù	丙	30

N

耐烦	（形）	nàifán	丙	29
难堪	（形）	nánkān	丁	21
难言		nán yán		21
男性	（名）	nánxìng	丁	25
男子	（名）	nánzǐ	丙	27
恼	（形）	nǎo		18
恼火	（动、形）	nǎohuǒ	丁	21
内地	（名）	nèidì	丁	24
内行	（名）	nèiháng	丁	25
内心	（名）	nèixīn	丁	28
内脏	（名）	nèizàng	丁	26
年关	（名）	niánguān		29
念叨	（动）	niàndao		25
念经		niàn jīng		25
念头	（名）	niàntou	丁	18
娘	（名）	niáng	丙	18
娘儿们	（名）	niángrmen		24
凝视	（动）	níngshì	丁	18
拧	（动）	nǐng	丙	18
牛痘	（名）	niúdòu		25
牛油	（名）	niúyóu		25

农奴	（名）	nóngnú		25
努嘴		nǔ zuǐ		29
怒不可遏		nù bù kě è		18
暖瓶	（名）	nuǎnpíng		18
女性	（名）	nǚxìng	丁	25
女佣	（名）	nǚyōng		30
虐待	（动）	nüèdài		16

O

噢	（叹）	ō	丙	19
哦	（叹）	ò	丙	29

P

趴	（动）	pā	丙	16
扒	（动）	pá	丁	24
排除	（动）	páichú	丁	17
盘	（动）	pán	丙	29
判	（动）	pàn		26
抛	（动）	pāo	丙	24
培养	（动）	péiyǎng	丙	17
配	（动）	pèi	丙	29
配套	（动）	pèitào	丁	20
砰	（象声）	pēng		27
劈	（动）	pī	丁	18
屁股	（名）	pìgu	丙	18
翩翩	（形）	piānpiān		21
偏重	（动）	piānzhòng		28
频繁	（形）	pínfán	丁	22
品行	（名）	pǐnxíng	丁	29
聘请	（动）	pìnqǐng	丁	27
平整	（形、动）	píngzhěng	丁	21
评价	（名、动）	píngjià	丙	19
凭空	（副）	píngkōng		29
迫不及待		pò bù jí dài		26
迫害	（动）	pòhài	丙	20
破烂	（形）	pòlàn	丙	20
剖腹		pōu fù		24
扑克	（名）	pūkè	丁	22

蒲包	（名）	púbāo		29
仆人	（名）	púrén	丁	24

Q

期待	（动）	qīdài	丁	25
欺负	（动）	qīfu	丙	20
欺侮	（动）	qīwǔ		30
凄凉	（形）	qīliáng	丁	24
奇迹	（名）	qíjì	丙	21
祈祷	（动）	qídǎo		25
起跑线	（名）	qǐpǎoxiàn		28
起义	（动、名）	qǐyì	丙	23
气	（名）	qì	丙	24
气氛	（名）	qìfēn	丙	19
气呼呼	（形）	qìhūhū		21
气话	（名）	qìhuà		18
泣不成声		qì bù chéng shēng		17
器	（名）	qì	丁	26
恰好	（副）	qiàhǎo	丙	26
千里迢迢		qiān lǐ tiáotiáo		24
签名		qiān míng	丁	16
前襟	（名）	qiánjīn		24
前景	（名）	qiánjǐng	丁	25
前所未有		qián suǒ wèi yǒu		22
前提	（名）	qiántí	丁	28
虔诚	（形）	qiánchéng		25
钳子	（名）	qiánzi	丁	18
枪毙	（动）	qiāngbì	丁	19
敲诈	（动）	qiāozhà		30
窃	（动）	qiè		29
亲情	（名）	qīnqíng		22
亲属	（名）	qīnshǔ		23
亲眼	（副）	qīnyǎn	丙	17
芹菜	（名）	qíncài	丁	27
勤快	（形）	qínkuài		24
清白	（形）	qīngbái		29
清除	（动）	qīngchú	丙	25
青稞酒	（名）	qīngkējiǔ		25

轻狂	（形）	qīngkuáng		24
轻微	（形）	qīngwēi	丁	25
轻悠悠	（形）	qīngyōuyōu		25
倾注	（动）	qīngzhù		20
情报	（名）	qíngbào	丙	24
情妇	（名）	qíngfù		30
情面	（名）	qíngmiàn		29
请示	（动）	qǐngshì	丙	17
曲尺	（名）	qūchǐ		29
区分	（动）	qūfēn	丁	23
取决于		qǔjuéyú		28
取笑	（动）	qǔxiào		29
圈子	（名）	quānzi	丙	27
拳头	（名）	quántou	丙	16
权力	（名）	quánlì	丙	16
权势	（名）	quánshì		28
权威	（名）	quánwēi	丁	19
劝说	（动）	quànshuō	丁	20

R

燃眉之急		rán méi zhī jí		22
惹是生非		rě shì shēng fēi		24
……热	（尾）	…rè		22
热泪盈眶		rè lèi yíng kuàng		17
热量	（名）	rèliàng	丙	27
热线	（名）	rèxiàn		22
人格	（名）	réngé	丁	26
人群	（名）	rénqún	丙	18
人权	（名）	rénquán	丁	16
人生	（名）	rénshēng	丁	28
人士	（名）	rénshì	丙	17
忍受	（动）	rěnshòu	丙	25
仍旧	（副）	réngjiù	丙	16
日益	（副）	rìyì	丙	22
容量	（名）	róngliàng	丁	22
如泣如诉		rú qì rú sù		17
如是		rú shì		29
如同	（动）	rútóng	丙	25

如意	（形）	rúyì	丁	30

S

仨	（数）	sā		24
腮	（名）	sāi	丁	18
三连冠		sānliánguàn		24
三令五申		sān lìng wǔ shēn		18
散工		sàn gōng		29
丧失	（动）	sàngshī	丙	26
色彩	（名）	sècǎi	丙	28
煞	（动）	shā		18
啥	（代）	shá	丁	24
珊瑚	（名）	shānhú	丁	19
闪烁	（动）	shǎnshuò	丙	25
扇	（量）	shàn		25
善	（形）	shàn	丁	20
善良	（形）	shànliáng	丁	20
伤害	（动）	shānghài	丙	20
伤口	（名）	shāngkǒu	丙	25
商品房	（名）	shāngpǐnfáng		22
赏	（动）	shǎng	丁	23
上帝	（名）	shàngdì	丙	17
上台		shàng tái	丁	23
少女	（名）	shàonǚ	丙	21
折	（动）	shé		29
舍不得	（动）	shěbude	丙	20
涉及	（动）	shèjí	丁	19
摄像机	（名）	shèxiàngjī		22
深情	（名）	shēnqíng	丁	17
深信	（动）	shēnxìn	丁	16
身材	（名）	shēncái	丙	29
申请	（动）	shēnqǐng	丙	22
神气	（名、形）	shénqì	丙	29
神圣	（形）	shénshèng	丙	17
神情	（名）	shénqíng	丙	17
审查	（动）	shěnchá	丙	26
婶(子)	（名）	shěn(zi)	丙	24
肾炎	（名）	shènyán	丁	26

生产力	（名）	shēngchǎnlì	丁	28
生理	（名）	shēnglǐ	丙	23
生命线	（名）	shēngmìngxiàn		22
生平	（名）	shēngpíng		30
生物角	（名）	shēngwùjiǎo		19
生育	（动）	shēngyù	丁	23
声气	（名）	shēngqì		29
省得	（连）	shěngde	丙	18
失散	（动）	shīsàn		30
失职		shī zhí		29
失踪	（动）	shīzōng	丁	29
尸首	（名）	shīshou		30
时常	（副）	shícháng	丙	29
时时	（副）	shíshí	丙	28
时针	（名）	shízhēn		25
拾掇	（动）	shíduo		24
实干	（形）	shígàn		28
实况	（名）	shíkuàng	丙	17
实力	（名）	shílì	丁	28
实习	（动）	shíxí	丙	19
实行	（动）	shíxíng	丙	18
十足	（形）	shízú	丁	29
拭	（动）	shì		29
事故	（名）	shìgù	丙	17
侍候	（动）	shìhòu	丁	29
世界屋脊		shìjiè wūjǐ		25
势头	（名）	shìtóu		18
氏族	（名）	shìzú		23
收容	（动）	shōuróng		18
守	（动）	shǒu	丙	30
手机	（名）	shǒujī	丙	22
手势	（名）	shǒushì	丙	16
首长	（名）	shǒuzhǎng		17
受气		shòu qì		18
受气包	（名）	shòuqìbāo		24
受伤		shòu shāng		27
授予	（动）	shòuyǔ	丁	17
输出	（动）	shūchū	丁	19
疏忽	（动）	shūhu	丁	17

书籍	（名）	shūjí	丙	29
属实		shǔ shí		22
束缚	（动）	shùfù	丙	28
数目	（名）	shùmù	丙	18
双重	（形）	shuāngchóng		28
顺风耳	（名）	shùnfēng'ěr		22
说不定	（副）	shuōbudìng	丙	19
说教	（名）	shuōjiào		20
思潮	（名）	sīcháo	丁	28
思考	（动）	sīkǎo	丙	16
私生子	（名）	sīshēngzǐ		30
丝线	（名）	sīxiàn		30
四大金刚		sì dà jīngāng		24
四周	（名）	sìzhōu	丙	21
松弛	（动、形）	sōngchí		21
嗖	（象声）	sōu		24
酥油	（名）	sūyóu		25
俗语	（名）	súyǔ		23
速决战	（名）	sùjuézhàn		18
簌簌	（象声）	sùsù		24
塑造	（动）	sùzào	丁	28
酸溜溜	（形）	suānliūliū		24
虽说	（连）	suīshuō	丙	26
随后	（副）	suíhòu	丙	21
随意	（形）	suíyì	丁	23
岁月	（名）	suìyuè	丁	20
孙女	（名）	sūnnǚ	丙	20
笋	（名）	sǔn	丁	29
损害	（动）	sǔnhài	丙	26
损坏	（动）	sǔnhuài	丙	17
索性	（副）	suǒxìng	丁	18

T

太空	（名）	tàikōng		17
摊	（量、名）	tān	丙	24
坛(子)	（名）	tán(zi)	丁	29
坦白	（形）	tǎnbái	丁	24
坦率	（形）	tǎnshuài		21

探测	（动）	tàncè		丁	17
叹气		tàn qì		丙	20
陶器	（名）	táoqì			23
倘若	（连）	tǎngruò		丙	28
讨饭		tǎo fàn			25
特有	（形）	tèyǒu			25
提升	（动）	tíshēng		丁	26
提心吊胆		tí xīn diào dǎn			18
体现	（动）	tǐxiàn		丙	27
体验	（动）	tǐyàn		丁	25
体重	（名）	tǐzhòng		丁	26
剃	（动）	tì		丁	27
天长地久		tiān cháng dì jiǔ			25
天花	（名）	tiānhuā			25
天堂	（名）	tiāntáng			17
填写	（动）	tiánxiě		丁	23
挑选	（动）	tiāoxuǎn		丙	18
跳动	（动）	tiàodòng		丙	17
厅	（名）	tīng		丙	26
通红	（形）	tōnghóng		丁	26
同伴	（名）	tóngbàn		丙	26
同胞	（名）	tóngbāo		丁	17
同行	（名）	tóngháng		丁	27
同类	（名）	tónglèi		丁	16
同龄	（形）	tónglíng			24
铜钱	（名）	tóngqián			29
偷窃	（动）	tōuqiè		丁	29
投靠	（动）	tóukào			24
头脑	（名）	tóunǎo		丙	26
头头	（名）	tóutou			18
头头是道		tóutóu shì dào			21
透彻	（形）	tòuchè		丁	30
图腾	（名）	túténg			23
团	（量）	tuán		丙	17
推行	（动）	tuīxíng		丁	25
颓唐	（形）	tuítáng			29
吞吞吐吐	（形）	tūntūntǔtǔ			24
托儿所	（名）	tuō'érsuǒ		丙	21
拖拉机	（名）	tuōlājī		丙	18

拖欠	（动）	tuōqiàn		29
椭圆	（形）	tuǒyuán	丁	25

W

歪曲	（动）	wāiqū	丙	27
外表	（名）	wàibiǎo	丁	26
外科	（名）	wàikē	丙	27
外乡	（名）	wàixiāng		30
完善	（动、形）	wánshàn	丙	28
玩世不恭		wán shì bù gōng		30
玩意儿	（名）	wányìr	丙	27
惋惜	（动、形）	wǎnxī	丁	29
万	（副）	wàn	丙	18
万能	（形）	wànnéng		21
网	（名）	wǎng	丙	22
威胁	（动）	wēixié	丙	23
为难	（形、动）	wéinán	丙	24
维持	（动）	wéichí	丙	16
维修	（动）	wéixiū	丁	25
惟一	（形）	wéiyī	丁	16
伪君子	（名）	wěijūnzǐ		30
未必	（副）	wèibì	丙	28
未尝	（副）	wèicháng		30
未婚夫	（名）	wèihūnfū		24
温	（动、形）	wēn	丙	29
温和	（形）	wēnhé	丙	20
温顺	（形）	wēnshùn		19
文	（量）	wén		29
文静	（形）	wénjìng		23
文凭	（名）	wénpíng	丁	19
闻名	（动）	wénmíng	丙	26
窝囊	（形）	wōnang	丁	24
污	（动）	wū	丙	29
巫师	（名）	wūshī		23
诬陷	（动）	wūxiàn	丁	27
乌鸦	（名）	wūyā	丁	20
呜咽	（动、形）	wūyè		24
无法	（副）	wúfǎ	丙	16

项链	（名）	xiàngliàn	丁	25
消	（动）	xiāo	丁	24
消耗	（动）	xiāohào	丙	27
小费	（名）	xiǎofèi		17
小绵羊	（名）	xiǎomiányáng		19
小数点	（名）	xiǎoshùdiǎn	丁	17
笑容	（名）	xiàoróng	丙	17
孝顺	（形、动）	xiàoshùn	丁	21
歇后语	（名）	xiēhòuyǔ		23
协调	（动）	xiétiáo	丁	28
卸	（动）	xiè	丙	24
谢绝	（动）	xièjué	丁	25
心灰意冷		xīn huī yì lěng		21
心急火燎		xīn jí huǒ liǎo		18
心目	（名）	xīnmù	丁	20
心声	（名）	xīnshēng		28
辛勤	（形）	xīnqín	丙	19
新奇	（形）	xīnqí		25
薪	（名）	xīn		27
信物	（名）	xìnwù		24
信息	（名）	xìnxī	丙	22
信仰	（动、名）	xìnyǎng	丁	20
猩猩	（名）	xīngxing		16
行政	（名）	xíngzhèng	丙	18
兴高采烈		xìng gāo cǎi liè	丙	19
性情	（名）	xìngqíng	丁	30
姓氏	（名）	xìngshì		23
幸而	（副）	xìng'ér		29
幸灾乐祸		xìng zāi lè huò		19
凶	（形）	xiōng	丙	29
熊	（名）	xióng	丁	23
熊掌	（名）	xióngzhǎng		28
修饰	（动）	xiūshì	丁	20
秀才	（名）	xiùcai		29
绣	（动）	xiù	丙	25
袖襟	（名）	xiùjīn		30
虚幻迷离		xūhuàn mílí		26
需求	（名）	xūqiú	丁	22
徐娘半老		Xú Niáng bàn lǎo		23

368

徐徐	（副）	xúxú		丁	30
蓄产	（名）	xùchǎn			24
宣言	（名）	xuānyán		丙	16
学究	（名）	xuéjiū			19
学者	（名）	xuézhě		丙	19
血缘	（名）	xuèyuán			23
寻找	（动）	xúnzhǎo		丁	28
询问	（动）	xúnwèn		丙	22
讯	（动）	xùn		丁	21

Y

哑巴	（名）	yǎba			17
沿海	（名）	yánhǎi		丙	22
严谨	（形）	yánjǐn			19
眼皮	（名）	yǎnpí			21
砚	（名）	yàn			29
雁	（名）	yàn			23
厌恶	（动）	yànwù		丙	30
洋火	（名）	yánghuǒ			30
养老送终		yǎng lǎo sòng zhōng			20
邀	（动）	yāo		丁	22
摇摆	（动）	yáobǎi		丙	18
摇晃	（动）	yáohuàng		丙	24
舀	（动）	yǎo			29
要不	（连）	yàobù		丙	24
要命		yào mìng		丁	18
药水	（名）	yàoshuǐ		丙	25
野蛮	（形）	yěmán		丁	16
野生	（形）	yěshēng		丁	16
野外	（名）	yěwài			23
液体	（名）	yètǐ		丙	25
一一	（副）	yīyī		丙	27
一五一十		yī wǔ yī shí			24
一辈子	（名）	yíbèizi		丁	20
一度	（副）	yídù		丁	21
一帆风顺		yì fān fēng shùn		丁	26
一个劲儿	（副）	yígèjìnr		丁	19
一会儿……一会儿……		yíhuìr…yíhuìr…		丙	20

371

注射器	（名）	zhùshèqì	丁	26
驻	（动）	zhù	丙	25
祝福	（动）	zhùfú	丁	22
祝愿	（动）	zhùyuàn	丙	25
专业户	（名）	zhuānyèhù	丁	22
转播	（动）	zhuǎnbō	丙	19
转化	（动）	zhuǎnhuà	丙	28
转眼	（副）	zhuǎnyǎn		20
转赠	（动）	zhuǎnzèng		17
转悠	（动）	zhuànyou		18
桩	（量）	zhuāng	丙	27
装饰	（动）	zhuāngshì	丙	20
追问	（动）	zhuīwèn	丁	20
坠毁	（动）	zhuìhuǐ		17
灼热	（形）	zhuórè		25
滋味	（名）	zīwèi	丁	22
自强	（形）	zìqiáng		20
自由市场	（名）	zìyóushìchǎng	丁	19
自顾不暇		zì gù bù xiá		24
总	（形）	zǒng	丙	18
总数	（名）	zǒngshù	丁	16
总之	（连）	zǒngzhī	丙	16
揍	（动）	zòu	丁	24
祖先	（名）	zǔxiān	丙	16
罪	（名）	zuì	丙	27
罪恶	（名）	zuì'è	丙	25
罪过	（名）	zuìguò		30
罪名	（名）	zuìmíng	丁	27
尊严	（名）	zūnyán	丁	28
坐落	（动）	zuòluò		18
坐月子		zuò yuèzi	丁	24
做主		zuò zhǔ	丁	24

专　　名

A

阿兴	Ā Xīng		21

J

K

L

M

N

X

Y

Z